D0854263

de Bib de Bibliotheek
Breda West

Mark Billingham

Uit de dood verrezen

Vertaald door
Ernst de Boer en
Ankie Klootwijk

Anthos|Amsterdam

ISBN 978 90 414 1723 7
© 2010 Mark Billingham
© 2012 Nederlandse vertaling Ambo|Anthos *uitgevers*,
Amsterdam, Ernst de Boer en Ankie Klootwijk
Oorspronkelijke titel *From the Dead*
Oorspronkelijke uitgever Little, Brown
Omslagontwerp Studio Jan de Boer
Omslagillustratie © Sally Mundy/Arcangel/Hollandse Hoogte
Foto auteur © Charlie Hopkinson

Verspreiding voor België:
Veen Bosch & Keuning uitgevers n.v., Antwerpen

Voor Peter Cocks
Mijas kunnen ze ons niet meer afpakken

Proloog

Nadat de brandstoftank is ontploft, houden de bossen een paar seconden geschokt de adem in.

Zo lijkt het tenminste, alsof er na de dreun van de explosie een paar seconden van rust en stilte volgen voordat elke vogel, elk insect en alle andere dieren hun ingehouden adem laten ontsnappen. Voordat de wind weer door de bomen waait, hoewel hij zelfs dan alleen maar durft te fluisteren. Maar het kan natuurlijk ook dat het voor de mannen die naar de brandende auto staan te kijken zo lang duurt voordat het suizen uit hun oren is verdwenen. En de man in de auto eindelijk is opgehouden met schreeuwen.

Toen de twee mannen hem tien minuten geleden naar de Jaguar sleurden, moest de jongste de arme drommel een paar tikken verkopen om hem het zwijgen op te leggen. Maar zodra hij op de bestuurdersplaats was geduwd, was er geen houden meer aan geweest. Niet nadat hij de handboeien had gezien en de jerrycan met benzine die uit de kofferbak was gehaald.

Niet toen hij zich eenmaal realiseerde wat ze gingen doen.

'Ik had niet gedacht dat hij zo'n kabaal zou maken,' zei de oudere man.

'Ze maken altijd een hoop herrie.' De jongere man snoof en glimlachte. 'Normaal gesproken maakt u dit hoofdstuk niet mee, hè?'

'Als het aan mij ligt, niet, nee.' De oudere man stak zijn handen diep in de zakken van zijn Barbour-jack en keek omhoog naar de bomen die zich rond de kleine open plek verdrongen. Het licht begon al af te nemen en het werd snel kouder.

De jongere man grinnikte. 'Maak je geen zorgen, het wordt zo wel warmer.' Hij deed het achterportier van de Jag open en begon benzine in het rond te plenzen.

De man die met handboeien aan het stuur was vastgeketend gooide zich naar voren en naar achteren, waarbij de boeien over het walnoten stuur ratelden en speeksel tegen het dashboard en de voorruit vloog. Hij begon te schreeuwen en smeekte de man met de jerrycan op te houden. Hij zei tegen hem dat hij een vrouw en kind had, noemde hem hun namen. Hij zei: 'Je hoeft dit niet te doen.' En daarna: 'In godsnaam!' en 'Alsjeblieft...'

De oudere man vertrok zijn gezicht alsof hij zware hoofdpijn had en vroeg zijn collega het portier dicht te doen. Om die rotherrie wat te dempen. De jongere man deed wat hem gevraagd werd, gooide de lege jerrycan weer in de kofferbak, liep toen op zijn werkgever af en bood hem een sigaret aan. Die werd afgeslagen, maar zelf nam hij er wel een en haalde een Zippo tevoorschijn om hem aan te steken.

'Tevreden?'

De man in het Barbour-jack knikte. 'Het was alleen een kwestie van nog even de puntjes op de i zetten. De kleren, weet je wel? Sieraden en zo.'

De jongere man knikte in de richting van de auto. 'Zonde van uw horloge.'

De oudere man keek omlaag naar de contouren van een polshorloge, die bleek afstaken tegen een gebruinde Barbados-huid. 'Ach, dat zijn allemaal maar spullen, hè?' Hij haalde zijn schouders op. 'Horloges, auto's, weet ik veel. Doet er uiteindelijk niks toe. Dat je leeft, daar gaat het om, toch?'

De jongere man zoog de rook diep zijn longen in en blies die toen sissend tussen zijn tanden door naar buiten. Hij nam nog twee snelle trekjes en schoot de peuk tussen duim en wijsvinger tussen de bomen. 'Nou, zal ik het dan maar afmaken?' zei hij.

Hij haalde de aansteker weer tevoorschijn en pakte uit zijn andere zak een lap, die hij tussen zijn vingers ronddraaide terwijl hij weer naar de auto liep.

De man in de Jag huilde nu en bonkte met zijn hoofd tegen de zijruit. Zijn stem klonk rauw en schor en was even hoorbaar in de paar seconden die het duurde om het portier open te doen, de aansteker aan te knippen en de brandende lap op de achterbank te gooien. Niet meer dan een paar seconden, maar het was makkelijk te horen wat hij zei.

Die namen weer. Zijn vrouw en zijn zoon.

Zei het deze keer alleen maar voor zichzelf, en hij bleef ze met gesloten ogen herhalen tot de rook de woorden in zijn keel smoorde.

De twee mannen liepen achteruit naar de bomen en keken van veilige afstand toe hoe het vuur om zich heen greep. Binnen anderhalve minuut waren de ruiten gesprongen en was de gestalte voorin niet meer dan een zwarte vorm.

'Waar gaat u naartoe?'

De oudere man porde met de punt van zijn schoen in de rottende bladeren. 'En waarom denk je dat je dat moet weten?'

'Ik vroeg het me gewoon af.'

'Denk jij nou maar aan de waardeloze rotzooi waar je je geld aan gaat uitgeven.'

'Uw geld, bedoelt u.'

'Precies. Zulke klussen komen zeker niet vaak voor, hè? Hoe vaak ben je twee keer voor één klus betaald?'

'Ik heb nog nooit een klus als deze gehad –'

Op dat moment was de benzinetank geëxplodeerd...

Een halve minuut later draaiden ze zich om en liepen terug naar waar de tweede auto stond geparkeerd, weg van de geluiden die na die paar dode seconden op de open plek begonnen rond te wervelen en te echoën. De wind en de bladeren en de krakende takken. Het knetteren en sissen van vlammen die vlees en leer verslonden.

Op een meter of honderd van de hoofdweg bleef de oudere man staan en keek op. 'Hoor je dat?'

'Wat?'

Hij wachtte even en wees toen hij het geluid weer hoorde. 'Een specht. Hoor je hem?'

De jongere man schudde zijn hoofd.

'Een grote bonte, denk ik. Die komt het meest voor.'

Ze liepen weer verder, en het bos werd met de minuut donkerder.

'Hoe komt het dat u dat soort dingen weet?'

'Door te lezen,' zei de oudere man. 'Boeken, tijdschriften, wat dan ook. Moet je ook eens proberen.'

'Ja, nou ja, u hebt nu alle tijd aan uzelf, toch?'

De jongere man knikte in de richting van de auto, waarvan de vuurgloed ruim een kilometer achter hem duidelijk zichtbaar was door de donkere wirwar van eiken en grote beuken. 'U kunt tot sint-juttemis alles over die godvergeten spechten lezen. Nu u dood bent...'

1

EEN GOEIE TRUC

1

Anna Carpenter had maar één keer eerder sushi gegeten, toen een go
zer met wie ze een blauwe maandag een relatie had gehad indruk op
haar had willen maken, maar dit was de eerste keer dat ze in zo'n tent
met een lopende band was. Ze vond het een goed idee. Er zat wat in, dat
je de kans kreeg om het eten te bekijken voordat je toesloeg, en het gaf
niets als je het vijf keer voorbij liet gaan voordat je je keus bepaalde,
omdat het toch koud was.

Duivelse slimmeriken, die Japanners...

Ze pakte een bordje zalmnigiri van de band en vroeg de man naast
haar om de sojasaus door te geven. Hij schoof de fles glimlachend haar
kant op en bood haar vervolgens het potje wasabi aan.

'O god, nee, dat is toch dat bloedhete spul?'

De man vertelde haar dat het een kwestie was van er niet te veel van
te nemen, en ze zei dat ze het eigenlijk niet aandurfde, dat ze een be-
ginneling was als het om het eten van rauwe vis ging.

'Is dit je lunchpauze?' vroeg hij.

'Ja. En jij?'

'Nou, ik ben eigen baas, dus ik kan eerlijk gezegd meestal wel iets
langer dan een uur wegblijven.' Bedreven pakte hij iets wat eruitzag als
een pasteitje van zijn bord en doopte het in een saus. 'Werk je hier
dichtbij?'

Anna knikte met haar mond vol rijst, en mompelde ja.

'Wat voor werk doe je?'

Ze slikte. 'Ik werk voor een uitzendbureau,' zei ze. 'Maar het is wel dodelijk saai.'

Naast haar dook een ober op met de fles mineraalwater die ze had besteld, en tegen de tijd dat hij weer weg was, waren zij en de man die naast haar zat weer bijna vreemden. Anna vond het even ongemakkelijk als hij het kennelijk vond om het gesprek weer op te pikken, en geen van tweeën had iets van specerijen nodig waar hij de ander om kon vragen.

Ze wisselden onder het eten glimlachjes uit. Wierpen de ander een blik toe en keken weer weg. Een knikje van de een of de ander als iets buitengewoon lekker was.

Hij was midden of achter in de dertig – een jaar of tien ouder dan zij – en hij zag er goed uit in een glimmend blauw pak, dat waarschijnlijk evenveel had gekost als haar auto. Hij had een enigszins verkreukelde glimlach en had bij zijn laatste scheerbeurt een stukje onder zijn adamsappel overgeslagen. Hij zag eruit of hij aan sport deed, maar niet al te veel, en ze vermoedde dat hij niet het type man was dat vaker vochtinbrengende crème gebruikte dan zij.

Hij zat nog steeds naast haar toen ze klaar was.

'Misschien moet ik die wasabi volgende keer maar eens proberen,' zei ze.

'Sorry?' Hij keek haar quasi-verrast aan, alsof hij was vergeten dat zij er zat.

Maar daar trapte Anna geen moment in. Ze had gemerkt dat hij al tien minuten klaar was met eten. Ze had de stapel lege borden naast hem gezien, had toegekeken hoe hij zijn kopje thee tot de laatste druppel had leeggedronken, en ze wist heel goed dat hij wachtte tot zij was uitgegeten.

Ze boog zich naar hem toe. 'We zouden naar een hotel kunnen gaan.'

Nu was zijn verbazing niet gespeeld. Hij had niet verwacht dat zij het initiatief zou nemen. Hij deed zijn mond open en sloot hem weer.

'Vanwege het feit dat je er meer dan een uur tussenuit kunt knijpen.'

Hij knikte maar durfde haar niet aan te kijken.

'Waarom proberen we niet uit of je écht van sushi houdt?' Het was doelbewust grof, en ze voelde dat ze bloosde toen ze het zei, maar ze zag meteen dat het had gewerkt.

Hij mompelde: 'Jézus!' terwijl de verkreukelde glimlach in een stompzinnige grijns veranderde. Hij wuifde naar de ober en gebaarde naar Anna's lege bordjes en die van hem om aan te geven dat hij voor hen allebei wilde afrekenen.

Het hotel lag op vijf minuten lopen. Weggestopt achter Kingsway en prettig dicht bij het metrostation Holborn en een drogist met een rijk assortiment. Twee klassen beter dan een Travelodge, zonder dat het krankzinnig duur was.

Hij trok zijn portemonnee toen ze op de receptie afliepen.

'Ik ben geen hoer,' zei Anna.

'Dat weet ik.'

'Ik wil best de helft van de kamer betalen.'

'Echt, het is geen probleem,' zei hij. 'Je zei dat je voor een uitzendbureau werkte, dus...'

'Goed dan, wat je wilt.' Ze ving de blik van de jonge man achter de balie. Hij knikte beleefd en keek toen weg omdat hij wel voelde dat hij niet mocht laten blijken dat hij haar al eerder had gezien. 'Als je écht poenerig wilt doen, kun je een fles van het een of ander bestellen,' zei Anna, en ze draaide zich om en liep de lobby door.

In de lift vroeg hij eindelijk hoe ze heette.

Ze schudde haar hoofd. 'Ingrid... Angelina... Michelle. Waar je het meest opgewonden van raakt. Dat maakt het spannender.' Ze deed haar ogen dicht en kreunde zachtjes toen hij haar billen streelde.

Toen de lift op de eerste verdieping trillend tot stilstand kwam, zei hij: 'Ik heet Kevin.'

De kamer was groter dan ze had verwacht – een behoorlijke tweepersoonskamer – en ze vermoedde dat hij flink had uitgehaald, waardoor ze merkwaardig genoeg medelijden met hem kreeg.

'Niet gek,' zei hij, en hij trok zijn colbertje uit.

Ze ging meteen naar de badkamer. 'Geef me een minuutje,' zei ze.

Ze stuurde het sms'je terwijl ze op het toilet zat en ging toen voor de spiegel staan om het teveel aan make-up weg te vegen. Ze hoorde hem aan de andere kant van de deur heen en weer lopen, hoorde de veren van het bed kraken en stelde zich voor dat hij als een of andere gigolo in een sitcom het matras testte door erop te duwen, met die grijns die nog steeds op zijn gezicht stond gebeiteld.

Toen ze de badkamer uit kwam, zat hij in zijn boxershort op de rand van het bed met zijn handen in zijn schoot.

'Nou, waar is die sushi dan?' vroeg hij.

'Drinken we eerst niet iets?'

Als op afspraak werd er op de deur geklopt en hij knikte in die richting. 'Ze hadden geen champagne,' zei hij. 'Dus heb ik maar wat mousserende wijn besteld. Was trouwens bijna even duur...'

Anna liep snel naar de deur en deed die open, draaide zich om en zag Kevins gezicht bleek van schrik worden toen zijn vrouw de kamer binnenkwam.

'O, shit,' zei hij, met één hand de snel wegebbende erectie verbergend terwijl hij met de andere zijn overhemd en broek bij elkaar graaide.

De vrouw keek naar hem vanaf de deuropening met haar handtas voor haar buik. 'Trieste rukker,' zei ze.

'Ze heeft me verdomme opgepikt.' Hij priemde een vinger in Anna's richting. 'Ik zat gewoon te lunchen, en toen heeft deze... hóér...'

'Ik weet het,' zei zijn vrouw. 'En ze moest je hier schoppend en schreeuwend naartoe slepen, zo was het toch?'

'Ik vind het ongelooflijk dat je dit hebt gedaan. Dat je me er zo in luist.'

'Wat? Je vindt het ongelooflijk dat ik je niet vertrouw?'

Anna probeerde zich langs de echtgenote te wurmen naar de deur toe. 'Ik kan jullie maar beter alleen laten.'

De vrouw knikte even en stapte opzij. 'Het geld is al overgemaakt op de rekening van uw bedrijf,' zei ze.

'Goed, dank u wel.'

'Smerige bitch!' schreeuwde Kevin. Hij was nog steeds bezig zijn broek aan te trekken en viel bijna, maar kon zich nog net staande houden tegen een ladekast.

Anna deed de deur open.

'En haal jezelf maar niks in je hoofd, schat. Het was alleen omdat het in de aanbieding was.'

De vrouw had tranen in haar ogen, maar de blik in haar ogen hield nog steeds het midden tussen medelijden en woede. Anna had de indruk dat beide evenzeer voor haar waren bedoeld als voor de echtgenoot van de vrouw.

'Ik laat het u samen uitvechten,' zei Anna.

Ze stapte vlug de gang op toen Kevin weer begon te schreeuwen en kromp ineen toen de deur achter haar dichtknalde. Ze liep snel langs de lift en nam met twee treden tegelijk de trap naar de lobby.

Ze probeerde niet aan zijn gezicht en aan zijn bleke, haarloze lichaam te denken of aan de dingen waarvan hij moest hebben gedacht dat ze die gingen doen.

De woorden die hij haar had nageschreeuwd.

'Je houdt jezelf voor de gek, schat,' had hij gezegd. 'Als je denkt dat je geen hoer bent.'

Op de terugweg naar Victoria pakte Anna in de ondergrondse een verfomfaaide *Metro* en probeerde te lezen. Ze deed haar best niet aan de klus te denken die ze net achter de rug had.

Je houdt jezelf voor de gek...

Ze wist dat de man wiens huwelijk ze waarschijnlijk in de vernieling had geholpen in meer dan één opzicht de spijker op de kop had geslagen, dat vrijwel alles waar zij mee bezig was niet in de haak was. Ze had een paar van die flitsende websites gezien en ze wist hoe de grotere en betere bureaus de extremere vormen van 'specialistisch huwelijksonderzoek' aanpakten. Er waren altijd minstens twee detectives betrokken bij een lokoperatie. Het welzijn en de veiligheid van de detective stonden te allen tijde voorop. Er werden verborgen camera's en microfoons geïnstalleerd en geheime signalen afgesproken.

Ja hoor, vast wel.

Ze zag Franks smalende gezicht al voor zich en ze hoorde zijn raspende stem al bol staan van het sarcasme.

'En waarom pak je je biezen dan niet en ga je niet voor die grotere en betere bureaus werken?'

Ze stelde zich voor dat ze die bal meteen zou terugkaatsen en opgewekt zou zeggen dat ze dat vandaag of morgen misschien wel zou doen. Maar ook al was ze die sushibar binnengelopen met gewapende ondersteuning, een verborgen taperecorder en een pen in haar slipje verstopt waarmee je zuur kon spuiten, dan nog zou ze zich niet beter hebben gevoeld over wat ze deed.

Over de kant die haar leven op ging.

Geld zou misschien wat geholpen hebben om het onbehaaglijke gevoel te temperen, maar dat kwam ook niet bepaald met bakken tegelijk binnen. Op de spaarzame momenten dat Frank Anderson niet kwaad of dronken was of onredelijk scherp, had hij haar de financiële situatie uit de doeken gedaan.

'Ik zou je graag wat meer betalen,' had hij gezegd, en heel even klonk het alsof hij het meende. 'Echt waar, maar kijk om je heen. Alles gaat naar de klote in een specialistische branche als die van ons, en die kredietcrisis bijt ons allemaal in de staart. Snap je?'

Anna had overwogen Frank eraan te herinneren dat ze een graad in de economie had, maar ze kon al uittekenen hoe het gesprek dan zou eindigen.

'Dus waarom sodemieter je dan niet op naar die poenerige bank van je?'

En die vraag was moeilijk te beantwoorden.

Omdat je me dingen hebt beloofd. Omdat ik dacht dat dit een uitdaging zou zijn. Omdat het stomvervelend was om met andermans geld te spelen en omdat jij me vertelde dat als er één baan was die altijd onvoorspelbaar en interessant was, het deze wel was.

Omdat teruggaan betekende dat je het opgaf.

Anna dacht terug aan de dag dat ze DETECTIVEBUREAU F.A. had opgebeld omdat ze geïntrigeerd was door een advertentie in de plaatselijke krant. Dolenthousiast en zo groen als gras. Anderhalf jaar geleden. Wat had ze zich in haar hoofd gehaald dat ze een goedbetaalde baan had opgegeven en vrienden en collega's in de steek had gelaten voor dit leven?

Tien pond per uur om thee te zetten en Franks boekhouding bij te houden. Om de telefoon aan te nemen en mannen te verleiden die hun pik achternaliepen.

En toch, ondanks de kant die het allemaal was op gegaan, wist Anna dat ze er goed aan had gedaan, dat er niets mis was met haar verlangen. Hoeveel mensen zaten er niet muurvast omdat ze te bang waren om hun leven te veranderen, hoezeer ze er ook naar smachtten?

Hoevelen namen dan maar genoegen met hun partner, hun baan, hun leven?

Zij had iets anders gewild, dat was alles. Ze had gedacht dat ze zichzelf zou helpen door anderen te helpen. Dat het op z'n minst zou voorkomen dat ze zo'n ambitieuze kille banktrut werd die haar de hele dag op hun Jimmy Choo-schoenen voorbij klikklakten. En ja, ze had gedacht dat het wat spannender zou zijn dan termijntransacties en hedgefondsen.

Zichzelf voor de gek houden.

Net als toen ze die brochure over een baan bij het leger had meegenomen of toen ze wel vijf minuten over een loopbaan bij de politie had nagedacht. Anderhalf jaar geleden hadden verschillende vrienden haar radicale carrièreswitch van bankier naar privédetective 'moedig' genoemd. 'Moediger dan ik,' had Angie, een verpleegkundige op de trauma-afdeling gezegd. Rob, leraar op een lastige school in Noord-Londen, had instemmend geknikt. Anna vermoedde dat ze eigenlijk 'stom' bedoelden, maar toch had ze zich gevleid gevoeld door het compliment.

Maar soldaat? Politieagent? Dáár was ze beslist niet moedig genoeg voor...

Anna stond op toen de trein Victoria Station binnenreed, en ze ving de blik van de vrouw die tegenover haar had gezeten. Ze probeerde een glimlachje op haar gezicht te leggen maar moest haar blik afwenden omdat ze er opeens zonder duidelijke reden van overtuigd was dat de vrouw haar de maat had genomen. Door had wat ze was.

Ze voelde zich doorgedraaid en licht in het hoofd toen ze met de roltrap omhoogging naar de straat; hoe sneller ze terug was op kantoor en zich kon omkleden, hoe beter. Ze wilde die stomme hakken uitschoppen waar zíj nu op rond klikklakte en haar gympen weer aantrekken. Ze wilde dat de dag voorbij was en dat de duisternis haar zou omhullen. Ze wilde wat drinken en daarna slapen. Pas toen ze bij de uitgang naar haar Oysterkaart zocht, realiseerde ze zich dat ze een uit de *Metro* gescheurde pagina in haar vuist had verkreukeld.

Het kantoor zat ingeklemd tussen een stomerij en een gokkantoor: een bruine gebarsten deur met smerig glas erin. Terwijl Anna in haar tas naar haar sleutels zocht, kwam een vrouw die bij de stoeprand wat heen en weer had lopen drentelen op haar aflopen. In de veertig, met iets fels in haar ogen.

Anna deed een stap achteruit. Stond klaar om 'nee' te zeggen. Het typisch Londense antwoord.

'Bent u een detective?' vroeg de vrouw.

Anna staarde alleen maar. Nee, niet fel, dacht ze. Wanhopig.

'Ik zag uw advertentie, en ik kan wel wat hulp gebruiken, dus…'

Er brandde geen licht achter het glas, en Anna vermoedde dat Frank het tijdens de lunch niet bij één drankje had gelaten. Hij had de telefoontjes voor DETECTIVEBUREAU F.A. waarschijnlijk naar zijn mobieltje doorgeschakeld en het zat er niet in dat hij die middag nog terugkwam.

'Ja,' zei Anna. 'Dat klopt.' Ze haalde haar sleutels tevoorschijn en liep naar de deur toe. 'Kom maar mee naar boven.'

2

Als ze naast elkaar hadden gezeten of elkaar over een tafel in een verhoorkamer hadden aangestaard, was het cruciale verschil tussen de twee mannen misschien niet eens opgevallen. Niet voor een oppervlakkige waarnemer, tenminste. Als de een niet in de beklaagdenbank had gestaan en de ander in de getuigenbank, zou het verdomd lastig zijn geweest om uit te maken wie de rechercheur was en wie de moordenaar.

Allebei droegen ze een pak en het was hen aan te zien dat ze daar niet gelukkig mee waren. Allebei stonden ze daar redelijk rustig en staarden het grootste deel van de tijd recht voor zich uit. Allebei leken ze nogal bedaard en hoewel slechts een van hen aan het woord was, gaven ze allebei de indruk dat er heel wat omging achter die façade van onverstoorbare kalmte, als je hun gezichten aandachtiger bestudeerde.

Allebei zagen ze er gevaarlijk uit.

De man in de getuigenbank was dik in de veertig: stevig gebouwd, ronde schouders, donker haar dat aan de ene kant wat grijzer was dan aan de andere. Hij sprak langzaam. Hij lette erop dat hij niet meer zei dan nodig was bij het presenteren van het bewijs, koos zijn woorden zorgvuldig, maar zonder dat die zorgvuldigheid overkwam als twijfel of aarzeling.

'En u hebt er geen moment aan getwijfeld dat u met een moord te maken had?'

'Absoluut niet.'

'U hebt ons verteld dat de verdachte "ontspannen" was tijdens zijn eerste verhoor. Veranderde zijn houding tijdens de latere ondervragingen?'

Terwijl inspecteur Tom Thorne de vijf afzonderlijke verhoren beschreef die hij de man die terechtstond had afgenomen, deed hij zijn best zijn ogen op de officier van justitie gericht te houden. Maar dat lukte hem niet helemaal. Twee of drie keer keek hij even naar de beklaagdenbank en zag dat Adam Chambers hem recht aanstaarde met een onbewogen blik in zijn ogen, zonder met zijn ogen te knipperen. Eén keer keek hij een paar seconden naar boven, naar de publieke tribune, waar de familie zat van de jonge vrouw die door Chambers was vermoord. Hij zag de hoop en de woede op het gezicht van Andrea Keanes ouders. De handen die de handen van anderen vastgrepen of trillend op schoot lagen, krampachtig een vochtige zakdoek omklemden.

Thorne zag een groep mensen, één in hun verdriet en woede, die op een primitieve, basale manier gerechtigheid hoopten te vinden – als die tenminste naar hun tevredenheid werd toegemeten. Genoegdoening, als die al bestond, voor een achttienjarig meisje van wie Thorne zonder spoor van twijfel wist dat ze dood was.

Ondanks het feit dat haar lijk nooit was gevonden.

'Inspecteur Thorne?'

Zijn stem bleef kalm tijdens de afronding van zijn getuigenverklaring waarin hij data, tijdstippen, namen en plaatsen herhaalde; van die details waarvan hij hoopte dat die bij de juryleden zouden blijven hangen; dat die samen evenveel effect zouden sorteren als die kostbare, belastende blonde haren, de leugens die aan het licht waren gekomen door de gegevens van zijn mobiele telefoonverkeer op te vragen, en het lachende gezicht van een meisje op een foto die enkele dagen voordat ze was vermoord, was genomen.

'Dank u inspecteur. U kunt gaan.'

Thorne liet zijn aantekenboekje weer in de zak van zijn jasje glijden en stapte de getuigenbank uit. Hij liep langzaam naar de achterste deuren van de rechtszaal en streek met zijn vinger over het dunne, rechte litteken op zijn kin. Toen hij dichterbij kwam, gleed zijn blik onwillekeurig naar de gestalte in de beklaagdenbank.

Hij dacht: *jou wil ik nooit meer zien...*

Ik bedoel niet in levenden lijve natuurlijk, want godzijdank word je opgesloten en mag je je dagen in de gevangenis slijten. Voel je je hersens verweken en moet je altijd op je hoede zijn voor kerels die jou maar al te graag overhoop zouden steken omdat je ze aankijkt op een manier die hun niet aanstaat. Om wie je bent. Wat ik bedoel is dat ik je 's nachts niet wil zien. Dat je daar rondhangt waar je niet wordt gewenst en dat je me lastigvalt. Dat je met je zelfingenomen porem en je schorre 'geen commentaar' mijn dromen binnen danst...

Toen hij onder de beklaagdenbank door liep, hief Thorne zijn gezicht op naar Adam Chambers. Hij bleef een paar seconden staan. Hij keek de man in de ogen en hield zijn blik vast.

En knipoogde.

Thorne reed samen met brigadier Samir Karim terug naar Hendon. Als beheerder van de bewijsstukken in deze zaak was Karim verantwoordelijk voor de forensisch-technische rapportage en voor het waarborgen van de authenticiteit en integriteit van de bewijsstukken.

Een haarborstel. Een mobieltje. Een glas met Andrea Keanes vingerafdrukken.

Het was een typische februaridag die voor Thorne was begonnen met het schoonschrapen van zijn voorruit met een cd-doosje, maar toch draaide hij het raampje open en leunde opzij terwijl de auto langzaam door het drukke verkeer het centrum van Londen uit reed. Boven het suizen van de koude lucht uit hoorde hij Karim zeggen dat hij het geweldig had gedaan. Dat hij er echt alles aan had gedaan. Dat ze deze zaak zo goed als gewonnen hadden.

Thorne hoopte dat zijn collega gelijk had. Zeker, bij gebrek aan het meest overtuigende bewijs moest het Openbaar Ministerie er wel heel veel vertrouwen in hebben dat het tot een veroordeling zou komen voordat het een zaak liet voorkomen. Daar kwam nog eens bij dat Thorne en de rest van het team echt alles hadden gedaan wat in hun macht lag. Thorne kon zich niet herinneren dat ze ooit zo hard gewerkt hadden om de drie feiten te bewijzen die essentieel waren voor een veroordeling in een zaak-zonder-lijk:

Dat Andrea Keane dood was.

Dat Andrea Keane was vermoord.

Dat Andrea Keane door Adam Chambers was vermoord.

Andrea Keane was acht maanden geleden verdwenen na een judoles in het sportcentrum in Cricklewood. Adam Chambers, een man met een verleden van seksueel geweld, was haar instructeur geweest. Bij zijn eerste verhoor had hij ontkend dat hij Andrea na de les nog had gezien, maar later, toen er bewijsmateriaal in zijn flat was gevonden, gaf hij toe dat ze daar in het verleden verschillende keren was geweest. Terwijl Thorne en zijn team bewijzen tegen hem begonnen te verzamelen, bleef Chambers volhouden dat hij Andrea de avond dat ze was verdwenen niet had gezien en verklaarde dat hij na de les meteen naar zijn vriendin was gegaan. Dat alibi werd door zijn vriendin bevestigd, tot het moment dat gegevens van het mobiele netwerk bewezen dat hij Andrea die avond vanuit zijn flat had gebeld. Toen werd het verhaal bijgesteld. Andrea was wél langsgekomen na haar judoles, had Chambers gezegd, maar ze had maar één drankje gedronken en had toen gezegd dat ze ervandoor moest. Ze was een beetje emotioneel geweest, zei Chambers tegen zijn ondervragers, en was tegen hem tekeergegaan over zijn vriendin.

Hij had zich over de tafel van de verhoorkamer in Colindale gebogen met een wellustige grijns op zijn gezicht die Thorne niet gauw zou vergeten.

'Ze viel nou eenmaal op me,' had hij gezegd. 'Wat moet ik verder nog zeggen?'

Vanaf het moment dat hij en zijn vriendin in staat van beschuldiging waren gesteld en hun advocaten waren toegewezen, had Chambers zijn tactiek gewijzigd. De opschepperige, blufferige manier van doen maakte nu plaats voor een stuurse weigerachtigheid om mee te werken en de stoere vrijejongenspraatjes werden vervangen door twee woorden:

Geen commentaar.

Thorne schrok op toen Karim luid toeterde en een fietser uitschold die voor hem door rood was gereden. Karim keek opzij naar Thorne. 'Ja, jongen, kat in het bakkie,' zei hij. 'Let op m'n woorden.'

'Dus hoe liggen de kansen?' vroeg Thorne.

Karim schudde zijn hoofd.

'Kom op, je gaat me toch niet vertellen dat je dat rekensommetje zelf niet hebt gemaakt?'

Karim was een gokker en zette vaak een weddenschap op rond de uitkomst van een belangrijke zaak. Officieel werd dat afgekeurd, maar de meeste hogergeplaatste politiemensen zagen het door de vingers en waagden zelf ook af en toe een gokje.

'Zinloos,' zei Karim. 'Hij heeft geen schijn van kans. Trouwens, wie zou er willen meedoen?'

Thorne begreep wat zijn collega bedoelde. In een zaak als deze, met een verdachte als Adam Chambers, zou niemand op vrijspraak willen inzetten, of willen dat iemand hem dat zag doen.

Niemand wilde het lot tarten.

Karim roffelde op het stuur. 'Dit kán niet missen. Onmogelijk.'

Naarmate het onderzoek vorderde en het indirecte bewijs zich opstapelde, had Thorne de taak op zich genomen om te bewijzen dat Andrea Keane dood was. Alle ziekenhuizen werden gecontroleerd. Ongeïdentificeerde lijken werden opnieuw onderzocht en van verder onderzoek uitgesloten. Telefoongegevens en financiële antecedenten werden geanalyseerd, beelden van bewakingscamera's bestudeerd, en alle reisbureaus leverden informatie die moest bewijzen dat Andrea niet vrijwillig was weggegaan. Terwijl de grootscheepse, landelijke zoektocht werd voortgezet, en alle belangrijke sociale netwerksites in de gaten werden gehouden, stelde een forensisch psycholoog een gedetailleerd en geloofwaardig profiel op van een jonge vrouw met een authentieke ambitie.

Iemand die plannen voor de toekomst had.

Iemand die geen enkele reden had om weg te lopen of zich het leven te benemen.

Natuurlijk waren de media uitgebreid ingeschakeld maar die hadden zoals zo vaak meer ellende veroorzaakt dan dat ze hun nut hadden bewezen. Er was veel tijd en inspanning gaan zitten in het natrekken van de tientallen 'waarnemingen' die elke week via de telefoon bij de meldkamer binnenkwamen na oproepen op de tv of in de dagbladen. Elk ervan, ook die van overzee, moest grondig worden gecontroleerd en uitgesloten, maar dat had Chambers' verdediging er niet van weerhouden om daar handig gebruik van te maken. Zijn halsstarrige, vrouwelijke advocaat was er niet voor teruggeschrokken in de rechtszaal te suggereren dat zolang Andrea Keane regelmatig werd gezien, het werkelijk belachelijk was om iemand te veroordelen omdat hij haar zou hebben vermoord.

Thorne had zijn mannetje gestaan en de aandacht van de jury gevestigd op de 'verklaring van vermoedelijk overlijden' – een veertien pagina's tellend document waarin alle onderzoeken werden opgesomd die de bewering staafden dat Andrea Keane niet meer in leven was. Hij had met zijn eigen exemplaar gezwaaid, de advocate van Chambers strak aangekeken en had haar gezegd dat het werkelijk belachelijk was te geloven dat Andrea Keane níét was vermoord.

Hij had het rapport weer zo kalm mogelijk neergelegd, zich bewust van de beroering, het onderdrukte gesnik en gemompel op de publieke tribune. Hij had zijn ogen op het document gericht gehouden en diep ademgehaald terwijl ze zich scherpstelden op de opsomming in het klinische rapport van de psycholoog:

Verlangens en ambitie

· Het vermiste meisje is door vrienden onveranderlijk beschreven als 'gelukkig', 'energiek', etc.
· Ze was op zoek naar een huurappartement.
· Ze volgde een opleiding tot verpleegkundige.

'Zet's wat muziek op, Sam.'

Karim boog zich naar voren en zette de radio aan. Hij stond afgestemd op Capital, en Karim begon meteen met zijn hoofd mee te deinen op de maat van een of andere zielloze remix. Thorne speelde even met de gedachte misbruik te maken van zijn hogere rang, maar besloot zich niet te verlagen. In plaats daarvan sloot hij zijn ogen en hield ze de rest van de rit dicht, hij sloot zich af voor de muziek, voor alles.

Toen ze eindelijk het parkeerterrein van het Peel Centre opdraaiden, was het al bijna lunchtijd. Op weg naar Becke House liep Thorne te dubben of hij de kantine zou trotseren of in de Oak zou gaan lunchen, toen een agent die net op weg was naar buiten tegen hem zei dat er een bezoeker op hem zat te wachten.

'Een privédetective.'

'Hè?'

'Succes ermee.'

De agent vond het duidelijk reuze grappig en Thornes reactie maakte het voor hem nog grappiger: gekreun en afhangende schouders toen Thorne allesbehalve enthousiast de trappen van Becke House op liep en de hal binnenstapte.

Thorne kreeg zijn bezoeker meteen in het oog en liep op hem af. Een jaar of vijftig, onverzorgd, een symfonie in bruin en beige, met ongewassen haar en Hush Puppies, die zo ongeveer elk vooroordeel bevestigde dat Thorne had ten aanzien van treurige mannetjes die rondreden in Cavaliers en hun brood verdienden met hun neus in andermans zaken steken.

'Ik ben inspecteur Thorne,' zei hij.

De man keek beduusd naar hem op. 'En?'

'Zo'n geweldige rechercheur ben je niet, hè?'

Thorne draaide zich om naar de stem die van de andere kant van de hal kwam. Hij zag een jonge vrouw die bloosde om haar eigen opmerking een stap in zijn richting doen.

'Ik denk dat je mij zoekt.'

Thorne greep instinctief naar zijn das en trok die losser. 'Sorry.' Hij voelde dat de man die hij net had aangesproken achter zijn rug zat te grijnzen. 'Ik ben de hele ochtend in de rechtszaal geweest, dus...'

'Hebben ze je vrijgelaten?'

Thorne staarde de vrouw, die nu nog heviger begon te blozen, alleen maar aan.

Ze mompelde: 'Sorry, flauwe grap,' en reikte hem een visitekaartje aan. 'Ik heet Anna Carpenter, en –'

Thorne nam het kaartje aan zonder ernaar te kijken en maakte een gebaar naar de beveiligde deur. 'Laten we maar naar mijn kantoor gaan.' Hij haalde zijn pasje langs de scanner en stak zijn middelvinger op naar de brigadier van dienst die nog steeds stond te grinniken toen Thorne Anna voorging door de deur.

3

Thorne staarde naar het kaartje en de foto voor hem op het bureau. Hij tikte met zijn nagel op het verfomfaaide visitekaartje. DETECTIVE-BUREAU F.A. Daaronder de naam 'Frank Anderson' en een adres in Victoria. Het zag eruit als zo'n kaartje dat je in oplagen van vijftig door een automaat op stations kon laten afdrukken. Dun karton en een lettertype dat de indruk van een oude typemachine moest suggereren. Met een knullig plaatje van een bloedhond met een vergrootglas.

'Krijg je geen eigen kaartje?' vroeg Thorne.

De vrouw tegenover hem pulkte aan haar duimnagel. 'Meneer Anderson zegt steeds dat hij erachteraan gaat,' zei ze. 'En hij beslist daarover. Ik denk dat hij op het ogenblik belangrijker dingen heeft om zijn geld aan uit te geven.'

Thorne knikte begripvol. Zoals zijn Cavalier rijdend houden, dacht hij.

'Maar deze zaak doe ík.' Ze wachtte tot Thorne opkeek en haar aankeek. 'Ik bedoel, Donna is míjn klant.'

Thorne zag duidelijk de vastberadenheid op Anna Carpenters gezicht en hoorde die in haar stem. Een verlangen om indruk te maken, om respect af te dwingen, ook al was ze daar niet op gekleed in haar spijkerbroek en haar zwarte corduroy jack. Als een overjarige student, zou Thornes vader hebben gezegd. Ze was achter in de twintig, schatte Thorne en had een rond en knap gezicht. Als ze niet aan haar nagels zat te pulken, trok ze wel aan een lok van haar lange, vaalblonde haar of schoof ze onrustig heen en weer in haar stoel als iemand die niet langer dan een paar seconden stil kan zitten.

'Ik heb niet gezegd dat ze dat niet was,' zei Thorne. Hij keek weer omlaag en richtte zijn aandacht op de foto. Een man keek met half dichtgeknepen ogen tegen de zon in, grijnzend naar de camera en hield een glas bier omhoog. Hij was vermoedelijk halverwege de vijftig, en afgaand op de grijze bos haar op zijn kwabbige, roodbruin verbrande borst was zijn hoofdhaar iets donkerder dan het van nature zou zijn geweest als hij het niet had geverfd. De lucht achter hem was wolkeloos, met op de achtergrond de gekartelde contouren van een berg die afliep naar een diepblauwe zee, en in de verte een zeilboot. Het zou kunnen dat hij zelf op een boot zat, of op het eind van een steiger. In een restaurant dicht bij de waterkant misschien.

'Griekenland? Spanje? Zuid-Frankrijk?' Thorne schudde zijn hoofd. 'Florida? Ik weet het net zomin als jij.'

'Het is niet in Birmingham,' zei Anna. 'Zover was ik ook al.'

De ogen van de man waren bijna dichtgeknepen tegen het felle licht, maar de glimlach leek ongedwongen, ontspannen. 'Hij ziet er behoorlijk tevreden uit.'

'Daar heeft-ie ook alle reden toe,' zei Anna. 'Ik had trouwens gedacht dat je hem wel zou herkennen.'

Thorne keek aandachtiger. Er ging een belletje rinkelen, maar flauwtjes. 'Hoe heet je cliënt?'

Er viel een korte stilte, hij zag een zweem van een tevreden glimlach. 'Die foto is haar afgelopen december opgestuurd.' Anna schoof haar stoel naar voren tot ze helemaal tegen het bureau aan zat. 'Dat was twee maanden voordat ze uit de gevangenis kwam.'

'Wat heeft ze gedaan?'

'Samengespannen om haar echtgenoot te vermoorden.'

'Hoe lang?'

'Twaalf jaar. Ze heeft er tien uitgezeten.'

'Lángford?' Thorne staarde haar aan. Het kwartje was gevallen, met een klap, maar het sloeg nergens op. 'Is Donna Langford je cliënt?'

Anna knikte. 'Ze gebruikt haar meisjesnaam nu, maar ja, dat klopt.'

'Iemand probeert je een rad voor ogen te draaien, mop.'

'Dat denk ik niet.'

'Weet je wat ze heeft gedaan?' Thorne priemde met een vinger naar de foto. 'Waarom dit onmogelijk degene kan zijn die ze denkt dat het is?'

'Ze heeft me er wel iets over verteld.'

'Nou, laat mij je er dan alles over vertellen,' zei Thorne. 'Zodat we er geen van tweeën meer tijd aan hoeven te verspillen.'

In tegenstelling tot de zaken waaraan hij het afgelopen halfjaar had gewerkt, kon Thorne zich deze zaak nog heel goed herinneren, ook al was het meer dan tien jaar geleden dat Alan Langford was vermoord.

Op het bureau hadden ze het de 'Epping Forest Barbecue' genoemd.

Langford was altijd al een man geweest die vaak in het nieuws was. Hij had door de jaren heen behoorlijk wat journalisten beziggehouden, zowel de misdaadverslaggevers als hun collega's die de economische pagina's vulden. Zijn vastgoedimperium groeide even snel als zijn concurrenten plotseling met pensioen gingen, verdwenen of een akelig ongeluk kregen. Uiteindelijk werd hij voorpaginanieuws toen zijn verkoolde resten werden gevonden in zijn uitgebrande Jaguar in Epping Forest. De korte krantenberichtjes groeiden uit tot paginalange artikelen toen bleek dat zijn vrouw de moord had beraamd.

Donna Langford, de volmaakte vrouw van een zakenman, lid van verscheidene plaatselijke liefdadigheidsorganisaties en een dame die regelmatig uit lunchen ging, had iemand betaald om haar man te vermoorden.

'Ze had de contacten van haar eigen vent gebruikt,' zei Thorne. 'Misschien stond die kerel die ze had ingehuurd wel in Langfords adresboekje... onder de "H" van "Huurmoordenaars".'

'Kijk nog eens naar die foto,' zei Anna. 'Hij is het. Je herinnert je toch zeker wel hoe hij er toen uitzag. Je kunt toch zien dat hij ouder is geworden?'

Thorne keek opnieuw naar de foto. 'Nou, hij ziet er in elk geval heel wat beter uit dan de laatste keer dat ik hem zag.'

'Als je het hebt over dat lijk in de auto, dat was hij niet.'

'Maar Donna heeft hem geïdentificeerd!' Thorne deed zijn best om niet al te bevoogdend over te komen, maar het kostte hem moeite. 'Het was zíjn auto en het waren zíjn sieraden. En dat was ook zo'n beetje het enige dat er van hem over was, hoor...'

'Ze heeft nooit geweten dat hij het zo ging doen, dat hij hem in de fik ging steken,' zei Anna. 'Die man die ze had ingehuurd.'

'Ze heeft er nooit naar gevraagd.' Thorne leunde achterover in zijn stoel. 'Ze heeft ijskoud vijfentwintigduizend pond betaald aan een Ier die Paul Monahan heet. Daarvan heeft hij een paar pond uitgegeven aan wat benzine en een stel handboeien.'

'Wanneer kwam je erachter dat zij erbij betrokken was?'

'Ongeveer dertig seconden nadat ik haar had ontmoet,' zei Thorne. 'Toen ze kwam opdraven om het lijk te identificeren. Ik heb mensen op allerlei manieren zien reageren, maar zij stond daar gewoon maar en ze... trilde. Ik vroeg haar of het wel ging, en toen heeft ze min of meer ter plekke bekend, terwijl haar vent daar in de hoek nog lag te stinken als een stuk aangebrand vlees.'

'Hoe heb je Monahan te pakken gekregen?'

'Donna heeft ons zijn naam gegeven, en toen bleek zijn DNA overeen te komen met dat op een sigarettenpeuk die we op de plaats delict hadden gevonden. Het had achteraf niet simpeler kunnen liggen.' Thorne schoof de foto over het bureau naar Anna. 'Geloof me, zaken die zo stronteenvoudig zijn als deze, maak je niet elke dag mee.'

Anna knikte en schraapte haar keel. 'Donna heeft tien jaar in de gevangenis gezeten, inspecteur.'

Thorne nam een paar seconden de tijd en raapte wat papieren van zijn bureau bij elkaar. Hij probeerde dezelfde kalmte op te roepen als waar hij de hele ochtend in de rechtszaal op had vertrouwd, maar hij herinnerde zich nog steeds de geur van die Jaguar, de smaak van de rook en de as die niet gewoon as was, en de bleke vetbolletjes die aan de zitting vastgekleefd hadden gezeten.

'Ze is er nog genadig afgekomen als je het mij vraagt,' zei hij. 'Ze heeft schuld bekend, wat altijd in je voordeel spreekt, en het heeft haar zaak geen kwaad gedaan dat haar vent een schoft was die haar waarschijnlijk aftuigde als hij niet bezig was opdracht te geven om anderen de benen te breken. Jazeker, Alan Langford heeft zijn verdiende loon gekregen, maar toch was het een vreselijke manier om aan je eind te komen.'

'Kijk eens naar de datum,' zei Anna, en ze schoof de foto weer naar Thorne toe. 'Rechterbenedenhoek.'

Thorne pakte de foto weer op. De datum was er door de camera op aangebracht: iets meer dan drie maanden geleden. 'Dat kunnen ze tegenwoordig ook met Photoshop,' zei hij. 'En nogmaals, dit kan een foto van iederéén zijn.'

'Donna zegt dat het haar man is,' zei Anna. Ze schudde haar hoofd, op zoek naar een ander argument, maar haalde uiteindelijk alleen haar schouders op en zei het nog eens: 'Ze zweert dat het Alan is.'

'Dan liegt ze.'

'Waarom?'

'Omdat... Hoor eens, misschien is ze daar in de lik een beetje maf geworden. Ze zou de eerste niet zijn. Misschien wil ze geld. Misschien probeert ze wel op een gerechtelijke dwaling aan te sturen.'

'Ze weet niet dat ik hier ben,' zei Anna. 'Ze is naar mij toe gekomen omdat ze níét wil dat de politie erbij betrokken raakt.'

Thorne werd even in verwarring gebracht. 'Oké, maar hoe ga je dit gesprek dan aan je cliënt uitleggen?' Hij kon een glimlach niet onderdrukken maar schaamde zich een beetje toen hij zag dat ze zenuwachtig begon te draaien en weer moest blozen.

'Ik speel gewoon open kaart en zeg haar dat ik geen steek verder ben gekomen,' zei Anna. 'Dat ik niks anders kon bedenken. Ik ga haar vertellen dat ik al twee weken naar die verrekte foto zit te staren en dat ik niks heb kunnen ontdekken.'

'Waarom ben je eigenlijk bij me langsgekomen?' vroeg Thorne.

'Ik dacht dat jij me op basis van die foto wat meer zou kunnen vertellen.' Ze keek Thorne aan, maar kreeg geen reactie. 'Jullie hebben toch technieken om foto's... op te poetsen of zoiets? Ik bedoel, er moet toch een manier zijn om erachter te komen waar deze foto is genomen? Ik weet het niet, landschapsherkenning, een computerprogramma, weet ik veel?'

'Het is hier geen csi,' zei Thorne. 'Wij hebben niet eens een fotokopieermachine die fatsoenlijk werkt.'

'Ik dacht ook dat je misschien geïnteresséérd zou zijn.' Anna boog zich plotseling naar hem toe. 'Stom van me, dat snap ik nu wel, maar het leek op dat moment een goed idee. Het was jouw zaak, dus ik hoopte dat als je de foto zag, je op z'n minst zou denken dat hij misschien toch niet... afgerond was.' Ze staarde Thorne nog een paar seconden aan, leunde toen achterover en pakte een pluk haar om aan te trekken.

'Het is tijdverspilling,' zei Thorne. 'Sorry, maar ik heb belangrijker dingen om me druk over te maken. Sterker nog, ik kan zelfs niets bedenken wat níét belangrijker is dan dit.' Hij schoof zijn stoel naar achteren en het duurde even voordat Anna de hint begreep en zijn voorbeeld volgde.

'Dan zal ik je maar met rust laten,' zei ze.

Ze liep naar de deur.

Thorne vond dat ze eruitzag als een meisje van veertien. 'Luister... Ik zal het met mijn baas bespreken, goed?' Hij zag de uitdrukking op haar gezicht en stak een hand op. 'Hij zegt vast hetzelfde als ik, dus verwacht er niet te veel van.' Hij pakte de foto weer op en knikte ernaar. 'Daar zou ik ook wel wat van kunnen gebruiken,' zei hij. 'Van zon en zand.'

'Tom?'

Thorne keek op en zag inspecteur Kitson in de deuropening staan. Ze deelden de kamer, en over het algemeen was hij meer dan tevreden met die regeling. Hij mocht haar nu in elk geval veel meer dan toen ze nog een jonge, ambitieuze rechercheur was, en hij vermoedde dat zij ook zo over zichzelf dacht. Net als Thorne kon ze anderen nog steeds haast achteloos kwetsen, maar je kon niet anders dan bewondering hebben voor de manier waarop ze haar carrière, die rampzalig was ontspoord na een buitenechtelijke relatie met een hooggeplaatste politieman, opnieuw had opgebouwd.

'Als zo'n kast die je zelf in elkaar moet zetten,' had ze ooit tegen Thorne gezegd. 'Eén losse schroef en het hele ding dondert in elkaar.'

Ze richtte haar blik op Thornes bezoeker. Hij gebaarde naar Anna, wapperend met de foto in zijn hand, en stelde haar voor.

Kitson knikte haar vluchtig toe en wendde zich weer tot Thorne. 'Ik dacht dat je wel wilde weten dat de jury in conclaaf is gegaan.'

'Oké.' Thorne kwam van achter zijn bureau vandaan.

Anna was haar jack aan het dichtknopen. 'Die zaak waarvoor je in de rechtszaal was?'

Thorne knikte en dacht aan de knipoog die hij Adam Chambers had gegeven. 'Een zaak die niet zo... stronteenvoudig is,' zei hij.

De kamer van hoofdinspecteur Russell Brigstocke lag een meter of zes verderop in dezelfde gang waaraan ook de kamer lag die Thorne met Yvonne Kitson deelde. Toen Thorne binnenkwam, zat Brigstocke aan de telefoon, zodat Thorne zich op een stoel liet ploffen en wachtte. Hij dacht aan een achttienjarig meisje wier botten nog lagen te wachten op een nieuwsgierige hond en aan een man die gillend, met handboeien geketend aan het stuur van een auto in een of andere uithoek aan zijn eind was gekomen.

Hij trachtte de twee moorden, die zoveel jaren na elkaar waren gepleegd, gescheiden te houden. Om de kluwen van beelden, echt en ingebeeld, te ontwarren.

Hij wilde zich over het juiste beeld zorgen maken...

Brigstocke legde de telefoon neer en pakte zijn mok koffie. Hij nam een slok en trok een vies gezicht.

'Weet je dat de jury aan het beraadslagen is?'

Brigstocke knikte. 'Het heeft geen zin om erover te piekeren, jongen,' zei hij. 'Ik heb gehoord dat het vanmorgen heel goed ging.'

'Sam heeft je zeker verteld dat het een gelopen race is?'

'Ik zeg alleen maar dat we er alles aan gedaan hebben.'

'Behalve haar vinden,' zei Thorne.

Hij voelde zich plotseling rillerig, werd zich ervan bewust hoe dun zijn pak was, en miste het zware, vertrouwde gevoel van zijn leren jack. Tegenwoordig gingen de meeste rechercheurs trouwens gekleed zoals hij op dit moment. Het leek of iedereen die bij de recherche kwam te werken, op modegebied dezelfde smaak ontwikkelde als een derderangs makelaar, maar Thorne had altijd weerstand weten te bieden aan de aantrekkingskracht van een tweedelig confectiepak van M&S, het kreukvrije overhemd en de glimmende das.

'Het is hier verdomd koud,' zei hij.

Brigstocke knikte. 'Er zit lucht in de radiator, en niemand heeft een sleuteltje.'

Thorne stond op en liep naar de radiator, bukte zich en legde zijn hand op het metaal, dat lauw aanvoelde. Hij ging ertegenaan staan en duwde zijn kuiten ertegenaan. Bij het horen van een geluid dat hem ondertussen bekend voorkwam en waar hij beducht voor was, keek hij op en zag dat Brigstocke een pak kaarten aan het schudden was.

'Ik heb een nieuwe voor je.'

'Moet het?' vroeg Thorne.

Om redenen die iedereen voor een raadsel stelden, had Brigstocke de laatste paar maanden een levendige belangstelling voor goochelen ontwikkeld. Hij volgde een cursus in een club in Watford en vertoonde nu goocheltrucs op politiefeestjes en -bijeenkomsten in ruil voor een paar biertjes. Hij was er ook als de kippen bij om nieuwe trucs uit te proberen op iedereen die niet snel genoeg weg kon komen.

'Neem gewoon een kaart in gedachten,' zei Brigstocke, die meteen in zijn rol kroop. 'Maar niet zeggen, hè? Ik bedoel, dan zou het wel een heel lullige truc zijn.'

De truc was lang niet slecht en Thorne deed zijn best om enthousiast te klinken, maar hij had de zin van goochelen eigenlijk nooit ingezien. Hij was er niet echt in geïnteresseerd, tenzij de goochelaar uitlegde hoe een truc in elkaar stak. Russell Brigstocke was een goeie rechercheur, maar hij was zeker geen magiër.

'Wie was die dame in je kantoor?' vroeg Brigstocke terwijl hij de kaarten opborg.

Thorne vertelde hem over Anna Carpenter en de mysterieuze zaak van het zongebruinde lijk. Brigstocke had niet aan de zaak-Langford meegewerkt, maar hij kon zich het onderzoek nog goed herinneren.

'Opstaan uit het dodenrijk,' zei hij. 'Dat is nog eens een goeie truc.'

'Dat zou indrukwekkend zijn.'

'Zit er iets in?'

Thorne haalde de foto uit zijn zak en schoof die naar hem toe. 'God weet wat Donna Langford in haar schild voert,' zei hij. 'Ik hoop alleen dat dat detectivebureau haar een flinke poot uitdraait.'

'Lijkt hij er eigenlijk wel op?'

Thorne ging naast Brigstocke staan en keek nog eens naar de foto. Het geverfde haar, de tot spleetjes geknepen ogen, de grijns. Het vage belletje rinkelde nu wat harder, maar dat was natuurlijk omdat Anna Carpenter hem net had verteld wie het zou moeten zijn. 'Zou iedereen kunnen zijn,' zei hij. 'Ziet eruit als een slechte acteur die een gangster speelt die op vakantie is.'

'Wat heb je tegen haar gezegd?'

'Dat ze haar tijd verdeed en dat wíj ons dat niet konden permitteren.'

'Helemaal goed,' zei Brigstocke. 'Vooral omdat ik de laatste "Toetsingscriteria politiewerk" nog moet lezen en voor het eind van de dag een twaalf pagina's tellend rapport "Standaardprocedures politie-interventie" moet invullen.'

Thorne schoot in de lach en voelde dat de kilte erdoor werd verdreven.

Ze hadden het een paar minuten over voetbal en daarna over hun gezinnen. Thorne vroeg hoe het met Brigstockes drie kinderen ging. De hoofdinspecteur vroeg Thorne hoe diens vriendin het in vredesnaam klaarspeelde naast haar baan bij de eenheid Ontvoeringszaken samen te wonen met iemand die fan was van de Spurs en van countrymuziek hield.

'Hoe houdt ze dat vol, al dat leed en al die stress, dag in dag uit?' vroeg Brigstocke.

Thorne schudde zijn hoofd en wachtte op de clou.

'En dan heb ik het niet over die ontvoeringszaken...'

Ze dolden met elkaar en kletsten wat. Zaten elkaar af te zeiken en wat te ouwehoeren. Doodden de tijd en deden net alsof ze niet aan die twaalf onbekenden dachten die aan de andere kant van de stad in conclaaf waren.

4

Anna schrokte het avondeten naar binnen.

Het was altijd een beetje ongemakkelijk wanneer ze maar met z'n drieën waren: zijzelf, Megan en Megans nieuwste vriendje – bij deze gelegenheid de weliswaar bloedmooie, maar overduidelijk hersendode Daniel – en het hielp ook al niet dat Megan had gekookt. Anna's huisgenoot kon eigenlijk alleen maar pasta maken en gooide daar meestal in wat er toevallig in de koelkast lag. Haar nieuwste creatie bevatte wortel, erwten uit blik en hardgekookte eieren, en dat ze Daniel zijn eten rijkelijk met barbecuesaus had zien bestrijken, had Anna's eetlust geen goed gedaan. Een half bord bleek uiteindelijk meer dan genoeg.

Maar toch smaakte het beter dan sushi...

Na tien minuten over koetjes en kalfjes te hebben gepraat, waarbij niemand had gevraagd of ze een fijne dag had gehad, gevolgd door nog eens tien minuten van toenemende irritatie toen Daniël lui op de bank ging liggen roken en zijn snor drukte bij de afwas, ging Anna naar boven naar haar kamer. Ze ging op bed televisie liggen kijken. Zapte langs het plaatselijke nieuws, een quizprogramma waar ze geen bal van snapte, en een stompzinnige remake van een komische serie waarvan de eerste versie ook al stompzinnig was geweest.

Dat moest er haast wel op duiden dat je oud aan het worden was, dacht Anna: als ze een remake maken van iets waar je zelf in je jeugd naar gekeken hebt. Dat moest wel een slecht teken zijn. Als je het objectief bekeek zouden anderen – haar ouders bijvoorbeeld – haar huidige omstandigheden zo mogelijk nog treuriger vinden.

Werken voor een fooi en leven als een student.

Het huis lag slechts op een paar minuten lopen van het kantoor, wat samen met de lager dan gemiddelde huur, voor Anna opwoog tegen het feit dat ze een hekel had aan de buurt. Het hielp haar, af en toe tenminste, vergeten dat ze niets gemeen had met haar negentienjarige huisgenote en veel leuker woonde in de tijd dat ze nog écht student was.

Toen stopten haar ouders haar natuurlijk graag iets toe en hadden ze haar geholpen om haar kamer op te knappen. Ze kwamen onaangekondigd langs, en stonden stralend op de stoep met de radio in hun armen die ze altijd leende toen ze nog thuis woonde, en een splinternieuwe magnetron. Ze stuurden haar grappige briefjes en pakketjes met lekkere dingen. Later was dat allemaal anders geworden.

'Waar ben je nou verdomme mee bezig?'

Haar vader werd niet gauw driftig, en toen ze hem daar zo verloren, zo totaal ontredderd zag zitten nadat ze had aangekondigd dat ze haar baan bij de bank had opgezegd, had dat haar diep geraakt. Als ze alleen al aan dat moment terugdacht, schaamde ze zich; dan voelde ze het zweet prikken en de tranen achter haar ogen branden net als bij haar vader het geval was geweest toen ze het hem vertelde.

'En wat moeten wij daar nou van denken, je moeder en ik?'

Haar moeder was langzaam uit haar stoel opgestaan zodra Anna haar zegje begon te doen, maar ze had niets gezegd. Ze had haar alleen maar met een rood gezicht en zwaar ademend aan staan staren, alsof ze zich moest inhouden om niet op haar dochter af te lopen en haar een klap te geven.

'Het spijt me heel erg dat jullie zo van streek zijn,' had Anna gezegd. In de veel te warme voorkamer van haar ouders had ze de stem van haar moeder in die van haarzelf gehoord. Die toon die alleen werd gebezigd wanneer Anna of haar zus een nog grotere stommiteit hadden begaan dan gewoonlijk. 'Maar ik denk dat ik oud en wijs genoeg ben om mijn eigen beslissingen te nemen, vinden jullie ook niet?'

Haar vader had zijn mond opengedaan en toen weer gesloten. Haar moeder was gewoon weer gaan zitten.

Mijn eigen oerstomme beslissingen...

Inspecteur Tom Thorne wist niets van Anna's geschiedenis of van haar twijfelachtige levensstijl, maar in zijn ogen had ze er duidelijk dom aan gedaan Donna Langford als cliënt te nemen. Terugdenkend aan hun gesprek op de terugweg naar de stad, aan de andere kant van de rivier, was ze tot de conclusie gekomen dat hij best aardig was, zij het een tikkeltje neerbuigend. Nee, meer dan aardig, maar hij had zijn scepsis en vooral weerzin duidelijk laten blijken, zodat ze niet al te veel hoop koesterde.

Toen ze het metrostation Victoria uit kwam, stond er een sms'je op haar te wachten: ZOALS IK AL DACHT. WE KUNNEN HIER NIETS MEE. VEEL GELUK MET DONNA.

Ze was al halverwege een antwoord en wilde een grap maken over Thornes kapotte kopieermachine, toen ze zich bedacht en wiste wat ze had getypt.

Het zag er niet naar uit dat het geluk haar een handje hielp, bedacht Anna. Ze kon zich niet voorstellen waar dat vandaan zou moeten komen en hoe het de zaken ten goede zou kunnen keren. Het zou niet kunnen voorkomen dat ze het telefoontje moest plegen waar ze ontzettend tegen opzag; dat ze het geld dat haar als voorschot was betaald moest teruggeven en dat ze haar cliënt – haar enige cliënt – moest zeggen dat ze op een dood spoor zat.

Beneden hadden haar huisgenote en haar suffe vriend wat muziek opgezet. Anna zette het geluid van de tv wat harder. Ze liet zich weer op bed vallen, prevelde een stortvloed van scheldwoorden en sloeg herhaaldelijk met haar vlakke hand op het zachte dekbed.

Ik heb belangrijker dingen aan mijn hoofd, had Thorne gezegd. Nou, zíj toevallig niet. Ze had het geld nodig en ze had iets nodig waardoor haar bloed wat sneller ging stromen. Wat Tom Thorne ook van haar vond, Donna Langford kon nergens anders terecht en ze was nog wanhopiger dan Anna al dacht toen ze haar voor het eerst zag.

En er was ook iets met Thorne, iets wat haar zei dat ze hem niet meteen moest afschrijven. Ze had het aan zijn gezicht gezien toen ze hem had uitgedaagd, toen ze had gezegd dat ze dacht dat hij misschien geïnteresseerd zou zijn. Toen ze schaamteloos haar uiterste best had gedaan om teleurgesteld te klinken.

Ze ging rechtop zitten en pakte de afstandsbediening. Ze glimlachte nu en dacht aan haar arme, op de proef gestelde vader. Hij was iemand die steevast met een stichtelijke gemeenplaats op de proppen kwam, gevraagd of ongevraagd.

Als je iets doet, doe het dan goed, gegeven paarden, eerlijk duurt het langst. Zorg altijd dat je schoon ondergoed draagt voor het geval je een ongeluk krijgt, van die dingen.

Geluk moet je afdwingen...

'Daar zit wel wat in,' zei Louise Porter.

'Ja, vast.' Thorne had haar net verteld over de grap van Russell Brigstocke: over de ontvoeringszaken en een vent die van countrymuziek hield.

Louise hield haar wijnglas op en Thorne schonk haar bij. 'Het is eigenlijk een wonder dat ik je er niet uit gooi,' zei ze.

'Het is míjn appartement!'

'Ik reken erop dat de paus me heilig verklaart.'

'Volgens mij gebeurt dat pas als je dood bent.'

'Zie je wel? Alles wat Russell zei is waar en je bent nog een betweter ook.'

De laatste tijd brachten ze wat vaker dan anders de avonden samen door, meestal in Thornes huis en af en toe in dat van Louise in Pimlico. Het team van Louise bij Ontvoeringszaken had het de laatste tijd wat rustiger, en Thorne had geen moordzaak onder handen waarvoor hij veel overuren moest maken. In ieder geval niet zo'n veeleisende zaak als die van Andrea Keane.

Hij had op weg van Hendon naar huis een afhaalmaaltijd opgepikt en had in plaats van de Bengal Lancer – zijn vaste stek – gekozen voor een nieuwe Griekse tent, een stukje verder langs Kentish Town Road. Het eten was prima geweest, maar toen hij naar de resten van zijn kipsouvlaki keek, wenste hij toch dat hij niet zo avontuurlijk was geweest.

Zo zat hij tenslotte niet in elkaar.

Ze dronken hun wijn en er daalde een stilte tussen hen neer terwijl Louise door de *Evening Standard* bladerde en Thorne naar het tienuurjournaal keek. Ze voelden zich bij elkaar op hun gemak, zoals je zou verwachten nu hun relatie al ruim twee jaar duurde. Maar nadat Louise vorig jaar een miskraam had gehad, vond Thorne het lastig om wat dan ook als vanzelfsprekend aan te nemen.

Ze hadden wel een soort evenwicht hervonden, maar het voelde wankel.

Thorne had vaak het idee dat ze elkaar te omzichtig behandelden en als wilde dieren om hun verlies heen cirkelden. Nieuwsgierig, maar op hun hoede. Zij werd kwaad als ze het gevoel had dat hij haar anders behandelde, en hij neigde tot overcompensatie, beende woest heen en weer in de flat en reageerde zijn slechte dag, zijn rothumeur en zijn verdriet op haar af.

Het was moeilijk.

De kleine meningsverschillen, een knetterende ruzie, een vrijpartij...

Soms kon Thorne er niet mee overweg hoe makkelijk het een tot het ander kon leiden, en dat het eigenlijk altijd over heel andere dingen ging. Hij had het proberen uit te leggen aan Phil Hendricks – zijn beste vriend, die het ook heel goed met Louise kon vinden – toen ze op een avond naar Sky Sports zaten te kijken.

'Ik durf te wedden dat de ruzie nog het langst duurt,' had Hendricks gezegd.

'Ik kan er gewoon niet tegen dat ze verdriet heeft,' had Thorne gezegd, en vanaf dat moment had Hendricks geen grappen meer gemaakt.

'Tom?'

Thorne keek op en zag dat Louise hem over de rand van de krant aankeek.

'Het heeft geen zin om je er druk over te maken,' zei ze. Ze legde de krant neer en pakte de poes op, die naast haar op de bank lag. 'Je kunt toch niks doen, of je moet overwegen een paar juryleden om te kopen.'

Thorne zuchtte en knikte. Hij wist dat ze gelijk had, maar dat hielp niet. 'Een paar ervan zijn niet ouder dan Andrea was,' zei hij.

'En?'

'Nou, dan maak je je zorgen dat ze niet tot een... volwassen oordeel kunnen komen.'

'En dan bedoel je met "volwassen" dat ze hem schuldig verklaren.'

'Dat ze niet zien wat die Chambers eigenlijk voor iemand is.'

'Wil je de wettelijke leeftijd voor het zitting nemen in een jury verhogen? Tot hoe hoog... eenentwintig? Veertig?'

'Je weet best wat ik bedoel.'

'Denk jij dat een achttienjarige niet precies weet waartoe types als Adam Chambers in staat zijn?' Ze priemde met haar vinger naar de *Evening Standard*. 'Kinderen die half zo oud zijn doen dag in dag uit ergere dingen. Ze steken elkaar overhoop om een iPhone.'

Thorne schudde zijn hoofd.

'Kom op, je hebt vaak genoeg met ze te maken gehad.'

'Dat is niet hetzelfde,' zei Thorne. 'Je hebt wel gelijk, maar meestal is daar op zijn minst een verklaring voor. Ik praat het niet goed, echt niet, maar het is niet hetzelfde als wat Adam Chambers Andrea Keane heeft aangedaan.'

'Je weet niet wat hij heeft gedaan.'

'Zij geníéten er ieder geval niet van.'

Louise pakte de krant weer op, las even, en vroeg Thorne toen of hij eraan had gedacht de overgebleven souvlaki in zilverfolie te wikkelen. Hij was op weg naar de keuken toen de deurbel ging.

Louise wierp hem een vragende blik toe. Thorne antwoordde schouderophalend: 'Geen idee' en liep naar de deur.

'Luister, ik weet dat ik eerst had moeten bellen, en het spijt me dat het best wel laat is...'

Thornes appartement lag op de begane grond, maar voor de ingang van het gebouw moest je een stuk of vijf treden op. Hij tuurde vanuit de halfgeopende deur naar zijn bezoeker met een uitdrukking op zijn gezicht die meer dan duidelijk maakte dat hij het koud had en niet bepaald opgetogen was haar te zien.

'Hoe ben je aan mijn adres gekomen?'

Ze glimlachte. 'Ik ben een detective.'

Thorne wachtte.

'Ik ken iemand die bij bureau kentekenregistraties werkt.'

'Kénde,' zei Thorne. 'Want die is zojuist haar baan kwijtgeraakt.'

'Nou ja, kom op zeg –'

'Wat is er, Anna?'

Ze liep een paar treden op, boog zich toen naar Thorne toe en stak haar hand uit. Hij nam het stuk papier aan waar ze mee zwaaide.

'Dit is Donna's adres.'

'Daar hebben we het toch al over gehad?'

'Ga nou maar bij haar langs,' zei Anna. 'Alsjeblieft.'

'Het heeft geen zin.' Thorne wreef over zijn blote onderarmen en schudde zijn hoofd. 'Luister, ik heb geen behoefte om haar te spreken en ik denk dat zij ook niet staat te popelen om mij te zien.'

'Ik heb haar gebeld. Ze weet dat ik met je heb gepraat.'

'Nou, dan bel je haar nog een keer. Om te zeggen dat ik niet kom.'

'Ga nou gewoon een halfuurtje langs.' Anna deed nog een stap in de richting van de deur. 'Dat is alles wat ik vraag. Als je dan nog steeds vindt dat het tijdverspilling is, dan leg ik me erbij neer.'

'Dat weet ik nu al.'

'Dat betekent dat je gaat, hè?'

'Vanmorgen vond ik alleen maar dat je je liet misleiden,' zei Thorne. 'Nu vind ik dat je je niet alleen laat misleiden maar ook een doordrammer bent.' Hij keek op het stukje papier. Een adres in Seven Sisters.

'Je hebt je omgekleed.'

Thorne keek op. 'Hè?'

'Vanmorgen,' zei Anna, wijzend, 'zag je eruit alsof je niet wist hoe gauw je dat pak uit moest trekken.'

Thorne voelde zich plotseling nogal ongemakkelijk in zijn oudste spijkerbroek, sokken en T-shirt, en dat gevoel werd nog eens versterkt toen hij voelde dat Louise achter hem stond. Hij deed de deur wat verder open, zodat zij en Anna elkaar konden zien, en stelde hen aan elkaar voor.

'Het spijt me heel erg dat ik jullie heb gestoord,' zei Anna. 'Ik dring mezelf maar op.'

'Geeft niet, hoor,' zei Louise, die het niet helemaal begreep. 'En je mag best binnenkomen. Ik denk dat ik zo naar bed ga, maar als jullie tweeën iets te bespreken hebben...'

Anna mompelde een bedankje en keek naar haar schoenpunten.

'Het is goed,' zei Thorne. 'We zijn wel zo ongeveer klaar.'

5

Een paar ongemakkelijke seconden lang kon Thorne de vrouw die de deur had opengedaan alleen maar aanstaren voordat zijn hand naar zijn zak ging om zijn legitimatiebewijs te pakken. Ze had kort, geblondeerd haar en een lege uitdrukking op haar gezicht, dat smal en hard was, ondanks de bronskleurige foundation en haar donkerbruine ogen.

Thorne probeerde zijn reactie te verbergen, zijn verbazing te verhullen dat Donna Langford zoveel veranderd kon zijn, toen er een tweede vrouw verscheen in een deuropening een eindje verder in de gang. Toen Thorne zijn vergissing besefte, knikte hij de tweede vrouw toe, en zij deed hetzelfde. 'Het is oké,' zei ze, en de vrouw bij de deur deed een stap naar achteren om Thorne binnen te laten; haar gezicht verzachtte zich tot een plagerig glimlachje.

'Je bent niet veel veranderd,' zei Donna.

Het appartement lag in het midden van een twee verdiepingen tellend woonblok aan een drukke weg tussen de metrostations Seven Sisters en South Tottenham. Langs het pad naar de deur en her en der verspreid in de voortuin stonden plastic beesten: konijnen, schildpadden en reigers, die vrijwel volledig overschaduwd werden door een enorme satellietschotel. De orthodox-joodse gemeenschap van Stamford Hill lag krap een kilometer verderop en de opkomende middenklasse-enclave Stoke Newington lag een paar minuten verder naar het zuiden, maar Donna Langford woonde in een van de weinige wijken in Londen waar je nog steeds voor een bedrag van minder dan zes nullen woonruimte kon vinden en waar de Pound Shops de Starbucks in aantal overtroffen.

Dieper dan Donna Langford kon je haast niet vallen.

Donna stelde de blonde vrouw voor als Kate en vroeg Thorne of hij thee wilde. Kate liep naar de keuken om thee in te schenken, en Donna ging Thorne voor naar een rokerige woonkamer. Terwijl Thorne de inrichting in zich opnam – een kleine leren bank met een bijpassende fauteuil, een plasma-tv die bijna de hele muur boven de nephaard in beslag nam – ging Donna zitten en reikte naar het pakje sigaretten op de lage salontafel met een glazen blad.

'Woningbouwvereniging,' zei ze. 'Kate heeft het gevonden.'

Thorne knikte. Hij kon nog steeds aan haar stem horen dat ze in een arbeidersmilieu in Essex was opgegroeid. Dat was waarschijnlijk nu duidelijker hoorbaar dan vroeger, het gevolg van tien jaar in de bajes, waar ze geprobeerd had zich harder voor te doen dan ze was. Hij dacht aan de laatste keer dat hij deze vrouw in haar huis had opgezocht: een kast van een huis in namaak-tudorstijl op het platteland van Hertfordshire, dat verrassend smaakvol was ingericht. 'Je zou je vroegere keuken niet eens in dit appartement kwijt kunnen,' zei hij. Hij herinnerde zich de galmende ruimten en de glimmende, stofvrije oppervlakken. 'Ik had in mijn leven nog nooit zoveel marmer gezien.'

Donna blies een rookpluim uit en gooide de wegwerpaansteker op de tafel. 'Ik heb misschien drie keer in die keuken gekookt,' zei ze. 'Ik kon er nooit iets vinden.'

'Wat is er met het huis gebeurd?'

'Weg. Net als de rest.'

'Ja, dat zal wel.' Thorne ging op de bank zitten. Hij herinnerde zich dat Donna de hoofdbegunstigde in het testament van haar man was en dat dat een tijdlang als haar motief was beschouwd om hem te laten vermoorden. Uiteindelijk was aan het licht gekomen dat er veel minder te erven viel dan iedereen had gedacht – het grootste deel van Alan Langfords bezit bleek uit papier te bestaan – en het weinige dat nog restte was voordat Donna ook maar veroordeeld was door de criminele inlichtingendienst in beslag genomen. 'Dus je had niet veel om naar uit te kijken?'

'Ja hoor, zat,' zei Donna. Ze haalde haar schouders op, pakte een grote glazen asbak en trok die naar zich toe. 'Mijn prioriteiten liggen nu anders.'

Kate riep vanuit de keuken of Thorne suiker gebruikte. Hij riep terug van niet.

'Zeg,' zei Donna, 'je bent anders wel wat zwaarder geworden.'

'Ach ja,' glimlachte Thorne neutraal. 'We zijn allemaal veranderd.'

Zij was ook zwaarder dan ze tien jaar geleden was, met een pafferig gezicht en een onderkin, en haar haar, waarvan Thorne zich herinnerde dat ze er vroeger buitengewoon trots op was, was nu grijs en had al heel lang geen kapper gezien. Ze had nog steeds een grauwe gevangeniskleur en behalve haar rookverslaving had ze zich ook een behoedzaamheid eigen gemaakt die Thorne bij veel mensen had gezien die een paar jaar hadden gezeten. Om de paar seconden schoten haar ogen een andere kant op en de kringen onder haar ogen waren zo donker dat het leek of iemand haar twee blauwe ogen had geslagen.

Ze had de moeder kunnen zijn van de vrouw die Thorne tien jaar geleden voor het laatst had gezien.

Alsof ze zijn gedachten had geraden, zei Donna: 'Hare Majesteits gevangeniswezen doet aardige make-overs.' Ze knikte naar Kate, die de deur binnenkwam met drie mokken en een pak biscuitjes. 'Maar zó goed zijn ze nou ook weer niet.'

Thorne keek van Donna naar Kate. 'Sorry.'

Donna boog zich grijnzend voorover om haar sigaret uit te drukken. 'Je dacht dat ik het was die de deur opendeed, hè?'

Thorne keek nog eens en zag dat Donna's vriendin op z'n minst tien jaar jonger was dan hij haar aanvankelijk had gegeven, en tien jaar jonger dan Donna zelf. Hij had ook de dunne blauwe krulletters gezien die onder de boord van haar T-shirt uit piepten. Hij kon nog net een 'D' en een 'O' herkennen, en de rest van de tatoeage kon hij wel raden. Nu zag hij dat de twee vrouwen fysiek totaal niet op elkaar leken. Dat hij hen eerst op elkaar vond lijken kwam puur door het feit dat ze iets gemeen hadden in hun gelaatsuitdrukking: iets wantrouwigs, iets tartends, alsof ze hem uitdaagden om over hen te oordelen.

Hij had gewoon de oud-gevangene in hen beiden herkend.

Kate gaf Thorne glimlachend zijn thee, waarbij ze hem nóg uitdagender aankeek. 'Donna en ik zijn elkaar een paar jaar geleden in Holloway tegengekomen.'

'Ik ben ontzettend blij voor jullie,' zei Thorne.

'Ik ben negen maanden geleden vrijgekomen. Ik heb dit allemaal voor ons geregeld.'

'Het ziet er echt geweldig uit.'

Kate boog voorover en pakte een sigaret uit het pakje op tafel. 'Donna zei al dat je een klootzak was.'

'Sorry, maar dat doet me echt geen moer,' zei Thorne.

Kate haalde haar schouders op, alsof ze dat wel begreep en stak de sigaret op. Ze nam een paar lange, diepe halen. 'Dus jij gaat proberen haar ex te vinden?'

Thorne stak zijn vrije hand omhoog. 'Hoor eens, ik ben hier alleen maar omdat het me is gevraagd, ja? En omdat ik een idioot ben.'

Kate pakte nog twee sigaretten uit het pakje en liet die in het borstzakje van haar overhemd glijden. 'Ik laat jullie maar.'

'Je hoeft niet weg te gaan,' zei Donna.

Maar Kate stond al met haar rug naar hen toe bij de deur en wapperde even met haar vingers bij wijze van afscheid.

Toen de deur dicht was, zei Donna: 'Zonder haar zou ik dit niet kunnen doen.'

'Wat niet kunnen doen?' vroeg Thorne.

'Je hebt de foto van Alan gezien.'

'Ik heb een foto gezien.'

'Kom op, je weet dat hij het is.' Ze leunde naar voren in haar stoel. 'Je weet dat Alan nog leeft.'

Thorne slurpte van zijn thee. Hij had besloten dat hij net zo goed kon blijven tot hij die ophad, en nam de feiten even met haar door net als hij met Anna Carpenter had gedaan. Donna had de foto twee maanden geleden in een blanco bruine envelop ontvangen, die aan haar in de gevangenis van Holloway was geadresseerd. Er zat geen begeleidend briefje bij. Er volgden nog twee foto's, die langs dezelfde weg werden bezorgd. Toen arriveerde er een week of twee na haar vrijlating een vierde foto in het appartement.

Donna liet Thorne de drie andere foto's zien. Ze kwamen allemaal uit dezelfde serie en dateerden van drie maanden geleden, en op iedere foto stond de man in min of meer dezelfde pose, met een glas bier in de hand of terwijl hij net een slok nam. Dezelfde triomfantelijke glimlach. Dezelfde zee en lucht, dezelfde zwarte berg en zeilboot in de verte.

'Er zat zeker geen poststempel op waar we iets aan hebben?'

'Allemaal in Londen op de bus gedaan,' zei Donna.

'Bewaar je de enveloppen?'

'Heb ik niet aan gedacht. Sorry.'

Thorne staarde naar de foto's die voor hem op tafel lagen, en luisterde naar het geritsel en de klik van de aansteker, en het zachte geknisper toen Donna weer een sigaret opstak.

'Waarom heb je niet meteen contact met ons opgenomen?' vroeg Thorne.

'Omdat ik wist hoe jullie zouden reageren. Achterdochtig. Ik wist dat jullie zouden denken dat ik maar wat onzin verkocht.'

'Maar je had er geen bezwaar tegen dat Anna naar mij toestapte?'

'Ze is een aardige meid,' zei Donna. 'Maar eerlijk gezegd denk ik dat ze niet veel meer is dan een loopjongen. Ik had liever dat jullie er niet bij betrokken zouden raken, dat zal ik niet ontkennen, maar als dat de enige manier is om erachter te komen...'

'Erachter te komen waarom je die foto's krijgt opgestuurd?'

Donna knikte. Ze had haar ogen dicht en er kringelde rook langs haar mondhoek naar buiten.

'En wie ze stuurt?'

'Waar hij is,' zei ze. 'Ik wil weten waar die klootzak is.'

Thorne weerstond de verleiding om de grap te maken dat hij precies wist waar Donna's ex-man was, en dat er niet veel meer van hem over was omdat hij feitelijk twee keer gecremeerd was. Hij keek hoe Donna een ander stapeltje foto's uit een klein dressoir pakte, er snel doorheen bladerde en er vervolgens een paar naar hem toe schoof.

Deze foto's waren veel ouder. Donna en Alan Langford chic gekleed tijdens een avondje uit. Hij in smoking, zij in een cocktailjurk, en breed glimlachend tegen de camera.

'Ziet er fraai uit,' zei Thorne.

'Een of ander liefdadigheidsfeest.' Donna zei het op een felle toon, alsof ze nu pas inzag wat een schijnvertoning haar leven destijds was geweest. De gelukkige echtgenote. De crimineel die zich voor filantroop uitgaf. Ze wees van de ene foto van haar ex-man naar de andere, van een foto die een tiental jaren geleden was genomen naar een foto van een paar maanden geleden. 'Je ziet toch wel dat hij het is?'

Thorne keek. Hij kon niet ontkennen dat er een gelijkenis was.

'Alan had een litteken,' zei Donna. 'Hij is als tiener bij een knokpartij in een kroeg in zijn buik gestoken.' Ze wees weer naar de foto van de oudere man en Thorne zag het litteken: een witte lijn, net boven de gerimpelde band van de zwembroek, duidelijk afstekend tegen de gebruinde buik. 'Ik denk dat hij wat aan zich heeft laten sleutelen – rond zijn ogen is er iets veranderd en hij heeft zijn haar geverfd – maar het is hem onmiskenbaar.'

'Goed, laten we nu eens aannemen dat hij het is...'

'Jézus!' zuchtte ze, en ze liet zich in haar stoel terugvallen. 'Je ogen worden ook al wat minder, hè?'

'Hoor eens, áls hij het is, dan kunnen we er rustig van uitgaan dat hij zijn tijd niet op de kegelbaan of in de moestuin doorbrengt, toch?'

Ze knikte. 'Hij is vast met iets schimmigs bezig.'

'Dus, ik zal eens informeren bij de SOCA, het bureau ernstige en georganiseerde misdaad, om te horen wat zij ermee willen doen, goed? Veel meer kan ik eigenlijk niet doen.'

'Als hij het is, wil je dan niet weten hoe hij het heeft gedaan?' Ze tipte een askegel van haar sigaret. 'Hoe kan het dat hij nog leeft, dat hij rondbanjert in de zon terwijl hij tien jaar geleden bij een brand in Epping Forest is omgekomen? Als hij het is, wil je dan niet weten wiens lijk in die auto lag?'

Hoewel hij nog steeds geloofde, ook al was dat geloof wel aan het wankelen gebracht, dat het een hypothetische vraag was, had die vraag Thorne beziggehouden sinds Anna Carpenters bezoek aan Becke House. Iémand was aan het stuur van die auto geketend, ook al was het Alan Langford niet geweest. Iemands vlees was uit elkaar gespat en was op die lederen zittingen gesmolten.

'Oké,' zei Thorne, 'er zijn redenen waarom we Alan Langford zouden willen vinden als hij inderdaad de man op die foto's is. Maar waarom wil jíj hem vinden? Ik denk zomaar dat dat niet is om het af te zoenen, om te kijken of hij plaats heeft op zijn jacht voor jou en je vriendin.'

'Kate en ik hebben het goed zo.'

'Daar ben ik blij om. Maar toch heb je een goeie reden om een tikje razend op hem te zijn.'

'Het leven is te kort.'

'Voor sommigen korter dan voor anderen,' zei Thorne.

'Ik was kwaaier op hem toen ik dacht dat hij dood was, dan nu,' zei Donna. 'Vroeger had ik hem met genoegen nog wel tien keer kunnen vermoorden. Zo ligt het nu niet meer.'

'Maar waarom dan?'

'Ik wil hem vinden,' zei Donna, 'omdat ik denk dat hij mijn dochter heeft.'

Thorne was helemaal vergeten dat er een kind was. Er kwam snel een vage herinnering bovendrijven: een meisje bij de koelkast in die grote, lege keuken, dat zichzelf iets te drinken inschonk en haar moeder vroeg wie Thorne was en waar hij voor kwam.

Hij deed zijn uiterste best om zich haar naam te herinneren. Emma? Ellen?

'Ik luister,' zei Thorne.

'Ellie was pas zeven toen ik de bak indraaide, en er was niemand om haar op te vangen. Niemand die haar wilde hebben, tenminste. Niemand die door de Raad van de Kinderbescherming geschikt werd geacht.' Ze boog zich voorover, maalde haar peuk fijn in de asbak en vertelde Thorne dat omdat er geen grootouders waren die te hulp konden schieten, haar dochter uiteindelijk in de langdurige pleegzorg was opgenomen. 'Mijn jongere zus had haar wel in huis willen nemen als het had gemoeten, maar we konden nooit zo geweldig met elkaar opschieten. Bovendien was haar vent er niet zo happig op. Het enige alternatief was Alans broer, maar die had nog een langer strafblad dan Alan en was ook niet echt de ideale kandidaat. Dus...'

Thorne ervoer een knagend schuldgevoel omdat hij hier niets van had geweten en omdat hij ook niet de moeite had genomen om het te weten te komen. Maar zo werkte het nu eenmaal. Hoewel hij daar niet altijd in slaagde, probeerde hij niet te veel te denken aan degenen die hij opsloot of aan degenen die zij achterlieten. Meestal beperkte zijn betrokkenheid zich tot de doden en hun familie. Maar in dit geval had hij zich ook niet veel aan het slachtoffer gelegen laten liggen.

'Wanneer heb je haar voor het laatst gezien?' vroeg Thorne.

'De dag dat ik werd gearresteerd.'

'Wat? Dat begrijp ik niet.'

'Ze was duidelijk nog te jong om op bezoek te komen,' zei Donna. 'Er werd me verteld dat ze in de pleegzorg was opgenomen, dat het goed met haar ging en dat de Raad voor de Kinderbescherming een bezoekregeling zou overwegen als ze zestien was. Ik kreeg intussen wel foto's.' Ze haalde nog een paar foto's tevoorschijn en schoof die naar Thorne. 'Drie of vier keer per jaar. Af en toe lieten ze haar er een briefje of een tekening bij doen.'

Thorne zag het meisje dat hij zich uit Donna's keuken herinnerde, in de loop van een stuk of tien beduimelde foto's ouder worden. Een slungelig kind met een puppy in haar armen. Een meisje met lang blond haar met een paar vriendinnen in een korfbaloutfit. Een stuurse tiener die haar haar nu kortgeknipt en zwartgeverfd had, met een veelvuldig geoefende en vervolmaakte uitdrukking op haar gezicht die het midden hield tussen verveling en wrokkigheid.

'Toen ze zestien werd,' zei Donna, kreeg ik een brief van de kinderbescherming waarin ze schreven dat ze gezien de ernst van mijn vergrijp hadden besloten dat het in het belang van mijn dochter beter was met een bezoekregeling te wachten tot ze achttien was. Afgelopen augustus...' Ze zweeg, haalde diep adem en slikte moeizaam. Toen ze weer verder ging, kwam er niet meer dan een gefluister uit. '... kreeg ik een brief waarin stond dat ze werd vermist.'

'Wat was er gebeurd?'

'Ze is verdwenen, zo simpel is het. Volgens haar pleegouders is ze op een avond uitgegaan en nooit meer teruggekomen. Ze waren natuurlijk helemaal overstuur, maar omdat ze achttien was, liep de politie niet al te hard, en dat was het.' Ze pakte het pakje sigaretten en gooide het weer terug op tafel. Het gefluister klonk nu heser. 'De kinderbescherming zei dat ze dachten dat ik het wel zou willen weten. Ze dáchten dat ik het wel zou willen weten. Dat geloof je toch niet?'

'Als ze afgelopen augustus is verdwenen,' zei Thorne, 'dan is dat maar een paar maanden voordat je die eerste foto kreeg.'

'Ze is niet verdwenen. Ze is ontvoerd.'

'Denk je niet dat die twee zaken met elkaar te maken hebben?'

Als Donna die vraag al had gehoord, gaf ze daar geen blijk van. Ze staarde Thorne alleen maar aan, zwaar ademend en met betraande ogen, terwijl ze weer naar het pakje sigaretten reikte en het steeds maar omdraaide in haar handen. 'Ik wil haar terug,' zei ze. 'Ik ben bij haar weggehaald. En nu is ze bij mij weggehaald.' Ze keek hem aan. 'Kun jij haar terugvinden?'

Thorne kon haar blik niet verdragen. Hij richtte zijn ogen op het tafelblad, op het veranderende gezicht van Ellie Langford.

'Kun je dat?'

Een achttienjarig meisje, verdwenen. Vermist.

Alweer een.

De telefoon in Thornes jaszak zoemde en hij kwam onmiddellijk overeind. Hij zag dat het rechercheur Dave Holland was, zei tegen Donna dat hij moest opnemen en liep de gang in.

'Het gaat om Chambers,' zei Holland. 'Het is geen goed nieuws.'

'Ach, jezus.'

'Die klootzak is nu op de tv.'

Thorne liep terug naar de woonkamer en vroeg Donna of ze de tv aan wilde zetten.

Om precies te zijn was het de advocate van de klootzak die aan het woord was en op de trappen van de Old Bailey poseerde en in naam van haar cliënt een verklaring voorlas omdat 'de heer Chambers te zeer aangedaan is om te spreken'. Familie en vrienden werden bedankt, evenals degenen die in haar cliënt waren blijven geloven en vertrouwen hadden gehouden in een rechtvaardige uitspraak. Chambers zelf stond een halve meter schuin rechts achter haar. Hij keek naar de grond en knikte instemmend. Hij keek eigenlijk maar één keer op om naar de rij fotografen te zwaaien die zijn naam riepen.

Hij glimlachte verlegen. Hij had zijn stropdas al afgedaan.

Kate was achter Thorne in de deuropening verschenen. 'Hij heeft het zonder meer gedaan,' zei ze, met een knikje in de richting van de tv. 'Dat heb ik van het begin af aan gezegd, toch, Don? Hij heeft dat arme kind vermoord en heeft haar ergens verstopt. Moet je kijken, je kunt het aan hem zíén.'

'Je kunt niet alles zien,' zei Donna. 'Je weet het nooit zeker.' Ze schudde haar hoofd. 'Niet alles is wat het lijkt, toch? Ik bedoel, ik dacht dat Alan dood was.'

'Bedankt voor de thee,' zei Thorne.

6

Wanneer hij zijn recherchechef onverwacht tegen het lijf liep, kon dat bij Tom Thorne een breed scala van emoties oproepen. Doorgaans voelde hij vooral walging, afschuw en razernij. Maar nu hij hem uitgerekend vandaag op zijn gemak achter het bureau van Russell Brigstocke zag zitten, voelde Thorne alleen maar verbijstering.

Trevor Jesmond zag Thorne bij de deur aarzelen, gebaarde dat hij binnen moest komen en zei hem de deur dicht te doen.

Aangezien Trevor Jesmond er meestal voor zorgde dat hij op dagen als deze ver uit de buurt bleef en de stank van mislukking vrolijk in de richting van anderen wapperde, was hij wel de laatste die Thorne hier verwacht had. Als de uitspraak in de zaak-Chambers anders was uitgevallen, was het natuurlijk een ander verhaal geweest. Dan was Jesmond de eerste geweest die de supermarktchampagne had laten knallen en iedereen in zijn gepolijste toespraakje lof had toegezwaaid.

Maar mensen als Trevor Jesmond brandden hun vingers nooit aan mislukkingen. In geen enkel opzicht.

Thorne liep naar het bureau en knikte in het voorbijgaan Brigstocke toe, die bij het raam zat. Nog voordat hij had plaatsgenomen, zat Jesmond al met zijn hoofd te schudden en stak vervolgens zijn armen theatraal omhoog alsof hij het zelf ook niet kon geloven, met een goed ingestudeerde, meelevende 'begrijp jij dat nou?'-uitdrukking op zijn gezicht.

'Onbegrijpelijk, Tom,' zei hij. 'Geen touw aan vast te knopen. Vergeet het maar snel.'

Vergeet het maar snel? Jij kansloze rukker zonder kloten.

'Juist,' zei Thorne.

'Je hebt al het mogelijke gedaan. Je hebt fantastisch werk geleverd.'

O, dus is het nu míjn fout? dacht Thorne. 'Dank u,' zei hij.

'Laat het achter je. Je moet de draad weer oppakken.'

Wat kom je hier in godsnaam doen?

'Ik ben hier natuurlijk om het team weer wat op te peppen na dit fiasco in de zaak-Chambers, maar nu ik hier toch ben...'

Daar gaan we...

Jesmond boog zich voorover en bladerde door de papieren voor hem op tafel. Hij knikte naar Brigstocke, en Thorne zag dat de kale plek weer een klein beetje groter was geworden dan de laatste keer; dat de productie van roos leek te zijn toegenomen hoewel er minder haar op zijn hoofd zat.

'Ik heb met Russell over de kwestie Langford gesproken.'

Thorne wierp Brigstocke een snelle blik toe, en diens nauwelijks waarneembare schouderophalen vertelde hem alles wat hij weten wilde. De rang van hoofdinspecteur was een lastige: gevangen in een ongemakkelijke spagaat tussen de jongens en de hoge pieten. 'Als een lul tussen een ritssluiting,' had Brigstocke Thorne eens toevertrouwd. 'Naar beneden of naar boven, het doet allebei vreselijk pijn.'

'En over welke kwestie hebben we het dan?' vroeg Thorne.

'Je hoeft niet zo chagrijnig te doen, Tom,' zei Brigstocke. 'Je bent hier niet de enige met een slecht humeur.'

Jesmond wuifde de reprimande van de hoofdinspecteur weg. Hij glimlachte nog steeds. 'Dezelfde kwestie als waarvoor je vanmorgen naar Donna Langford bent gegaan.'

Thorne zag dat Jesmonds glimlach zich verbreedde, volop genietend van dit moment van triomf, zag hem zijn hoofd schudden alsof het er verder niet toe deed.

'Ik heb in het logboek gekeken,' zei Jesmond. 'Niets geheimzinnigs aan. Ik zag dat het adres waar jij vanmorgen voor getekend hebt hetzelfde is als wat ik hier voor me heb.' Hij pakte een stapeltje papieren op. 'Gisteren ben ik begonnen met mijn huiswerk zodra Russell me over dat gedoe met die foto's had verteld en heb ik een klein dossier samengesteld.' Hij schikte de papieren en legde ze weer neer. 'En, wat denken we, Tom? Is Alan Langford nog springlevend?'

'Dat denk ik wel,' zei Thorne. 'Of hij heeft een dubbelganger.' Het was vreemd dat hij door het uit te spreken besefte dat hij vanaf het moment dat hij zijn oog op de foto had laten vallen, eigenlijk al had geweten wie de man was. Dat het, zonder dat hij precies wist waarom, makkelijker was geweest te doen alsof dat niet zo was. Maar nu hij dat simpele en schijnbaar onschuldige feit had bevestigd, had hij het gevoel dat het wellicht veiliger was geweest om het te ontkennen. Alsof hij niet meer dan twee passen van een duizelingwekkende afgrond stond.

'Nou, ik denk niet dat er reden tot paniek is,' zei Jesmond. 'Russell?'

Brigstocke was zijn bril aan het schoonmaken. 'Helemaal niet. Een proces wegens gerechtelijke dwaling heeft geen enkele kans van slagen. Ik bedoel, los van het feit of de man die ze wilde laten vermoorden degene was die uiteindelijk is omgebracht: Donna Langford hééft samengespannen om haar echtgenoot te laten vermoorden. Dat ontkent ze ook niet, dus op dat vlak is er geen vuiltje aan de lucht.'

'En hoe zit het met Monahan?'

'Zelfde laken een pak,' zei Brigstocke. 'We weten dat hij iemand heeft vermoord, dus hij heeft ook geen poot om op te staan als hij een beroepsprocedure wil aanspannen.'

'Nou, dan kunnen we allemaal rustig gaan slapen,' zei Thorne.

Het sarcasme ontging Jesmond, of hij verkoos het niet te horen. 'Ik weet niet of dat helemaal waar is, inspecteur. In het licht van deze ontwikkelingen moeten we het onderzoek in de zaak-Langford opnieuw bekijken, en het lijkt me duidelijk dat we een paar dingen wellicht anders hadden moeten aanpakken.'

O, dus deze opmerking is ook aan mij gericht, zeker? dacht Thorne. Hij schraapte zijn keel. 'Zoals?'

'Nou, DNA- en gebitsonderzoek zijn het meest voor de hand liggend.'

'Ze heeft hem verdomme geïdentificeerd!' Thorne zag dat Brigstocke zijn hand waarschuwend opstak. Hij hief zijn eigen hand op om duidelijk te maken dat hij zichzelf volledig onder controle had, dat het vooralsnog onwaarschijnlijk was dat hij over het bureau zou springen om de recherchechef te wurgen. 'Het lijk had hetzelfde postuur als Alan Langford en droeg Alan Langfords sieraden. En Alan Langfords echtgenote heeft het formeel geïdentificeerd.'

'Maar dan nog –'

'En of dat allemaal nog niet genoeg was, ze wist dat hij het was die met handboeien aan het stuur van de Jaguar was geketend omdat ze iemand had betaald om dat te doen. Als we die paar feitjes even in gedachten houden, sir, was er afgezien van de formele lijkschouwing geen reden om de jongens in de witte jassen lastig te vallen.'

'Hoe overduidelijk de zaak ook léék, het is altijd aan te raden het zekere voor het onzekere te nemen. En in dit geval zou dat zich zeker hebben terugbetaald.'

Thorne kon een glimlach niet onderdrukken toen hij zich opeens iets herinnerde. 'Bovendien meen ik me een memo van uzelf te herinneren dat destijds op grote schaal werd verspreid, waarin een korpsbreed bezuinigingsplan werd geïmplementeerd.'

'Wacht eens even...'

Thorne boog zich sardonisch naar voren. '"Alle niet-essentiële procedures die betalingen aan externe geledingen of individuele specialisten met zich meebrengen, moeten zorgvuldig worden afgewogen en indien mogelijk..." Bla, bla, bla, dat soort gelul. Met alle respect, sir.'

Jesmonds glimlach was al een poosje van zijn gezicht verdwenen, maar nu zag Thorne er een om Brigstockes mond spelen. 'We moeten onszelf indekken.'

'Hoe?' vroeg Thorne.

'Pak die zaak op,' zei Jesmond. 'En behandel hem alsof je de Epping Forest Barbecue kersvers op je bord hebt gekregen. We moeten het stoffelijk overschot koste wat kost identificeren, en omdat er nu alle reden is om aan te nemen dat Alan Langford iets met die moord te maken had, moeten we hem zien te vinden. Wat denk je dat de voormalige mevrouw Langford hiermee wil bereiken?'

Thorne vertelde hem van zijn gesprek met Donna Langford, over de dochter die werd vermist en Donna's overtuiging dat haar ex-man daarachter zat.

'Nou, dat wordt dan een extra aandachtspunt in het onderzoek,' zei Jesmond. 'We moeten haar tevreden houden.'

'Is dat zo?'

'Ze heeft juridisch gezien misschien geen poot om op te staan, maar mogelijk komt ze op het idee een paar pond bij te verdienen door haar verhaal te verkopen. Als ze ermee naar de pers stapt of er een boek over schrijft, kunnen we weleens als een stelletje sukkels worden afgeschilderd.'

Thorne moest op zijn tong bijten.

'Laten we haar geven wat ze wil,' zei Brigstocke. 'Dat komt tenslotte behoorlijk dicht in de buurt van wat wij ook willen.'

Thorne had er niet echt bezwaar tegen, tenminste niet als het erom ging Ellie Langford op te sporen. De bezorgdheid van haar moeder was oprecht. En het was niet voor het eerst geweest dat Thorne naar foto's van een vermist meisje had gekeken en onwillekeurig zijn adem even had ingehouden. 'Oké, mij best,' zei hij.

Jesmond knikte instemmend. 'Maar laten we proberen dit zoveel mogelijk onder de pet te houden, oké? Dit heeft onze prioriteit, maar we willen geen olifant in de porseleinkast.'

Niemand hoefde Thorne te vertellen welke olifant zijn baas in gedachten had. 'En hoe zit het met Anna Carpenter?' vroeg hij. Jesmond wierp een blik op zijn papieren. Zo goed had hij zijn huiswerk dus ook niet gedaan. 'De privédetective.'

'Juist.' Jesmond dacht even na. 'Zij zou ons ook in verlegenheid kunnen brengen als ze naar de pers stapt.' Hij keek naar Brigstocke, en kreeg een instemmend knikje. 'Wat wil ze?'

'Meewerken aan deze zaak,' zei Thorne. 'Nou ja, aan welke zaak dan ook, denk ik, maar ze wil graag aan de slag.'

'Goed, betrek haar er maar bij,' zei Jesmond. Hij zag dat Thorne zijn mond opendeed om te protesteren. 'Of laat haar dénken dat ze erbij betrokken wordt. Zeg haar dat ze met je mee mag lopen, bijvoorbeeld.'

'Dat meent u toch zeker niet?'

'Zolang ze maar weet wanneer ze haar mond moet houden, kan dat geen probleem zijn. Klinkt dat redelijk? Russell?'

'Ik zie daar geen kwaad in,' zei Brigstocke.

Thorne schudde zijn hoofd. 'Ja, maar jij zit straks ook niet met haar opgescheept.'

Jesmond stond op en zei dat hij aan de slag moest. Dat hij naar de meldkamer moest om daar te doen wat hij kon om het moreel wat op te vijzelen, met het oog op wat er was gebeurd. Op weg naar de deur zei hij tegen Brigstocke en Thorne dat hij het op prijs stelde dat ze allemaal hetzelfde deuntje zongen.

• 'Nou, dat zal me een herrie geven,' zei Thorne.

De Royal Oak was niet het soort pub waar je heen ging als je prijs stelde op een prettige bediening of een vriendelijke atmosfeer, maar het café lag op vijf minuten lopen van zowel het Peel Centre als bureau Colindale. Om die reden, en omdat de naam van een ex-rechercheur boven de ingang prijkte, zou het altijd een pub zijn waar je een representatieve dwarsdoorsnede van de Londense politie tegenkwam. Maar deze avond konden klanten zonder politiepenning maar beter thuis een paar blikjes bier opentrekken.

Het café was afgeladen met politiemensen.

De clientèle had evengoed uit motorrijders, voetbalsupporters of brallende, bezopen bankjongens hebben kunnen bestaan. Vrienden, collega's of vreemden, het deed er niet toe. Door wat ze samen hadden meegemaakt, door de onuitgesproken band tussen deze mannen en vrouwen laaiden de emoties hoog op, sloeg verbijstering om in woede en werd de teleurstelling vele malen weggespoeld met witte wijn, bier en whisky. Als de toiletten niet zo erg gestonken hadden, zou de lucht van testosteron die boven die broeinesten van agressie en zelfmedelijden zweefde, de overhand hebben gehad. Thorne baande zich een weg naar de bar om te bestellen. Op de terugweg naar zijn tafeltje met een Guinness voor zichzelf en een sneeuwwitje voor Dave Holland en Yvonne Kitson, werd hij verschillende malen aangehouden door collega's die hun gemoed wilden luchten, die commentaar wilden leveren op het enige gespreksonderwerp in de kroeg.

'Pech, jongen…'

'Maak je geen zorgen, hij krijgt zijn verdiende loon wel.'

'Rukkers!'

Thorne gaf Holland en Kitson hun drankjes en ging zitten, zich afvragend waar die laatste aangeschoten filosoof op had gedoeld. Op Adam Chambers en zijn raadslieden? Op Thorne en zijn team? Op zichzelf en alle andere dienders in de pub omdat ze de zaak niet tot een goed einde hadden weten te brengen?

Wat het ook mocht zijn, Thorne sprak hem niet tegen.

'Cheers,' zei Holland.

Thorne knikte en nam een slok.

'Wat is de overeenkomst tussen een poepgat en een mening?' vroeg Kitson.

'Wat?'

Holland nam een slok en zei: 'Elke idioot heeft er een.'

Thorne keek van de een naar de ander. 'En hoe denken jullie er dan over?'

Thorne had een groot deel van de ochtend met Russell Brigstocke zitten speculeren over wat er in die jurykamer zou kunnen zijn gebeurd, maar toch voelde hij nog de behoefte erover door te praten met mensen wier mening hij waardeerde. Hij had geprobeerd Louise te pakken te krijgen, maar die had de hele dag de ene vergadering na de andere en had alleen maar een boodschap kunnen achterlaten waarin ze zei hoe rot ze het vond.

Kitson was een stuk minder voorzichtig dan vroeger als ze haar mening ventileerde, en Holland, die weliswaar al lang niet meer zo groen en argeloos was als in het begin, zei doorgaans nog steeds wat hij vond.

'Als alles meezit is het al moeilijk genoeg om een veroordeling rond te krijgen,' zei Holland. 'Je zit met een rechter die de jury instrueert, die doordramt over gerede twijfel en het gewicht van het bewijs en zo.'

Kitson knikte. 'Dus als er geen lijk is en je hebt een advocaat die van wanten weet, dan zit het tegen.' Ze keek naar Thorne. 'Dan zit het óns tegen.'

'Er is niks dat je nog had kunnen doen,' zei Holland.

Thorne knikte langzaam en stelde zich voor dat Adam Chambers nu aan het feestvieren was en zich klem zoop in een of andere bar in West End waar wat minder smerissen rondhingen dan hier. Hij zag de uitgelaten vrienden en familie voor zich en bedacht dat zij op een bepaalde manier ook met de schrik waren vrijgekomen. Nu hoefden ze niet te liegen tegen collega's of hun persoonlijke geschiedenis te herschrijven. Ze zouden geen lastige vragen hoeven te ontwijken als er elk jaar op de verjaardag van Andrea Keane journalisten bij hen aanklopten die bleven volhouden dat ze toch iets moesten weten van wat haar was overkomen. Nu konden ze hun eigen twijfel aan de onschuld van Adam Chambers – en Thorne wist dat ze die hadden – gemakkelijk laten verschrompelen tot iets wat ze hadden gedroomd of wat ze zich hadden ingebeeld.

'We moeten gewoon weer aan de slag,' zei Kitson.

'Het leven is te kort, hè?' Thorne klokte een derde van zijn pint naar binnen en onderdrukte een boer. 'Maar voor sommigen korter dan voor anderen.' Hij dacht aan twee achttienjarige meiden. De herinnering aan de een was bezoedeld door onrecht. Misschien kreeg hij nog een kans de ander te vinden. En zich een stuk beter te voelen, zodat hij zijn geweten, dat krassen had opgelopen door zijn onvermogen de eerste te vinden, kon sussen.

De draad die hij van Jesmond weer moest oppakken.

Sam Karim kwam aanlopen met een rondje en kwam bij hen zitten op het moment dat Brigstocke opstond en een korte toespraak hield. De hoofdinspecteur bedankte iedereen voor hun inzet, zei tegen de teamleden dat zij de besten waren met wie hij ooit had gewerkt en dat ze op een dag, als er nieuwe informatie boven kwam drijven, misschien een nieuwe kans zouden krijgen. Er klonk gejuich en een lauw applaus, en daarna bracht de pub een toost uit op Andrea Keane.

'God zegene haar,' zei Thorne. Dat was wat een smeris met een paar glazen achter de kiezen op zo'n moment zei. Ook een smeris die geen greintje religie in zijn lijf had.

De Oak was nou niet het soort etablissement dat kans liep beboet te worden wegens schenken na sluitingstijd, maar ze hadden nog maar een kwartier te gaan tot de laatste drankjes konden worden besteld toen Thorne een bekend gezicht uit het herentoilet zag komen. Gary Brand was een van de rechercheurs in het oorspronkelijke onderzoek naar de zaak-Langford geweest, en Thorne meende zich te herinneren dat hij bij enkele verhoorsessies van Paul Monahan aanwezig was geweest. Daarna was hij nog anderhalf jaar bij de afdeling Moordzaken gebleven, tot er ergens anders een vacature was vrijgekomen, en voor zover Thorne wist werkte hij tegenwoordig in het centrum.

Thorne bedacht dat het misschien een goed idee was om een paar dingen te bespreken met iemand die tien jaar geleden deel uitmaakte van het team. Terwijl hij zich door de menigte heen wurmde, voelde hij dat de drank hem in zijn greep kreeg. Hij haalde een paar keer diep adem. Het was uitgesloten dat hij nog naar huis kon rijden, maar dat was niet zo erg. Hij had die middag aan de telefoon gezeten om de nodige dingen te regelen en de volgende dag had hij de auto waarschijnlijk niet of nauwelijks nodig.

Brand leek aangenaam verrast hem te zien en trok meteen zijn portemonnee. Ze liepen naar de bar. Thorne nam een halve pint, hoewel hij wist dat het een tikkeltje te laat was om nog voorzichtig te doen.

'Dit is toch niet echt je stamkroeg meer, hè Gary?'

Brand was een slanke vent van 1 meter 80 en een paar jaar jonger dan Thorne. Hij had kortgeknipt blond haar en droeg het soort jasje van dun, soepel leer dat Thorne vrouwen beter vond staan. 'Nou ja, ik ken natuurlijk een hoop jongens die aan het Chambers-onderzoek hebben meegewerkt en ik heb de zaak gevolgd.' Hij kwam oorspronkelijk uit de West Midlands en dat was nog steeds te horen aan de afgeplatte klinkers en de dalende intonatie aan het eind van elke zin. Daardoor klonk hij vaak zwaarmoedig, ook al was hij in een goede bui. Hij haalde zijn schouders op. 'Ik zou niet weten waar ik vanavond liever zou zijn.' Hij hief zijn glas en tikte dat van Thorne aan. 'Wat een absolute afgang.'

'Daar hebben we er wel meer van gehad.'

'Zeker weten.'

'Nou we het er toch over hebben...'

Thorne vertelde Brand over het bezoekje van Anna Carpenter en over de foto's. Over een zaak die weer even miraculeus tot leven scheen te zijn gekomen als Alan Langford zelf.

'Hij is altijd al een aalgladde smeerlap geweest,' zei Brand. 'Het type dat er genoegen aan beleefde om mensen als jij en ik voor gek te zetten.'

'Is hij ook het type dat zijn eigen dochter zou ontvoeren?'

'Ik zou niet weten waarom niet.'

'En wat denk je van die foto's?'

Brand antwoordde dat hij geen idee had waarom ze Donna waren toegestuurd. 'Dus wat ga je nu doen?'

'Kijken of ik iets wijzer kan worden van Paul Monahan.'

'Veel geluk,' zei Brand. 'Ik kan me niet herinneren dat dat beest erg praatziek was.'

'Misschien is hij in de lik wat toeschietelijker geworden,' zei Thorne. Maar dat was schertsend bedoeld. Thorne had Monahans dossier die middag bekeken en ontdekt dat hij niet bepaald een modelgevangene was. Zijn vonnis was al tweemaal verlengd sinds zijn eerste veroordeling.

'Ja, dat ligt voor de hand.'

'Misschien is hij het type dat een universitaire graad haalt en in zijn vrije tijd quilts maakt voor Oxfam.'

'Ik zet mijn geld op het krachthonk en zelf gezette tatoeages,' zei Brand. 'Maar laat me vooral weten hoe het je vergaat...'

Ze wisselden hun mobiele nummers uit en Thorne liep terug naar zijn tafeltje. Holland vroeg of hij er nog eentje wilde, maar met de keus tussen nu naar huis gaan of straks met de halve afdeling Moordzaken om een taxi knokken, besloot Thorne ertussenuit te knijpen. Hij nam van zo min mogelijk mensen afscheid als beleefdheidshalve kon en liep naar de parkeerplaats, dankbaar voor de kou op zijn gezicht en de frisse lucht.

Op weg naar metrostation Colindale belde hij naar huis en hoorde zijn eigen stem op het antwoordapparaat. Hij vermoedde dat Louise al naar bed was of naar haar eigen flat was gegaan, maar hij liet toch maar een boodschap achter.

Daarna belde hij Anna Carpenter.

Toen hij de telefoon hoorde overgaan, was hij zich er plotseling van bewust dat het misschien veel te laat was om te bellen, dat hij op weg naar de Oak had moeten bellen of gewoon een sms'je had moeten sturen. Maar ergens hoopte hij ook dat ze niet op zou nemen, of dat ze het bericht niet zou afluisteren dat hij op het punt stond in te spreken.

Toen Anna's voicemail werd ingeschakeld sprak Thorne wat langzamer dan anders, om te voorkomen dat hij ging brabbelen. 'Met Tom Thorne. Ik bel alleen maar om te zeggen dat als je nog van de partij bent, je morgenochtend om acht uur voor de WHSmith bij station King's Cross moet staan. Neem je paspoort mee. En je zou kunnen overwegen iets... formelers aan te trekken of zo.'

7

Hoewel er al sinds 1595 een gevangenis op dezelfde plek had gestaan, dateerde het grootste deel van het huidige gebouw van tweehonderd-vijftig jaar later, met een somber neogotisch poorthuis en vleugels in de voor de negentiende eeuw zo kenmerkende radiaalvorm. Zoals de meeste victoriaanse gevangenissen was *Her Majesty's Prison* Wakefield zeker niet gemaakt om mooi te zijn, maar toen hij dichterbij kwam had Thorne het gevoel dat elke geblakerde baksteen en elk tralieven-ster door degenen die het gebouw daar hadden neergezet doordrenkt was met iets giftigs. Iets subtiels en duisters dat vanuit het hardvoch-tige materiaal van het gebouw in de mensen sijpelde die daar zaten op-gesloten, dat hen hardde en langzaam alle hoop deed vervliegen. Of misschien was het andersom. Misschien waren het de mensen binnen die muren die het gebouw zo lelijk maakten?

Of het nu een victoriaanse monstruositeit als Pentonville of Strangeways was of een bleke betonnen penitentiaire inrichting in Amerikaanse stijl als Belmarsh, Thorne voelde zich nooit helemaal op zijn gemak als hij een gevangenis binnenging.

Hij kon zien dat Anna Carpenter hetzelfde voelde.

Hij zag hoe ze monter haar paspoort afgaf bij de eerste van de drie controleposten waar ze langs moesten voordat ze tot de eigenlijke ge-vangenis werden toegelaten.

'Echt weer iets voor mij om aan het kortste eind te trekken,' zei ze tegen de bewaker, met een knikje naar Thorne. 'Laat ik nou denken dat hij me zou meenemen op een betoverende lastminutevakantie toen hij me vroeg mijn paspoort mee te nemen.'

De aapmens die haar gegevens controleerde keek niet eens op van zijn bureau. Anna draaide zich om naar Thorne en rolde met haar ogen. Maar ze was van haar stuk gebracht, dat kon hij aan haar zien, en maskeerde dat met een overdreven onverschilligheid.

'Leuk elkaar gesproken te hebben,' zei ze toen ze haar paspoort terugkreeg.

Maar ze deed er goed aan op haar qui-vive te zijn. Thorne wist dat beter dan wie ook. Door haar outfit – een stemmige donkere rok en bijpassend jasje – zou iedere gevangene ervan uitgaan dat ze een politieagente was. Ze zou zich bekeken en gehaat voelen net als Thorne zich altijd voelde. Maar als vrouw zou zij ook dingen voelen die nog heel wat onprettiger waren.

'Nou, dat was een vrolijk type,' zei ze terwijl ze verder liepen.

Anna mocht dan van slag zijn, ze verkeerde nu in ieder geval in een beter humeur dan tweeënhalf uur geleden bij King's Cross, toen ze om één minuut voor acht op Thorne af was komen stappen, die van een meeneemkoffie stond te slurpen.

'Het zou prettig zijn geweest als je het wat eerder had laten weten.'

'Je bent stipt,' zei Thorne. 'Daar hou ik van.'

'En ik hou er niet van als me gezegd wordt wat ik aan moet trekken.'

'Je mag jezelf gelukkig prijzen. Ik was er fel op tegen dat je mee zou komen.'

'Dus waarom ben ik hier dan?'

'Omdat ik doe wat me gezegd wordt.'

'Waarom geloof ik dat niet?'

Thorne blies in zijn koffie en begon naar het perron te lopen.

'Waarheen mee zou komen, trouwens?' vroeg ze, terwijl ze achter hem aan liep. 'Moet ik zelf uitvissen waar ik naartoe ga, of is dat geheim? Ik denk zomaar dat we niet naar Zweinstein gaan.'

Thorne vertelde het haar.

'Jezus.'

'Die kunnen ze daar wel gebruiken,' zei Thorne. 'Luister, dit zijn de regels...'

Toen ze eenmaal voorbij de beveiliging waren, liepen ze naar de bezoekersruimte. Hoewel ze op hun route ver uit het zicht van cellengalerijen en gemeenschappelijke ruimten bleven, werd de sfeer steeds akeliger. Wakefield was een extra beveiligde gevangenis voor levenslang gestraften, en de lucht smaakte een tikje anders wanneer al die mensen die hem hadden ingeademd niets te verliezen hadden en alle reden hadden overal schijt aan te hebben. Anna was duidelijk nog steeds uit haar doen door het simpele feit dat ze hier nu liep, en babbelde onder het lopen vrijwel constant vrolijk door.

'Het kan wel wat minder,' zei hij.

'Wat minder?'

'Het volume. Alles. Ik weet dat je zenuwachtig bent, maar –'

'Met mij is niks aan de hand.'

'En ik wil zeker geen gekwek als we Monahan straks te spreken krijgen. Afgesproken?'

'Sorry,' zei ze. 'Ik praat te veel. Ik weet het. Heb ik altijd al gedaan. 't Zal wel overcompensatie zijn.'

'Waarvoor?'

'Voor van alles.'

Ze sloegen een hoek om en gingen de wachtruimte binnen. Een stuk of twintig mensen hielden nummertjes in hun hand alsof ze bij een winkel in de rij stonden. Thorne liet zijn pasje aan de bewaker achter het bureau zien, en Anna en hij mochten meteen doorlopen naar de bezoekersruimte. De kamer was groot, licht en fris, met rijen schone tafels en eenvoudige metalen stoelen. Bij de deuren aan weerszijden zat een bewaker, en een derde liep heen en weer tussen de tafels met een verveeld uitziende snuffelhond. Het tapijt rook nieuw en Thorne vroeg zich af of dat de taak van de hond bemoeilijkte. Het zou in elk geval niet helpen. Hoeveel bezoekers konden nog wekenlang nadat Carpetland hier aan het werk was geweest binnenzeilen met bolletjes crack in hun reet?

In een van de hoeken was een plek ingericht waar kinderen onder toezicht konden spelen, en aan het andere eind waren een paar kamertjes voor besloten ontmoetingen. Terwijl ze op weg naar een van de kamertjes langs een buffet liepen, vroeg Anna: 'En als we nou eens een verstandhouding opbouwen?'

'Wat?'

'Geen gekwek zoals je zei, maar moeten we er niet voor zorgen dat hij zich op zijn gemak voelt, of zo?'

'We hoeven helemaal niks te doen,' zei Thorne. 'En geloof me, je wilt geen enkele "verstandhouding" met een man als Paul Monahan.'

Hij zat al op ze te wachten, geagiteerd, maar niet echt zenuwachtig. Zijn gezicht en haar waren grijzer dan Thorne zich herinnerde en hij was iets gevulder onder het blauw-wit gestreepte overhemd dat hij op de standaard gevangenisspijkerbroek en -gympen droeg. Hij priemde met zijn vinger naar zijn horloge. 'Jullie zijn laat.' Er klonk onmiskenbaar irritatie door in het nasale Londonderry-accent.

'Heb je soms iets beters te doen?' vroeg Thorne. Hij trok zijn jack uit en hing het over de rug van een stoel. Anna deed hetzelfde.

'Ik heb cursus.'

Thorne knikte. Het leek erop dat hij de gevangenishobby's van Monahan beter had ingeschat dan Gary Brand. Maar aan de andere kant kon het evengoed een cursus kooivechten zijn.

Zoals de meeste gevangenissen bood Wakefield naast een verbijsterend assortiment van therapeutische programma's een enorm scala aan activiteiten en educatieve mogelijkheden. Zo wist Thorne toevallig dat degenen die deelnamen aan de workshop techniek daar aan beveiligingspoorten, tralies en hekken werkten. Zelfs híj moest toegeven dat dat toch erg dicht in de buurt van een slechte grap kwam. 'Ik dacht dat je een afspraakje met een geile meid had.'

'Je had tien jaar geleden al net zoveel gevoel voor humor als een doodgraver,' zei Monahan. 'En het is er niet beter op geworden.'

'Ook leuk om jou weer te zien.'

Monahan keek Anna voor de eerste keer aan. 'En wie is dit?'

'Rechercheur Carpenter,' zei Thorne. Dat was geen leugen. Niet echt. Hij zag Monahans blik over Anna's lichaam dwalen en blijven hangen waar dat niet de bedoeling was. 'Zullen we maar meteen spijkers met koppen slaan? Aangezien je het zo druk hebt?'

Monahan haalde zijn schouders op en leunde achterover.

'Je weet dat je vroegere werkgever weer op vrije voeten is, toch?'

Thorne liet dat even bezinken. 'Ik heb het natuurlijk over Donna Langford.'

Weer schouderophalen. Misschien wist Monahan het, of hij wist het en het kon hem niet schelen.

'Sorry, toen ik "werkgever" zei, dacht je toen dat ik Alan Langford bedoelde?'

De aarzeling was kortstondig, maar onmiskenbaar. 'Waarom zou ik dat denken?'

'Nou, je hebt ooit zo nu en dan toch ook voor hem gewerkt? Voordat Donna je inhuurde, bedoel ik.'

'En?'

'Daarom probeer ik verwarring te voorkomen.'

'Jij bent degene die in de war is, vriend. Hoe kan híj nou op vrije voeten zijn?'

'Natuurlijk. Hij is zo dood als een pier, hè?' Thorne schudde zijn hoofd zogenaamd meewarig om zijn eigen zogenaamde stommiteit. 'Een nogal doorbakken pier, als ik me goed herinner, maar zonder meer dood. Stomme fout van me. Ik weet niet wat me bezielde.' Hij keek Monahan strak aan en zag dat diens ogen weer naar Anna gleden.

Maar deze keer sprak er minder lust uit. Was het meer een poging om de kant die het gesprek op ging te beïnvloeden.

'Is het niet om gek van te worden?' vroeg Thorne. 'Donna vrij als een vogel terwijl jij hier nog steeds vastzit en je middelbareschooldiploma probeert te halen of wat dan ook.'

'Daar ben ik niet mee bezig,' zei Monahan.

'Laat ik dat nou niet geloven.'

'Geloof wat je wilt.'

'Niet dat je jezelf een goeie dienst hebt bewezen, begrijp me goed. Al die extra tijd die er boven op je vonnis is geklapt. Bewaarders aanvallen, je cel kort en klein slaan...'

'En wat kan jou dat verdommen?'

'Het kan mij niks verdommen, maar het is niet slim, toch?'

'Ik raak helemaal geëmotioneerd.'

'Je moet wel dol zijn op de isoleer.'

Monahan liet zijn hoofd wat zakken en trok met zijn ene hand aan de vingers van de andere. 'Ik kan er nou eenmaal niks aan doen.'

'Hoe lang moet je nou nog? Zeven of acht jaar op z'n minst?'

Een knikje. Zijn kin kwam iets dichter naar zijn borst.

Thorne stond op het punt weer iets te zeggen toen Anna tussenbeide kwam. 'Het lijkt erop dat het heel wat langer wordt als je niet uitkijkt,' zei ze. Als ze de strenge blik die Thorne haar toewierp al had gezien, verkoos ze die te negeren. 'Je moet jezelf eens aanpakken.'

Monahan richtte zijn hoofd op en snoof. Na een paar seconden keek hij van Anna weg, hij leunde achterover en sloeg zijn armen over elkaar. Hij had zijn arrogante houding weer aangenomen en wachtte tot ze datgene zouden zeggen waarvoor ze dat hele eind hiernaartoe gekomen waren.

'Er zijn altijd manieren om je vonnis te verlágen,' zei Thorne. 'Maar dat klinkt wel behoorlijk radicaal, ik weet het.'

Monahan lachte zuinigjes en liet een glimp van zijn slechte gebit zien. 'Nou komen we ter zake, hè? Nou komt de aap uit de mouw.'

'Hoezo? Mogen we niet gewoon langskomen om te zien hoe het met je gaat?'

'Zoals ik al zei, het gevoel voor humor van een doodgraver.'

'Het stelt eigenlijk niet zoveel voor,' zei Thorne. 'Gewoon wat hulp bij een moord die we proberen op te lossen. En eigenlijk niet eens dát, omdat we heel goed weten wie de moordenaar is. Het is meer een kwestie van het identificeren van het slachtoffer.'

'En waarom zou ik daar iets van weten?'

'Nou, omdat jij het slachtoffer met handboeien aan het stuur van de Jaguar hebt geketend die je vervolgens in de fik hebt gestoken.'

Monahan staarde een paar seconden voor zich uit, schudde toen zijn hoofd en liet nog wat meer tanden zien. 'Jij bent achterlijk, weet je dat?'

'Gestoord. Helemaal de weg kwijt. Maar laten we es kijken hoe gek ik ben, goed? Ik bedoel, laten we eens even nadenken over hoe dit gunstig had kunnen uitpakken. Ik denk dat Alan erachter is gekomen wat zijn liefhebbende echtgenote van plan was. Hij heeft het opgevangen toen ze aan de telefoon was of toen ze in haar slaap praatte, dat maakt niet uit. Dan komt hij naar jou toe voordat je de kans hebt gekregen om te doen waar ze je voor heeft betaald, en doet jou een lucratiever voorstel.'

Monahan keek Anna aan en knikte in de richting van Thorne. 'Wat heb jij uitgevreten dat je met hem zit opgezadeld?'

'Dus toen moest je iemand zien te vinden die zijn plaats innam,' zei

Thorne. 'Heb jij dat gedaan of heeft Alan iemand gevonden? Het moest iemand zijn van ongeveer dezelfde lengte en met hetzelfde voorkomen, vermoed ik. Niet dat het nog veel zou uitmaken tegen de tijd dat je met hem klaar was.'

Monahan keek Anna nog steeds aan. 'Echt meisje, ik zou overplaatsing aanvragen.'

'Dank je, ik zal het in gedachten houden,' zei ze. 'Vertel ons nu maar wie je de plaats van Alan Langford in die auto hebt laten innemen.'

Thorne keerde zich naar haar toe, klaar om haar een borende, vermanende blik toe te werpen. Maar toen hij de uitdrukking op Anna's gezicht en Monahans reactie op haar simpele vraag zag, besloot hij die nog even voor zich te houden.

Monahan herstelde zich. Hij haalde diep adem. 'Alan Langford is dood, oké? Jezus, waarom denken jullie dat ik hier zit? Zijn wijf heeft me betaald om hem uit de weg te ruimen en ik heb gedaan waar ik toen goed in was. En wat dan nog?'

'Nou, niks,' zei Thorne. 'Als ik niet pas geleden een foto van meneer Langford had gezien waarop hij er heel goed uitziet.' Monahan slikte en keek weg. 'Hij is springlevend, Paul, en we weten het allemaal.'

'Dus laat dat slappe gelul maar achterwege,' zei Anna.

Thorne knikte en ging achterover zitten. 'Ja, dat is er nog een die op vrije voeten is, die lekker in de zon ligt te bruinen terwijl jij hier wegrot met de kleur van een bleke aardappel. Ik bedoel, we nemen aan dat hij ervoor gezorgd heeft dat het de moeite waard was om al die jaren je mond dicht te houden. Dat je ongetwijfeld iets prettigs hebt om naar uit te kijken als je vrijkomt. En waarschijnlijk ontfermt hij zich over je dierbaren, is het niet? Betaalt hij de hypotheek en zo.'

'Dit is idioot,' zei Monahan zachtjes. 'Júllie zitten slap te lullen.'

'Maar is het wel de moeite waard geweest?' Het leek haast of Thorne het meende. 'Ik bedoel, je zit hier nu al een behoorlijke tijd, hoeveel je ook opstrijkt als je vrijkomt.'

Monahan keek naar een punt boven hun hoofd en kauwde ergens op.

'Je hebt een zoon, hè?' vroeg Anna.

Thorne ging meteen op die opening in. 'Hoe oud is-ie nou, halverwege de twintig?'

''t Zou mooi zijn als je wat eerder zou vrijkomen en hem kon zien,' zei Anna. 'Lijkt je dat geen goed idee?'

Monahan werd rood, zijn handen omklemden de armleuning van zijn stoel, en in de paar seconden voor hij dichter naar de tafel schoof, snapte je waarom hij zo vaak in de isoleercel had gezeten. Hij boog zich voorover naar Anna en fluisterde: 'Het lijkt mij dat ik straks aan jou denk.' Hij liet zijn hand naar zijn kruis glijden en kneep erin. 'Als ik op mijn brits lig met mijn pik in m'n hand.'

Anna schoof wat dichter naar hem toe. 'Dat is fijn om te weten, want ik zal ook aan jou denken, Paul.'

Thorne hief zijn hand. 'Anna...'

Als ze nog last had van zenuwen, gaf ze daar geen blijk van. 'En dan moet ik heel hard lachen, omdat ik net sufgenaaid ben door een vent die kan doen waar-ie zin in heeft, wanneer-ie er zin in heeft, en die niet in een emmer hoeft te schijten.' Haar glimlach werd net zo snel breder als die van Monahan verdween. 'Maar ga jij ook je gang maar, veel plezier ermee.'

Monahan kwam razendsnel overeind en Thorne volgde zijn voorbeeld, klaar om in te grijpen als dat nodig was. Even leek het erop dat Monahan door het lint zou gaan, maar toen maakte hij een zuigend geluid met zijn tanden en grijnsde, alsof het niet meer dan een gezellig kletspraatje was geweest, hij draaide zich om en liep naar de deur.

Er verscheen een bewaker en Monahan zei hem dat hij klaar was.

'Veel plezier met de cursus,' zei Thorne.

8

Ze namen de trein van halfdrie terug naar Londen. Zodra ze zich comfortabel geïnstalleerd hadden in een relatief rustig rijtuig, gaf Thorne Anna een biljet van tien pond en stuurde haar naar de restauratiewagen voor warme drankjes en sandwiches. Toen ze weg was, belde hij Brigstocke.

'Nou, ik geloof niet dat we Monahan iets hebben verteld wat hij nog niet wist,' zei Thorne.

'Behalve dat wíj het weten.'

'Klopt.'

'Schrok hij daarvan?'

'Dat denk ik wel. We moeten hem nog maar eens onder handen nemen, maar in de tussentijd kunnen we wat munitie verzamelen. We moeten naar zijn gezin kijken. Hun bankafschriften opvragen, kijken of ze nieuwe auto's hebben die ze zich eigenlijk niet kunnen veroorloven, waar ze op vakantie naartoe gaan, het gewone werk.'

'Ik denk niet dat het zo simpel zal zijn,' zei Brigstocke. 'Waarschijnlijk gaat het allemaal in contanten, zodat we het niet kunnen traceren.'

'Je weet nooit,' zei Thorne. 'Geef mensen meer dan ze gewend zijn en er is altijd wel een of andere idioot die de verleiding niet kan weerstaan om ermee te koop te lopen. Het belangrijkste is dat Monahan daar lucht van krijgt. Zolang hij weet dat we aan het spitten zijn, hem onder druk zetten, is hij de volgende keer als we op bezoek komen niet zo arrogant.'

'Het kan natuurlijk ook zijn dat hij niet veel weet,' zei Brigstocke. 'Als Langford dat deel ervan zelf heeft georganiseerd, kan het zijn dat hij heeft gedacht dat hoe minder mensen ervan wisten, hoe beter het was.'

'Monahan weet iets wat de moeite waard is om zwijggeld voor te betalen. Hij had tien jaar geleden een of andere deal kunnen maken en ons de waarheid kunnen vertellen om strafvermindering te krijgen, maar hij heeft niks losgelaten. Langford heeft hem duidelijk een fikse zak geld beloofd om zijn mond stijf dicht te houden, en dat had hij nooit gedaan als Monahan geen... gevaarlijke informatie had.'

'Zoals wie er in werkelijkheid in die Jaguar zat.'

'Dat denk ik.'

Brigstocke vertelde Thorne dat hij een ontmoeting met iemand van de SOCA had gearrangeerd omdat ze die toch vroeg of laat nodig zouden hebben als ze een zaak tegen Alan Langford wilden opbouwen. De SOCA had afdelingen die financiële onregelmatigheden konden opsporen of zakelijke transacties konden uitpluizen waarbij Alan Langford – of hoe hij zich nu ook noemde – sinds zijn 'dood' was betrokken. De SOCA had geld en mankracht, maar er viel niet altijd makkelijk met hen samen te werken en ze stonden erom bekend dat ze traag waren.

'Het zou voor iedereen een stuk eenvoudiger zijn als we hem gewoon moord ten laste konden leggen,' zei Brigstocke.

'Ik doe mijn best,' zei Thorne.

'En dan is er nog de kleinigheid dat we hem moeten zien te vinden...' Brigstocke legde nog eens uit dat de SOCA over veel meer middelen beschikte dan welk moordzakenteam ook om misdadigers in het buitenland op te sporen, maar dat ze wel moesten weten in welk land ze moesten beginnen te zoeken.

Bij gebrek aan het hightech fotolab waar Anna Carpenter het over had gehad, had Thorne kopieën van de foto's van Langford opgestuurd aan een man van wie hij hoopte dat die hem zou kunnen helpen. Dennis Bethell was een informant met een lange staat van dienst. Hij was ook een genie als het om camera's en het ontwikkelen van films ging, zij het dat hij zijn talent vooral gebruikte voor het produceren van harde porno.

'Ik heb Dennis gezegd dat we haast hebben,' zei Thorne.

'Hoe gaat het tussen jou en je nieuwe collega?' vroeg Brigstocke.

'We moeten eens praten.'

'O, niet al te best, dus?'

Op dat moment zag Thorne Anna terugkomen uit de restauratie-wagen en zei hij tegen Brigstocke dat ze op het punt stonden een tun-nel in te rijden, dat hij hem de volgende keer wel meer bijzonderheden zou vertellen. Brigstocke antwoordde dat het niet meer de moeite was om nog naar kantoor te komen, en Thorne beloofde hem te bellen zo-dra hij thuis was.

'Nou, veel plezier met de jonge miss Marple,' zei Brigstocke.

Thorne pakte zijn thee en sandwiches aan en vloekte zo hartgron-dig toen Anna zei dat ze geen wisselgeld van zijn tientje had gekregen, dat een ouder echtpaar aan de andere kant van het gangpad hem vol walging aanstaarde. Hij deed suiker in zijn thee en zei toen op zachtere toon: 'En wat was dat verdomme allemaal daar in die gevangenis?'

'Wat allemaal?'

'Ik had gezegd dat je je mond moest houden.'

'Kom op, ik kon er toch niet als een plank bij zitten?' zei Anna. 'Dat zou er heel raar uit hebben gezien.'

'Het kan me niet schelen hoe het eruit zou hebben gezien. Ik was daar om een mogelijke sleutelgetuige te ondervragen en jij was er om te observeren, dat is alles. Ik wilde niet dat je je erin zou mengen.'

'Ik vond dat we een goed team waren.'

'We zijn helemaal geen team,' zei Thorne.

'Wat je wilt.'

'En waarom begon je over zijn zoon?'

'Dat werkte. Je hebt het gezien. Dat lokte een reactie uit.'

'Het gaat erom dat je de júíste reactie uitlokt.' Thorne praatte nu zo hard dat het oudere echtpaar weer opzij keek, maar het kon hem niets meer schelen. 'Je mocht mee bij wijze van gunst, en daar heb je mis-bruik van gemaakt.'

'Sorry –'

'Dat laat ik niet meer gebeuren.'

'Ik zeg toch dat het me spijt?'

Thorne leunde achterover en nam een hap van zijn sandwich. Hij lichtte de ene helft van de boterham op en staarde naar het dunne plakje zwetende ham. De regen begon strepen op de ramen te trekken en het landschap gleed voorbij in blokken van bruin en grijs.

'Misschien vind je het moeilijk om met vrouwen samen te werken,' zei Anna.

Thorne slikte snel een hap door. 'Wát?'

'Sommige mannen hebben dat. Die vent voor wie ik werk in elk geval wel.'

'Wíj werken niet samen.'

'Dat heb je al gezegd.'

Thorne keek naar het oudere stel en glimlachte. Ze keken allebei weg. Hij ging zachter praten. 'Hoe dan ook, dat is gelul. Ik heb met een heleboel vrouwen samengewerkt. Ik werk nog steeds met een heleboel vrouwen samen.'

'Ben je getrouwd?'

'Hè?'

'Ik probeer een gesprek gaande te houden. Ik bedoel, ik ga er van uit dat de vrouw die ik laatst bij je heb ontmoet...'

'We wonen alleen samen,' zei Thorne. 'Van tijd tot tijd. Ik bedoel niet dat de relatie van tijd tot tijd is. Ik bedoel... we hebben ieder ons eigen huis.'

'Verstandig.'

'Ik ben blij dat het je goedkeuring kan wegdragen.'

'Wat doet ze?'

'Ze werkt bij de politie.' Thorne propte de rest van zijn sandwich in het zakje terug. 'Niet dat je daar iets mee te maken hebt.'

Anna stak haar handen omhoog. 'Sorry.' Ze keek uit het raam. 'Alwéér.'

Thorne had nergens spijt van. Hij had het nodig gevonden om dat te zeggen, alles. Toch voelde hij zich een tikje schuldig toen hij haar naar het natte, troosteloze landschap van Yorkshire zag staren en er een stilte tussen hen viel. Ze zag eruit als een tiener die ouder wilde lijken en haar best deed niet te laten merken dat ze het zich aantrok dat ze op de vingers was getikt. Ze zag er gefrustreerd uit, en de gedachte kwam bij Thorne op dat ze het waarschijnlijk gewend was zich zo te voelen. Hij bedacht ook dat hij wat meer wilde weten over 'die vent voor wie ze werkte'. Dat hij wilde dat ze weer begon te kwebbelen.

'Hoor eens, het was niet volgens de regels,' zei hij. 'Maar je had waarschijnlijk gelijk. Over die zoon van Monahan.'

Ze draaide haar hoofd om.

'Ik zeg niet dat je het nog een keer moet doen, ja? Maar, oké, het leek wel te werken. Het maakte de juiste reactie los.'

Ze mompelde een 'bedankt' en probeerde haar opgetogenheid te verhullen.

'En wat je op het eind zei, was ook lang niet slecht. Probeerde je hem gewoon op stang te jagen, of...'

'Ik meende elk woord,' zei Anna.

'Gevangenen schijten allang niet meer op een emmer hoor, maar afgezien daarvan was het erg ontroerend.'

Thorne had haar nog niet zien lachen, niet echt. Dat was het mooiste moment van wat verder een doodgewone dag was.

Hij slenterde de enorme gevangeniskeuken binnen en liep meteen door naar de voorraadkamer aan de andere kant. Een paar medegevangenen die hij niet zo goed kende, zagen hem en gingen door met hun werk: hoe minder je zag of zei, hoe beter. Uiteindelijk ving hij de blik van de *trusty* naar wie hij op zoek was. Hij knikte naar de voorraadkamer en gaf een klopje op zijn broekzak. De trusty knikte, ten teken dat hij stilzwijgend toestemde op de deur te letten in ruil voor een nader te bepalen gunst.

De deal werd gemaakt met één enkele blik, een miniem handgebaar.

Hij trok de zware deur van de voorraadkamer achter zich dicht en ging naast een stelling zitten met metalen schappen waarop grote blikken soep, tomaten en bruine bonen stonden. Hij haalde de telefoon tevoorschijn. Die was noodzakelijkerwijs klein en eenvoudig, maar hij had ook geen toeters en bellen nodig.

Er werd snel opgenomen.

'Jij hebt de tijd genomen,' zei de man.

'Dit is de eerste mogelijkheid die ik had om te bellen.'

'Druk programma?'

Aan de andere kant van de deur klonken luide stemmen. Hij zei dat de man even aan de lijn moest blijven, legde zijn hand op de telefoon en wachtte een minuut. 'Sorry daarvoor.'

'Waar zit je?'

'Maak je geen zorgen, het is veilig.'

'Het heeft geen zin om onnodig risico's te nemen...'

'Luister, de politie is hier vandaag geweest.'

'Dat weet ik.'

'De bezoekersruimte stinkt nog steeds naar varkens.'

'Waarom denk je dat ik dat sms'je heb gestuurd?'

'Wat wil je dat ik doe?'

De man zweeg even, alsof hij ergens een slokje van nam. 'Ik wil dat je eens iets voor je geld gaat doen.'

Zonder het nodig te vinden dat eerst met Thorne te overleggen, had Louise Phil Hendricks uitgenodigd. Hij arriveerde net op het moment dat ze de pasta aan het opscheppen was, en bracht een vleug carbolzeep mee naar binnen en een plastic tas waarin blikjes bier rammelden.

Thorne zag meteen dat zijn vriend even stoom moest afblazen. 'Rotdag gehad op kantoor, schat?'

'Ik kan wel een drankje gebruiken,' zei Hendricks. 'Ben de hele middag bezig geweest een tiener open te snijden.' Hij pakte een blikje uit de tas en trok het open. 'Ik bedoel, het was duidelijk dat hij al door een stel andere tieners was opengesneden.' Hij liet zijn lange zwarte jas op de bank vallen en ging aan de kleine eettafel zitten.

Voor een officieel geregistreerde forensisch patholoog oogde Phil Hendricks op z'n zachtst gezegd nogal excentriek. Thorne had in elk geval nog nooit een andere patholoog ontmoet met een kaalgeschoren hoofd, diverse piercings en meer tatoeages dan de gemiddelde heavymetalgitarist. Hij was er ook nog nooit een tegengekomen die net zo goed was en even gevoelig omging met de slachtoffers die hij ontleedde. De grappen, die met een uitgelezen timing in een plat Manchesteraccent werden gedebiteerd, waren vaak smakeloos, maar Thorne wist wat daarachter schuilging.

Hij had het verdriet van zijn vriend vaak en van dichtbij meegemaakt.

'Dat ruikt heerlijk, Lou.'

Het was alweer een tijdje geleden dat Hendricks zich op een nieuwe piercing had getrakteerd, iets wat hij meestal deed als hij een nieuw vriendje had veroverd, maar hij showde wel enthousiast zijn nieuwste tatoeage: een verzameling rode sterretjes op zijn rechterschouder.

'Ziet eruit als een chique vorm van acne,' zei Thorne.

Hendricks zat te kauwen, dus stak hij alleen zijn middelvinger op.

'Dus je voelde toch niet zoveel voor die "sodomietatoeage"?'

Een paar maanden geleden had een geestelijke uit de city de voorpagina's gehaald met het voorstel dat homoseksuele mannen net als pakjes sigaretten met een overheidswaarschuwing 'gemarkeerd' moesten worden. Zijn voorstel dat er 'Sodomie kan de gezondheid ernstige schade toebrengen' op hun billen getatoeëerd moest worden, had een voorspelbare storm van protest opgeroepen en uiteindelijk had de pastoor zich gedwongen gezien onder te duiken. 'Ik ga die vuilbekkende zendeling opsporen,' had Hendricks destijds gezegd. 'Dan zal ik zíjn gezondheid eens schade toebrengen.'

Nu schudde hij grijnzend zijn hoofd. 'Daar heb ik uiteindelijk van afgezien,' zei hij. 'Vooral omdat al die woorden met geen mogelijkheid op mijn volmaakt strakke kont passen.'

Louise lachte en zei dat dat bij haar geen probleem zou zijn. In een behoorlijk groot lettertype. In hoofdletters.

Thorne vertelde over zijn bezoek aan Wakefield, over Monahans weigering toe te geven dat het lijk in de Jag niet dat van Alan Langford was geweest. Dat ze moesten bewijzen dat Monahan werd betaald om zijn mond te houden.

'Als hij zijn kaken op elkaar houdt, zou ik niet weten wat je verder kunt doen.' Louise schonk zichzelf en Thorne nog wat wijn in. 'Je komt waarschijnlijk alleen iets aan de weet als je het geld volgt.'

'Daar schieten we niet veel mee op, denk je niet?'

'Sorry, maar je krijgt het niet op een presenteerblaadje aangereikt, schat.'

Tien jaar geleden had Hendricks de sectie verricht op het lijk dat in Epping Forest was gevonden. Op wat ervan over was, tenminste. 'Je kunt de overblijfselen altijd laten opgraven,' zei hij. 'Misschien vind je nog een geblakerde kies tussen de as. Maar zelfs een gebitsonderzoek helpt je niet verder, tenzij je enig idee hebt wie het slachtoffer is.'

'En dat hebben we niet.'

'Dan ben je uitgeluld, jongen. Dan heb je bijna evenveel kans als Tottenham heeft om bij de eerste vier te eindigen.'

'Moet jij niet es naar huis?' vroeg Thorne.

Ze waren uitgegeten en trokken nog een fles wijn en een paar blikjes bier open. Thorne zette een nieuwe cd met akoestische opnamen van Willie Nelson op, en Hendricks zei dat het klonk alsof iemand langzaam een kat door de wringer haalde. Thorne merkte op dat Hendricks zoals te doen gebruikelijk is nu zowel zijn voetbalelftal als zijn muzikale voorkeur had afgekraakt, en vroeg of iemand hem kon vertellen waarom Hendricks zich ook alweer als zijn vriend beschouwde. Waarop Hendricks antwoordde dat het niet zozeer een kwestie van vriendschap was, maar meer dat hij de enige figuur was die niet het bed met Thorne deelde en die hem toch om zich heen duldde.

Louise begon de etensresten van de borden te halen en af te ruimen. 'Met wie ben je vandaag eigenlijk naar Wakefield gegaan?'

'Hè?'

'Een dagje jongens onder mekaar met Dave Holland, zeker?'

Thorne keek haar aandachtig aan om te zien of er meer dan gewone belangstelling op haar gezicht stond te lezen en voelde om onverklaarbare redenen het bloed naar zijn gezicht stromen. Hij aarzelde, begon over een kring te wrijven die zijn glas op de tafel had gemaakt. 'Nou, eigenlijk heb ik die privédetective meegenomen,' zei hij. 'Die een paar avonden geleden langskwam. Het eind van het liedje was dat ik haar wel mee móést nemen.'

'Dat meisje?'

Thorne haalde zijn schouders op en trok een gezicht waarvan hij hoopte dat het zou zeggen: 'Belachelijk, ik weet het', en legde het uit: 'Jesmond vindt dat we haar te vriend moeten houden om te voorkomen dat ze naar de pers stapt om uit de doeken te doen dat we een flater hebben geslagen in de zaak-Langford.' Hij wist dat hij te snel praatte en dat het klonk alsof hij loog. 'Een ongelooflijke lastpak, precies zoals ik Jesmond had voorspeld. Ik zit er maar mooi mee. Wat moet ik nog meer zeggen?'

'Je hoeft helemaal niks te zeggen,' zei Louise lachend. 'Ik stelde gewoon een simpele vraag.'

Ze bracht de borden naar de keuken en begon de afwasmachine in te ruimen. Thorne keek op en zag dat Hendricks 'Wat is er aan de hand?' mimede. Hij wuifde de vraag weg en stond op om een andere cd op te zetten.

Louise riep vanuit de keuken: 'Wil je koffie, Phil?'

'Nee, dank je,' zei Hendricks. 'Dan zou ik de hele nacht wakker liggen, en niet op een goeie manier.'

Thorne keek het cd-rek langs en probeerde ondertussen te beoordelen of Louises lach gemaakt of echt was geweest. Hij wist het niet, maar hij was er vrij zeker van dat het onderwerp weer op zou duiken zodra Hendricks vertrokken was.

Louise verscheen in de deuropening. 'Weet je het zeker?'

'Ik denk dat ik maar eens opstap.'

'Ik heb ook decafé.'

'Waarom blijf je niet slapen?' vroeg Thorne.

Monahan had sinds het eind van de ochtend ontzettend last van zijn maag. Hij was sinds het gesprek met Thorne en die vuile teef, dat hulpje van hem, al een keer of vijf naar de plee geweest, en wat er verdomme ook in die vleespastei mocht hebben gezeten die hij bij het avondeten had genomen, het had de zaak alleen maar beroerder gemaakt. Hij lag op zijn bed naar het gerommel van zijn ingewanden te luisteren en naar de galmende stemmen op de galerij buiten de celdeur.

Dierlijke geluiden.

Wanneer hij niet in de isoleer zat, vond hij dit het prettigste moment van de dag. Als hij in zijn eentje lag te lezen of te roken terwijl de andere gevangenen de vrij in te vullen tijd op hun eigen manier doorbrachten met tafeltennis, fitness of wat dan ook. In zijn eigen oase van vredigheid terwijl de rest van de gevangenis om hem heen in beweging was. Hij genoot van de rust – ook al stelde die niet veel voor met zeshonderd andere gasten met wie je de zuurstof moest delen – in de wetenschap dat gezelschap nooit verder dan een meter weg was, als hij daar ooit behoefte aan had. Hij ging veel liever eenzaam in de massa op dan dat hij uren in die stinkende, kriebelige isoleer zat, ook al had hij dat aan zichzelf te danken.

Maar het was zoals hij tegen Thorne had gezegd. Soms kon hij er nou eenmaal niets aan doen.

't Zou mooi zijn als je wat eerder zou vrijkomen en hem kon zien.

Hij dacht aan wat Thorne had gezegd, het verzoek om hulp dat eigenlijk een aanbod was geweest. Hoe verleidelijk het ook klonk, hij wist dat het kortetermijndenken was. Gevaarlijke gedachten. Het geld dat elke maand voor zijn vrijlating opzij werd gezet hield zowel een dreiging als een belofte in, dat had hij altijd heel goed begrepen. Het zette een prijs op zijn stilzwijgen, maar het stond hem niet toe te vergeten wat het zou kosten als hij zijn mond voorbijpraatte.

Zijn leven en dat van zijn zoon, daar was geen twijfel over mogelijk. *Leven, daar gaat het om, of niet soms?*

Hij dacht aan de man die zoveel beloofde en dreigde, en boven het geluid van het zure geborrel in zijn buik hoorde hij het sissen en knetteren van vuur. De doffe dreun van een explosie en het zwakke geroffel van een specht.

'Paul?'

Er werd op de openstaande deur van de cel geklopt en Monahan ging rechtop zitten. Jeremy Grover was een gevangene met wie hij beter kon opschieten dan met de meeste andere. Hij zat zijn tijd rustig uit en hij was redelijk slim voor iemand die gewapende overvallen pleegde.

'Jez.'

'Ik dacht dat je een potje kwam kaarten.'

'Sorry jongen, maar mijn maag is een puinhoop.'

'Dan wil ik wel een kop thee, als jij het zet.'

Monahan zwaaide zijn benen van het bed en liep naar het tafeltje in de hoek waar de ketel stond. Hij vroeg wie er aan de winnende hand was, pakte een mok en beloofde alle jongens af te drogen zodra hij van de schijterij af was. Toen draaide hij zich om om nog iets te zeggen, en hij kreeg op datzelfde moment een dreun die alle lucht uit zijn longen perste. Hij rook Grovers zure adem in zijn gezicht.

'Jez?'

Het was alleen geen dreun, natuurlijk was het dat niet, en er vormde zich al een plas bloed op de vloer toen hij door zijn knieën zakte en op zijn zij viel. Het kostte hem moeite om zijn hoofd op te tillen en hij durfde niet te kijken naar wat er in zijn handen lekte. Hij zag dat Grover achterover tegen de deur leunde en daarna een stap naar voren deed om een bewaker langs te laten. Hij zag ze met elkaar praten terwijl zijn ingewanden warm tussen zijn vingers door gleden, maar hij hoorde niets, niet echt, tot de bewaker weer weg was en er ergens in de verte een alarm afging.

II

ZOET EN BITTER

9

De beveiligingsbeambte achter de balie van de gevangenis had tegen Dave Holland al even weinig te zeggen als vierentwintig uur daarvoor tegen Thornes praatzieke vrouwelijke collega. Er was dit keer geen sprake van dat Anna Carpenter met Thorne mee zou gaan.

Brigstocke had om iets na zessen 's ochtends gebeld en was direct ter zake gekomen. 'Degene die Paul Monahan betaalde om zijn mond te houden, kan de automatische incasso stopzetten,' zei hij.

De forensisch rechercheurs van het korps West Yorkshire hadden hun werk gedaan en waren alweer weg, maar de plaats delict was nog verzegeld met blauw afzetlint dat van de celdeur naar de balustrade van de galerij liep. Thorne en Holland werden door een bewaker naar de afdeling gebracht en werden buiten de cel opgewacht door een somber kijkend ontvangstcomité. Sonia Murray, een aantrekkelijke zwarte vrouw van begin dertig, was de contactpersoon van de gevangenis met de politie. Ze noemde eerst haar eigen naam en stelde daarna Andy Boyle voor, de plaatselijke inspecteur, wiens team dienst had toen het incident werd gemeld.

Boyle leek zich niet bepaald te verheugen op de ontmoeting met zijn Londense collega's. 'Als we moeten samenwerken in deze zaak,' zei hij, 'dan moet dat maar.' De inspecteur uit Yorkshire was allesbehalve een verlegen type, maar hij moest toch zijn stem verheffen om boven het geschreeuw en gejoel uit te komen dat over de galerij echode. De gevangenen van deze hele vleugel zaten sinds het lijk was gevonden al vijftien uur in hun cel opgesloten en staken hun gevoelens daarover niet onder stoelen of banken. 'Maar ideaal is anders, toch?'

'We zullen proberen niemand op de tenen te trappen,' zei Holland.

Thorne legde een glimlach op zijn gezicht, maar het kon hem niets schelen of die oprecht overkwam. 'En als dat toch gebeurt, zorgen we ervoor dat we pantoffels aanhebben.'

Het stoffelijk overschot van Paul Monahan lag in het mortuarium, in afwachting van de autopsie. Hij was de afgelopen avond op weg naar het ziekenhuis overleden nadat hij met ernstige steekwonden op de vloer van zijn cel was gevonden. De gevangene die bij Monahan in de cel was aangetroffen was naar het plaatselijke politiebureau overgebracht, maar er was nog geen aanklacht tegen hem ingediend en die ochtend was hij in afwachting van de komst van Thorne en Holland weer naar de gevangenis gebracht.

'Dus dit is het verháál,' zei Murray. Ze legde de klemtoon op het laatste woord om Thorne duidelijk te maken dat ze de feiten nu achter zich lieten en een terrein betraden waar ze alleen gissingen, interpretaties en onzin tot hun beschikking hadden. Het was een gevaarlijk terrein, maar ook interessant. Het was het gedeelte waar Thorne het meest van hield. 'Een bewaker, Howard Cook, kwam gisteravond net na halftien de cel van Monahan binnen.' Murray las het op uit een aantekenboekje. 'Daar zag hij een gevangene genaamd Jeremy Grover die onder het bloed zat en over het lichaam van Monahan gebogen zat. Grover vertelde bewaker Cook dat hij het lichaam ongeveer een minuut eerder had ontdekt, geen pols had kunnen voelen en het slachtoffer probeerde te reanimeren.'

'Dat is mooi van hem,' zei Holland.

'Jazeker, onze Jez is een echte barmhartige Samaritaan.'

'Behalve wanneer hij in hypotheekbanken loopt te zwaaien met een geweer met afgezaagde loop,' zei Boyle.

Murray richtte zich weer op haar aantekenboekje. 'Cook verliet de cel om het alarm aan te zetten, er is een ambulance gebeld en code zwart is afgekondigd. Binnen twintig minuten was de vleugel afgegrendeld en is de politie op de hoogte gesteld.'

'Wij waren hier iets na tienen,' zei Boyle. 'Monahan was al de moord gestikt in de ambulance.'

Thorne duwde de celdeur open en ging naar binnen. Alles was weggehaald, behalve het bed en de metalen stoel. Het bloed was op de schuin aflopende vloer naar een kant gestroomd. Nu het was opgedroogd, leek het bijna zwart op het dieporanje linoleum. 'Waar is bewaker Cook?'

Murray ging bij de deur staan. 'Hij is naar huis gestuurd en heeft een dag traumaverlof gekregen,' zei ze. 'Dat is gebruikelijk na een incident met code zwart.'

Thorne draaide zich om en liep naar de galerij.

Holland ving zijn blik en knikte naar de bewakingscamera die hoog tegen de tegenoverliggende muur was gemonteerd. 'Die zou ons een mooi overzicht moeten geven,' zei hij.

Thorne keek Boyle aan. 'Ik neem aan dat je de beelden hebt bekeken om te zien of er iemand anders is binnengegaan voor Jez Grover?'

Boyle haalde zijn schouders op, vergenoegd dat hij iets wist wat Thorne niet wist.

'De camera deed het niet,' zei Murray. 'Dat werd pas vanmorgen vroeg vastgesteld.'

'En was hij dan kapot, of was hij uitgeschakeld?'

'Geen idee.'

'Dat komt goed uit,' zei Holland.

Thorne knikte nadenkend. 'Moordwapen?'

Boyle schudde zijn hoofd. 'We hebben alles ondersteboven gehaald,' zei hij. 'We hebben Grover voor de zekerheid van top tot teen gefouilleerd, maar geen spoor. Een scherp geslepen tandenborstel of iets dergelijks zou makkelijk genoeg ergens te verbergen zijn waar de zon nooit schijnt.'

Holland trok een grimas. 'Ik neem aan dat er geen andere gevangenen rondliepen die onder het bloed zaten?'

'Niet dat we hebben gezien.'

'Dan kunnen we maar het beste even met meneer Grover gaan praten,' zei Thorne.

Murray zei dat ze Jeremy Grover naar de bezoekersruimte zou laten brengen. 'Alle bezoeken zijn afgelast,' zei ze. 'Dus jullie kunnen gewoon een kamer kiezen.'

Thorne zei dat dat best was, en Holland en hij liepen achter Murray aan de galerij af. De bewoners van de vele cellen waar ze langsliepen lieten duidelijk merken wat ze van haar vonden. Als ze al van haar stuk werd gebracht door de grove taal, liet ze het niet blijken.

Terwijl ze de trap af liepen kwam Boyle naast Thorne lopen. 'We hebben Grover al even aan de tand gevoeld,' zei hij. 'Maar als je denkt dat jij het beter kunt...'

'Ik denk dat ik mijn pantoffels maar beter kan aantrekken.'

'Arrogante klootzak.'

Thorne liep door en bleef glimlachen, maar hij zorgde ervoor dat Boyle hem recht in de ogen keek en zei: 'Man, pleur toch op naar huis en ga je teckel uitlaten.'

Het gesprek vond plaats in dezelfde kamer als waarin Thorne en Anna Carpenter de man hadden ondervraagd die nu was vermoord. Toen Jeremy Grover door een bewaker naar binnen werd gebracht, keek hij niet veel blijer dan Paul Monahan had gedaan.

'Godsamme, ik héb het allemaal al een keer verteld.'

Grover was langer en magerder dan de gemiddelde gewapende overvaller, maar hij had diezelfde kille blik in zijn ogen. Er zaten rossige plukjes in het zorgvuldig getrimde sikje en het krullende bruine haar begon al wat grijs te worden. Hij was ongeveer even oud als Thorne, maar hij zag er soepel en pezig uit in zijn gevangenisspijkerbroek en gestreepte overhemd. Thorne zag meteen dat hij het type was dat niet aan fitness deed om ermee te pronken, maar omdat hij het fijn vond om fit te blijven. Het type dat de behoefte voelde om te allen tijde scherp en paraat te blijven.

Hij keek langs Thorne en Holland, die aan de tafel zaten, naar Andy Boyle, die achter hen tegen de muur leunde. 'Is er een kans dat ik mijn gympen terugkrijg?'

Boyle gaf geen antwoord en keek alsof hij nog net genoeg energie kon opbrengen om zijn kauwgom te kauwen.

'Dat betekent dan "nee", neem ik aan?'

Grovers bebloede kleren waren voor analyse naar het forensisch laboratorium gestuurd. Niemand verwachtte iets anders dan een bevestiging dat het bloed en de stukjes ingewanden van Paul Monahan waren. Grover kon niet ontkennen dat hij helemaal onder had gezeten.

'Die zien er anders goed uit,' zei Holland. Hij knikte naar de glimmende witte trainingsschoenen die Grover had gekregen. Grover keek omlaag en toen weer naar Holland alsof hij iets smerigs was dat onder een van zijn schoenen zat.

'Zo, dus jij hebt de medaille voor eerste hulp bij de padvinderij gehaald, hè?' vroeg Thorne.

'Zeg dat nog es?'

'Of misschien heb je het wel in een aflevering van *Casualty* gezien. Hoe dan ook, het was echt heldhaftig van je om het leven van je vriend te willen redden.'

'Je denkt er niet bij na, weet je? Je doet gewoon wat je kunt.'

'Je hebt er niet aan gedacht om een bewaker te roepen? Ik bedoel, die zijn er waarschijnlijk op getraind, toch?'

'Ik zei toch al –'

'O, dat was ik vergeten,' zei Thorne. 'Eentje kwam er sowieso al heel snel langs, zo ging het toch?'

'Wat een geluk,' zei Holland.

'Dus daar hebben we meteen het probleem te pakken,' zei Thorne. 'En ik weet zeker dat inspecteur Boyle hetzelfde probleem heeft, klopt dat, inspecteur Boyle?'

Boyle knikte.

'Het punt is dat er van degene die je maat Paul heeft aangevallen, die hem heeft vermoord, geen spoor te bekennen valt. Verdwenen in een extra beveiligde gevangenis zonder ook maar een spatje bloed op zijn kleren, en bovendien heeft hij het moordwapen ook nog meegenomen.' Thorne stak zijn handen omhoog. 'Heb jij misschien een idee? Ik bedoel, je snapt vast wel dat wij dat een beetje verwarrend vinden, toch?'

Grover leunde achterover en strekte zijn lange benen onder de tafel. 'Als jij denkt dat ik jouw werk voor jou ga opknappen, dan ben je niet alleen een beetje in de war, vriend. Dan ben je stapelmesjogge.'

'Weet je het zeker?' zei Holland. 'Weet je echt niks dat ons verder zou kunnen helpen?'

Grover schudde zijn hoofd. 'En ook al wist ik het wel, dan zou dat niks uitmaken. Jullie weten hoe het hierbinnen werkt. Paul was mijn maat, en als ik erachter zou komen wie hem heeft neergestoken, dan krijgt-ie het met mij aan de stok. Maar dan nog verlink je elkaar niet.'

'Dat is nou jammer,' zei Thorne. 'Want zodra we dit hebben opgelost, kunnen we snel werk maken van die medaille voor voorbeeldig gedrag die jij gaat ontvangen.'

Dat scheen Grover oprecht grappig te vinden, maar hij zei evengoed tegen Thorne dat hij de klere kon krijgen.

'Het betekent ook dat we alleen maar overhaaste conclusies kunnen trekken,' zei Holland. 'Dat doen we natuurlijk liever niet, maar als we verder niks hebben...'

'Wat voor "conclusies" dan?' vroeg Grover met grote, quasi-onschuldige ogen.

Boyle kwam plotseling van de muur vandaan, duidelijk geïrriteerd door het heen-en-weergepraat. 'Dat jíj het hebt gedaan, smerige sportvlek. Jij bent Monahans cel binnengewandeld en hebt hem overhoopgestoken.'

'En waarom zou ik dat doen?'

'Omdat iemand je daarvoor heeft betaald,' zei Thorne. 'Iemand heeft contact met je opgenomen en heeft gezegd dat je Paul Monahan uit de weg moet ruimen. Als jij ons nou kon zeggen wie er contact met je heeft gezocht en hoe, dan zou dat weleens wat kunnen uitmaken als je hiervoor terechtstaat.'

'Denken jullie dat het zover zal komen?'

'Ik zou er niet raar van opkijken.'

Grover gooide zijn hoofd achterover en keek naar het plafond alsof hij nadacht over wat Thorne had gezegd. Alsof de beschuldigingen volkomen redelijk en gerechtvaardigd waren. Maar toen hij Thorne weer aankeek, was het duidelijk dat het hem geen ruk interesseerde of ze gerechtvaardigd waren of niet.

'Ik zal je vertellen wat jóúw probleem is,' zei hij. 'Dat niet-bestaande moordwapen.' Hij keek hem nu triomfantelijk aan, boog zich over de tafel en wees op Thorne. 'Ik wil maar zeggen: waarmee zou ik het gedaan moeten hebben? Heb ik Paul neergestoken en ben ik toen onder het bloed de cel uit gelopen en ergens heen gepiept om het mes te verstoppen en toen kalmpjes weer teruggelopen naar de cel? Denk je echt dat het zo is gegaan?'

'Nee,' zei Thorne. 'Zo is het niet gegaan, denk ik.'

'Nou, tot je kunt bewijzen dat het op een andere manier is gebeurd, kun je m'n reet likken.'

Thorne zei niets toen Grover kalm opstond en naar de deur liep. Hij klopte, draaide zich glimlachend om naar Thorne en de anderen, en wachtte tot er een bewaker kwam om hem terug te brengen naar zijn cel.

'En, ging het allemaal naar wens?' vroeg Boyle. Hij liep naar de tafel tot hij in Thornes blikveld stond. 'Tevreden?'

Thorne negeerde hem, draaide zich om en pakte zijn jack van de rugleuning van de stoel.

'Brutale klootzak weet dat we hem niks kunnen maken,' zei Holland.

Thorne stond op. 'Nog niet.'

Het was droog en koud, en Thorne staarde door het raampje van de taxi naar buiten terwijl de straten smaller werden en de grijstinten van de kantoorgebouwen en parkeergarages plaatsmaakten voor die van omgeploegde velden en stakige bomen, met het zwarte lint van de rivier de Calder die erlangs kronkelde. 'Wat we ook boven tafel krijgen wat betreft de geldstromen richting Monahan, het is waarschijnlijk onbruikbaar,' zei hij. 'Omdat hij er stomweg niet is om het uit te geven. We moeten dus ook naar Grover kijken. Uitzoeken hoeveel hij betaald krijgt om Monahan over de kling te jagen, en waar het heen gaat.'

'En met een beetje geluk waar het vandaan komt,' zei Holland.

'Ik denk dat we daar niet aan hoeven te twijfelen.'

'Langford, denk je?'

'Dat moet wel.'

'Maar hoe krijgt hij dat allemaal voor mekaar?' vroeg Holland. 'We gaan er nog steeds van uit dat hij in het buitenland zit, toch?'

Thorne keerde zich van het raam af en staarde over de schouder van de chauffeur naar de weg die zich voor de auto ontrolde. 'Monahan is een paar uur nadat ik met hem gesproken had, vermoord,' zei hij. 'Dus, waar Langford ook zit, hij is afgestemd op een verrekt goeie tamtam.'

Voordat ze de gevangenis hadden verlaten, had Boyle gezegd dat hij en zijn team Jeremy Grover en zijn familie zouden natrekken om te zien of er geld van onduidelijke herkomst omging. Thorne had geantwoord dat er waarschijnlijk nog heel wat meer te doen viel, afhankelijk van de uitkomst van de volgende afspraak die Holland en hij hadden. Boyle zei dat hij de overuren goed kon gebruiken.

Volg het geld, had Louise gezegd.

Ze had gisteravond niets meer gezegd, in ieder geval niets over Thornes uitstapje met Anna Carpenter. Ze was vroeg naar bed gegaan en had Thorne en Hendricks voor de televisie achtergelaten, waar ze wat met elkaar hadden zitten dollen. De avond was geëindigd zoals Thorne had gehoopt dat hij zou eindigen.

Je krijgt het niet op een presenteerblaadje.

Dat had ze ook nog gezegd, vlak voordat de sfeer wat stroever was geworden, en hoe pijnlijk hij het ook vond, Thorne wist dat ze gelijk had. Er liepen te veel smeerlappen als Monahan en Grover rond en er was niet genoeg geluk voorhanden. Op een presenteerblaadje zou mooi zijn geweest, maar hij deed het graag op de moeilijke manier, als hij uiteindelijk maar het gewenste resultaat bereikte.

De taxi ging langzamer rijden toen ze Kirkthorpe binnenreden, een dorp zes kilometer ten westen van de stad.

'Denk jij dat je hier zou kunnen wonen?' vroeg Holland.

'Thorne keek weer uit het raampje en schudde zijn hoofd. 'Lijkt naar mijn smaak iets te veel op die serie op tv, *The Last of the Summer Wine*,' zei hij.

Holland lachte.

'Bij benadering niet smerig en luidruchtig genoeg.'

'Nou, ik weet het niet,' zei Holland. 'Ik zie je zo in een ouwe badkuip op wielen van een van die heuvels af sjezen.'

Thorne keek hem aan. 'Probeert Sophie je nog steeds over te halen de stad uit te gaan?'

'We... hebben het er nog steeds over.'

Thorne zag dat Holland zich zoals altijd ongemakkelijk voelde als zijn vriendin ter sprake kwam. Ze wisten allebei dat ze niet Thornes grootste fan was, en dat ze Holland en hun dochter Chloe van meer dan alleen de stad wilde losweken.

'Zolang het maar bij praten blijft,' zei Thorne.

De chauffeur had het adres dat Thorne hem had opgegeven snel gevonden en stopte. Holland betaalde de rit en haastte zich achter Thorne aan naar de voordeur van een modern rijtjeshuis. Thorne drukte op de bel en deed een stap naar achteren terwijl hij dacht: Een van die hufters moet ons toch íéts vertellen.

Howard Cook was ouder dan ze hadden verwacht. Thorne schatte dat de kalende en met zijn ogen knipperende man die de deur uiteindelijk opendeed, nog maar een paar jaar van zijn pensioen af zat.

Een goed, comfortabel pensioen.

Thorne en Holland lieten de gevangenbewaarder hun legitimatie zien.

'Ik hoop dat we niet storen,' zei Holland.

'Dit gaat zeker over wat er gisteravond is gebeurd.'

Thorne bevestigde dat.

'Kom dan maar binnen,' zei Cook. 'Ik heb net thee gezet.'

Thorne bleef staan. 'Ik wil dit kort houden als het jou verder ook niets uitmaakt, Howard. Ik wil alleen maar weten waar het mes is.'

'Sorry?'

Uit het huis klonk het geluid van een tv-programma. Een hoop geschreeuw, geweerschoten.

'Mes, geslepen tandenborstel... wat Grover ook heeft gebruikt. Ik wil alleen weten waar je het hebt gelaten nadat hij het aan jou heeft gegeven.'

Cook keek verbijsterd, of deed verdomd goed alsof. Thorne vermoedde dat het meer was vanwege de manier waarop hij ermee werd geconfronteerd dan door de beschuldiging zelf.

'Hoe durf je,' zei Cook. 'Hoe durf je, verdomme.'

'Ik weet dat je een trauma te verwerken hebt,' zei Holland. 'Dus misschien wil je even kalmeren.'

'Ik ben volkomen kalm.' Cook sloeg zijn armen over elkaar en slikte. Zijn lippen waren droog en wit. 'En ik denk dat jullie betweters zeven kleuren stront schijten als mijn advocaat jullie onder handen heeft genomen.'

'Dat gaat wel wat kosten,' zei Holland. 'Ik hoop dat je wat cash achter de hand hebt.'

Er verscheen een vrouw achter Cook die vroeg of alles in orde was. Hij draaide zich niet om, maar zei alleen dat hij iets af te handelen had en stuurde haar weer terug naar de woonkamer.

'Als we goed zoeken, vinden we wel wat,' zei Thorne. 'Dat moet je wel weten.'

'Heb je enig idee hoe lang ik al gevangenbewaarder ben?'

Thorne ging er niet op in. 'We vinden het wapen. We vinden iemand die gezien heeft dat je het weggooide of die jou de beveiligingscamera heeft zien uitschakelen. We vinden wel iemand die bereid is je te verlinken –'

'Dertig jaar.' Hij wees naar de stad, waar de spits van de kathedraal nog net zichtbaar was in de verte. 'Langer dan de meeste klootzakken daar. Dus denk jij dat ik me door een stelletje jokers als jullie laat naaien?'

'Je bent er geweest,' zei Holland. 'De volgende keer dat je een gevangenis binnengaat, kun je niet naar huis voor het avondeten.'

'Ik zeg verder niks meer, dus hou je mond maar.'

'We weten allemaal hoe het daarbinnen met jouw soort afloopt.'

Cook schudde zijn hoofd alsof ze gewoon niet goed snik waren. Hij bukte zich naar een bloempot bij de deur en begon de dode bladeren van een plant te trekken.

'Alles wat je met je corruptie hebt verdiend, wordt geconfisqueerd,' zei Thorne, 'en je kunt je pensioen ook wel vergeten.' Hij knikte richting de woonkamer van het huis. 'En hoe gaat zíj het redden als jij er niet meer bent? Wat moet zij beginnen terwijl jij wordt bespuugd en constant over je schouder moet kijken op de afdeling voor kwetsbare gevangenen?'

'Zeg ons nou maar wat je met het mes hebt gedaan,' zei Holland. 'Dat zou een mooi begin zijn.'

Cook kwam langzaam overeind en nam hen aandachtig op. Hij verpulverde de dode bladeren in zijn vuist en gooide de overblijfselen in het bloembed. Toen rechtte hij zijn schouders en stak zijn kin vooruit. 'Gaan jullie maar spitten,' zei hij. 'Ga je gang. Duik maar in de stront en zie maar wat ervan komt. Want dat beloof ik je: als je klaar bent, zit je onder.' Hij stak zijn handen in zijn broekzakken en wipte heen en weer op de bal van zijn voet. 'Jullie vinden geen moer, omdat er geen moer te vinden is. Dan worden jullie te kakken gezet, maar uit de kranten heb ik begrepen dat jullie daar misschien al aan gewend zijn.'

'Ben je klaar?' vroeg Thorne.

Cook deed een stap naar achteren en pakte een sensatieblad van een tafeltje dat tegen de muur stond. Hij wees met een priemende vinger op de voorpagina. 'Dat was jullie cluppie, hè?' Hij hield de krant tergend voor hun neus.

Er stond een foto van Adam Chambers op de voorpagina.

'Hoeveel heeft dat fiasco wel niet gekost?'

Het was opgeklaard en het regende gelukkig nog steeds niet, zodat het uitzicht vanuit de trein op weg naar het zuiden iets minder deprimerend was, maar Thorne voelde zich nog even gefrustreerd als de dag ervoor. Drie mannen die allemaal een connectie met Alan Langford hadden. De een dood en de andere twee lieten niets los – tot dusver tenminste. Uit angst of omdat ze nergens voor terugdeinsden, maar voor de voortgang van het onderzoek maakte dat niet veel uit.

Muren zo dik als die om de gevangenis van Wakefield.

Thorne keek naar het stel aan de andere kant van het gangpad. Een jong stel zat op de plaats waar een dag geleden het oudere echtpaar had gezeten, en hij vroeg zich af of hij in precies hetzelfde rijtuig, in precies dezelfde trein zat. Hij had Holland naar de restauratiewagen gestuurd om koffie te halen en had hem op het hart gedrukt een bonnetje te vragen.

Toen belde hij Anna Carpenter.

Ze leek blij van hem te horen. Thorne stelde zich voor dat ze alleen in het kantoortje zat en verveeld een tijdschrift doorbladerde. Hij vertelde waar hij zat en waar hij het grootste deel van de dag had doorgebracht.

Ze lachte. 'Je wilde mij er zeker niet bij hebben als je Monahan nog eens aan de tand wilde voelen.'

'Monahan is dood.'

Ze zei even niets, en hakkelde toen: 'Jezus.'

'Dus, begrijp je, er is wel wat veranderd.'

'Wat is er gebeurd?'

'Daar kan ik nu niet op ingaan,' zei Thorne.

'Snap ik.'

'Ik vond alleen dat je moest weten dat het allemaal wat linker is geworden.'

'Ik volg je niet.'

'Gewoon dat je eens zou moeten nadenken of je... Anna?' Hij besefte dat ze hem niet meer hoorde en legde de telefoon op het tafeltje. Hij staarde ernaar, wachtend tot hij weer bereik zou hebben, maar hij wist niet zeker wat hij precies ging zeggen als het zover was, of zelfs maar waarom hij eigenlijk had gebeld. Na ongeveer een minuut verscheen het pictogram weer op het scherm en belde hij haar opnieuw. 'Sorry, ik had geen bereik. Ik zei net –'

'Donna heeft me gebeld,' zei Anna. 'Ze was helemaal van slag.'

'Ze heeft weer een foto gekregen.'

'Hoe wist je dat?'

'Dat ligt voor de hand, dat is alles. Degene die ze stuurt, heeft nog niet wat hij wil.'

'En dat is?'

'Ik pas.'

'Ze klonk alsof er iets bij haar geknapt is. Ze heeft het er steeds maar over dat hij haar dochter heeft.'

'Wat heb je tegen haar gezegd?'

Er kwam geen antwoord, en na een paar seconden begreep Thorne dat de verbinding alweer was weggevallen. Hij zat nog naar het mobieltje te kijken toen Holland terugkwam met de drankjes. Hij ging zitten en gaf het bonnetje aan Thorne. Net toen die het geld in zijn portemonnee stopte, ging de telefoon opnieuw.

'Dit is belachelijk,' zei Anna. 'Waarom spreken we vanavond niet gewoon af om wat te gaan drinken.'

'Nou ja...'

'Maakt mij niet uit hoe laat.'

'We kunnen het ook later wel oplossen.'

'Of ik kan je mee uit eten nemen of zoiets.' Ze lachte. 'Als het maar goedkoop is.'

'Wat drinken is oké.' Hij keek naar Holland, die deed alsof hij niet meeluisterde en in zijn thee staarde.

'Is er bij jou een fatsoenlijke pub in de buurt?'

'Ik kom wel naar jou toe,' zei Thorne.

10

Als het om borrelhapjes ging, gaf Thorne de voorkeur aan ingelegde eieren en pinda's boven bakjes overmaatse olijven die vier pond per portie kostten. En hij zou zich waarschijnlijk nooit erg op zijn gemak voelen in een tent waar je je stem boven de weinig melodieus klinkende jazz moest verheffen om een gesprek te kunnen voeren en waar de barmannen eruitzagen alsof ze op de omslag van GQ thuishoorden. Maar aan de andere kant viel zo'n tent toch ook weer te verkiezen boven de godsgruwelijke nepperigheid van een Ierse themapub of zo'n 'authentieke' buurtkroeg waar zielige ouwe mannetjes aan de bar hingen en je schoenen aan de vloer bleven plakken, waar ze dachten dat shandy een cocktail was en de man of vrouw achter de tapkast eruitzag of die ooit een zwaargewichtbokser met een redelijke staat van dienst was geweest. Eigenlijk voelde Thorne zich alleen volkomen op zijn gemak in de bovenzaal van de Grafton Arms. Op vijf minuten waggelen van zijn appartement. Tot sluitingstijd met Phil Hendricks pool spelen en de problemen op deze wereld oplossen.

Voetbal en muziek. Hun liefdesleven en het gezanik dat daarmee samenhing. Spatpatronen, rigor mortis en steekwonden.

Maar Anna Carpenter scheen zich in haar element te voelen. Ze droeg haar haar in een staart en had hetzelfde corduroy jack aan dat ze bij hun eerste ontmoeting had gedragen. En ze was duidelijk dol op de olijven. 'Deze tent is niet zo patserig als hij eruitziet,' zei ze. 'En het eten is hier ook niet slecht. Weet je zeker dat je niks wilt?'

'Ik kan niet zo lang blijven,' zei Thorne.

'Ik bedoel, er komen weleens wat idioten binnen, maar dat heb je overal, en als je uitgaat, is vooral je gezelschap belangrijk en niet de tent als je het mij vraagt. Ja, het is handig omdat het halverwege het kantoor en mijn flat is, en ik heb hier met Rob en Angie, dat zijn toch wel mijn beste vrienden, een paar leuke avonden doorgebracht. Veel gelachen, weet je wel?'

Thorne knikte. Het viel hem op dat ze, wanneer ze zich op haar gemak voelde, net zoveel praatte als wanneer ze gespannen was.

'En ook een paar stomme avonden, oké, maar dat was met mijn huisgenoot en haar nieuwste vriendje.'

Thorne pakte zijn glas. 'En jij?'

'Hoe bedoel je, en jij?'

'Geen "nieuwste vriendje"?'

'Niemand die de moeite waard is om over te praten.' Ze veegde de afgekloven olijvenpitten met haar hand in het lege bakje en keek Thorne toen aan.

Nogal lang.

Hij nam een slok Guinness. 'Hoor eens, zoals ik aan de telefoon al zei, ik denk dat je misschien maar uit dit hele gedoe moet stappen.'

'Dat heb je helemaal niet gezegd.'

'Dat is wat ik je duidelijk probeerde te maken.'

'Maar het is mijn zaak,' zei ze.

'Niet meer.'

'Donna is naar mij toe gekomen en ik heb haar gezegd dat ik zou helpen. Ik heb die klus aangenomen en ik kan de boel niet zomaar laten vallen omdat het een beetje gevaarlijk is geworden.'

'Een beetje?'

Ze haalde haar schouders op. 'Ik heb het aangenomen.'

'Toen ging het alleen nog maar om een foto,' zei Thorne. 'Nu gaat het om moord. Een nieuwe moord.' Hij had haar al de hoofdlijnen van de moord op Monahan verteld: de hoofdverdachte van een paar cellen verderop, het ontbrekende moordwapen en de gevangenbewaarder die waarschijnlijk medeplichtig was.

'Ik begrijp nog steeds niet waarom Monahan is vermoord,' zei ze. 'Ik bedoel, we hadden al met hem gesproken en hij heeft niets losgelaten.'

'Maar dat wist Langford kennelijk niet.' Thorne ging achterover zitten en dacht hardop. 'Of, als hij dat wel wist, kon hij er niet zeker van zijn wat Monahan later misschien nog kwijt zou willen, als hij de tijd had gehad om de verschillende opties tegen elkaar af te wegen. Monahan was de enige die Langford erbij zou kunnen lappen voor die moord van tien jaar geleden, of op zijn minst voor samenzwering tot moord. Dus zodra Langford erachter kwam dat we hem weer in de peiling hadden, kon hij dat risico niet lopen.'

'Hij heeft een potentiële getuige uit de weg geruimd.'

'Precies.'

Anna knikte en liet het bezinken. Ze wilde haar glas wijn pakken, maar bedacht zich. 'Maar hoe wist Langford dat?' vroeg ze. 'Dat we met Monahan hebben gesproken, bedoel ik.'

'Dat is een heel goeie vraag.' Wat had hij ook weer tegen Holland gezegd? *Een verrekt goeie tamtam...*

'Kan Grover het hem hebben verteld?'

'Mogelijk.'

'Dat zou logisch zijn, denk je niet? Stel dat Grover zijn mol in de gevangenis was en Monahan voor hem in de gaten hield. Grover vertelt Langford dat wij bij Monahan langs zijn geweest...'

'Dat is een mogelijkheid, maar –'

'... en vervolgens geeft Langford Grover opdracht om Monahan te vermoorden.'

'Het is allemaal veel te snel gegaan.'

'Je hebt zelf gezegd dat hij geen risico kon nemen.'

Thorne was niet overtuigd. 'Types als Alan Langford houden graag wat afstand,' zei hij. 'Waarschijnlijk maakt hij gebruik van een tussenpersoon. Misschien wel van meer dan één.'

'En hoe zit het met die platte bewaker? Cook?'

'Ik denk dat we daar snel genoeg achter komen,' zei Thorne. Omdat hij niet stond te popelen om weer naar het noorden af te reizen had hij de zaak graag overgedragen en Howard Cook en Jeremy Grover overgeleverd aan zijn genadeloze collega in West Yorkshire. Hoewel hij een hekel had aan inspecteur Andy Boyle was Thorne er zeker van dat de Yorkshireman uitstekend in staat was om iemand de duimschroeven aan te draaien. Hij dronk zijn glas leeg en zag de flauwe glimlach op Anna's gezicht. 'Wat is er?'

'Dit is mooi, vind je niet?' Ze maakte een heen en weer wapperende beweging met haar hand. 'Dat we samen ideeën bespreken en dingen op een rijtje proberen te zetten.' Ze dronk haar eigen glas leeg. 'Zo had ik me altijd voorgesteld dat het zou zijn als je rechercheur bent.'

Thorne ging nog een rondje halen. Wachtend aan de bar wenste hij dat de achtergrondmuziek nog wat verder naar de achtergrond zou verdwijnen en slaagde hij er niet in de blik te vangen van de barvrouw, die al even aantrekkelijk was als haar mannelijke collega's. Uiteindelijk werd hij bediend door een van de GQ-jongens en nam de drankjes mee terug naar hun tafeltje.

'Wat je net zei' – Thorne gaf Anna haar glas merlot aan – 'over wat je je voorstelde over hoe het zou zijn. Dat klinkt alsof je teleurgesteld bent.'

'Ik denk dat ik gewoon naïef was,' zei ze.

'Dus dat was niet de meest briljante carrièrestap?'

Ze vertelde hem hoe ongelukkig ze was geweest toen ze nog bij de bank werkte. Hoe bang. Dat ze bezig was af te glijden naar een toekomst die al vast leek te liggen, en dat de druk van het werk steeds ondraaglijker werd en haar elke dag dichter bij een potentieel gevaarlijke depressie bracht. Dat ze op het laatst het gevoel had dat een overhaaste en onbesuisde stap als deze de enige optie was die nog voor haar openstond. 'Ik heb er nooit bij gehoord,' zei ze. 'Niet echt. Ik zei nooit de juiste dingen, droeg nooit de juiste dingen en deed nooit de juiste dingen.' Ze dacht even na. 'Dat heb ik altijd al gehad, als ik eerlijk ben.' Ze keek naar beneden en wreef met een vinger over de rand van de tafel. 'Dat ik er niet bij hoorde.'

'Daar wordt veel te veel belang aan gehecht,' zei Thorne.

'Het stomme is dat ik een tijdlang echt dacht dat ik m'n draai had gevonden, snap je? Frank Anderson zei dat hij iemand als ik nodig had, en ik voelde me... in mijn besluit gesteund, begrijp je? Ik dacht dat hij een enthousiast iemand zocht die de kneepjes van het vak graag wilde leren. Maar eigenlijk wilde hij iemand die de boekhouding van het bureau op orde hield en naar de slijter rende als zijn whisky op was.' Ze nam een slokje wijn en daarna nog een. 'En daar kwam nog eens bij dat er behoorlijk wat geld viel te verdienen als we de markt van de lokoperaties konden aanboren, en zelf was hij nou niet bepaald aanlokkelijk.'

'Juist...'

'Dus daar ging ik weer met mijn make-up en mijn hoge hakken.' Anna's gezicht was niet zo rood als haar wijn, maar het scheelde niet veel. 'Wie had kunnen denken dat er werk bestond dat nog minder sexy is dan bij een bank werken?'

Thorne lachte.

'En dan heb ik het er nog niet eens over dat ik me nóg lulliger voelde over de manier waarop ik aan de kost kwam.'

'Daar maak ik me al een tijdje geen zorgen meer om,' zei Thorne.

'Dus ja, ik ben wel teleurgesteld.' Ze tikte met een vinger tegen de rand van haar glas en staarde naar haar nagel die, zag Thorne, brokkelig en afgekloven was. 'Maar niet zo teleurgesteld als sommige anderen.' Ze keek op. 'Mijn ouders reageerden niet bepaald enthousiast.'

'Dat begrijp je nu wel.'

'Ja, maar zij begrepen mij niet.' Ze zei het achteloos, maar er lag een gespannen trek om haar mond. 'Vooral mijn moeder niet. We hebben daar ruzie over gehad.'

Thorne zocht naarstig naar woorden. Hij dacht aan de gesprekken die hij met zíjn vader had gevoerd, zowel voor als na diens overlijden enkele jaren geleden. Hij was er sindsdien achter gekomen dat de brand waarbij zijn vader om het leven was gekomen niet zomaar was ontstaan, dat Jim Thorne het doelwit van een aanslag was geweest vanwege het werk van zijn zoon.

Nog steeds werd hij af en toe badend in het zweet wakker, met de smaak van rook in zijn mond.

Hij keek Anna van opzij aan en overwoog: 'Wat rot,' of: 'Wees blij dat ze er nog zijn,' te zeggen. Uiteindelijk koos hij voor een begrijpend knikje en de veiligheid van zijn glas bier.

'Ik denk dat ik morgen bij Donna langsga,' zei hij.

'Oké, maar ik heb je al verteld wat ze tegen mij heeft gezegd.'

'Ja, maar ik wil die laatste foto graag hebben. En ik wil met haar over Langford praten. Ik weet wel dat ze hem al tien jaar niet heeft gezien, maar ze kent hem nog steeds beter dan wie ook.' Hij ving Anna's blik. 'Wat is er?'

'Weet je dat zeker?'

Daar had ze wel een punt. Donna Langford had tien jaar geleden ook niet helemaal in de gaten gehad wat haar man dacht. Ze had niet geweten dat hij haar doorhad, dat hij van plan was zijn eigen dood in scène te zetten, er met alles vandoor te gaan en haar in de gevangenis te laten wegteren. Ze had niet geweten dat hij jaren later zou terugkomen en hun dochter zou kidnappen.

'Ja, maar zij is wel degene die het dichtst bij hem staat.'

'Het lijkt erop dat je een plan hebt.'

'Zo gaat het meestal als je rechercheur bent. Al doende stel je een plan op.'

'Mag ik mee?'

'Dat denk ik niet.'

'Donna vertrouwt me.'

'Ik heb je gezegd dat je deze zaak moet loslaten.'

'Ja, dat weet ik, maar –'

'Langford is erachter gekomen dat we bij Monahan zijn geweest, dus dan weet hij ook dat we met Donna praten.'

'Ik ben niet bang,' zei Anna.

Thorne zag dat ze het meende. 'Dan ben je stom,' zei hij. 'En ik moet naar huis...'

Toen Thorne uit het herentoilet kwam, stond ze bij de hoofdingang van de bar op hem te wachten met de handen in haar zakken. Hij bood aan haar thuis te brengen, maar ze herinnerde hem eraan dat ze maar op vijf minuten lopen woonde.

'Succes morgen,' zei ze. 'Ik bedoel natuurlijk dat je veel meer uit Donna zou krijgen als ik erbij was.'

'Natuurlijk.'

'Dan zou je al doende niet zoveel plannen hoeven te maken.'

'Je geeft niet gauw op, hè?'

Ze duwde de deur open en ze trokken allebei een gezicht toen een vlaag koude lucht hun tegemoetkwam.

'Dat is iets wat we gemeen hebben,' zei ze. 'Toch?'

11

Hij nam een mooie fles wijn mee naar het balkon, ging zitten en schonk zich een glas in, in de hoop dat het hem zou helpen ontspannen.

Toen hij nog jonger was en de kroegen van Hackney en Dalston afstruinde en de grote jongen uithing, hitste de drank hem altijd op, hij maakte een slechte bui nog slechter en kon een ruzietje doen uitmonden in een conflict waar je een mes om trok. Toen hij de dertig eenmaal was gepasseerd, geld had en een reputatie had opgebouwd, begon alcohol het tegenovergestelde effect te sorteren. Tot opluchting van hemzelf en iedereen in zijn omgeving, remde een stevige drinkpartij hem nu eerder af en kalmeerde hem. Hij dacht dat dat kwam omdat hij nu slimmer was dan vroeger. Of gewoon ouder. Maar het kon natuurlijk ook liggen aan de kwaliteit van wat hij tegenwoordig dronk.

Hoe dan ook, meestal werkte het. En op dit moment moest hij beslist even tot rust zien te komen.

Hij dronk een glas, en nog een, en voelde zijn stemming geleidelijk aan beter worden. Hij staarde naar de lichtjes van de lagergelegen stad een paar kilometer verderop en naar de maansikkel die in de zee daarachter werd weerspiegeld.

Wat was hij toch een stomme klootzak. Hij hing nog steeds de grote jongen uit.

Hij had zich laten meeslepen, dat wist hij. Hij had zijn handen moeten thuishouden, dat was ongelooflijk stom van hem geweest. Hij zou die gast zijn excuses aanbieden, hem morgenochtend een mooie fles single malt whisky sturen.

Niet dat niemand hem meer bij zijn echte naam noemde, of dat hij die niet zo nu en dan in een bar hoorde fluisteren. Wat verwachtte hij nou helemaal? Oké, hij noemde zichzelf al tien jaar niet meer zo en er was iets aan zijn gezicht en haar veranderd, maar 'Alan Langford' was in beginsel nog de vent die hij zag als hij in de spiegel keek.

Alleen de naam was dood.

Toch wist iedereen in zijn naaste omgeving hoe het werkte, net als iedereen die hier al een tijdje zat. Die wisten dat smerissen en vrienden van smerissen op dit deel van de kust afkwamen als vliegen op een hoop stront, en stommiteiten zoals de naam die je gebruikte konden de aandacht trekken. Konden je uiteindelijk de das omdoen. Maar sommige gasten werden zo nu en dan slordig. Oudere types uit de jonge jaren in Londen die na een paar drankjes loslippig werden, of nieuwkomers die rondhingen, op zoek naar de juiste contacten.

Deze avond was het een van die oudere gasten geweest. Een vent met wie hij in de jaren zeventig weleens zaken had gedaan. Hij bedoelde het niet kwaad, het was gewoon een verspreking, en de uitdrukking op zijn gezicht toen hij besefte wat hij had gezegd, was onbetaalbaar. Maar toch moest het hem even duidelijk worden gemaakt.

Een week geleden zou hij niet op die manier hebben gereageerd. Dan zou hij hem rustig terecht hebben gewezen. Maar nu, met dat gedoe aan het thuisfront met die foto's en de rest, was hij met recht veel lichtgeraakter dan anders.

Had hij het gevoel dat hij klem zat.

Onder hem gleden lichtjes over het water toen er een paar boten om de landtong verschenen en de baai binnenliepen. Nachtelijke vissers waarschijnlijk, met netten die uitpuilden van de pijlinktvis en sardines.

Al dat gezanik vanwege een foto. Jezus.

Hij kon de muziek uit zijn favoriete club aan het water net horen, de baslijn tenminste, als een jagende hartslag. Daar zouden een paar van die zwetende klanten vanavond ook wel last van krijgen, opgefokt door de coke en de ecstasy, de bloedmooie Russische hoeren rond de dansvloer en de Mercedes cabrio's en Bentleys voor de deur.

Hij schonk het laatste restje wijn in en mikte de lege fles in het zwembad.

Hackney lag een heel eind weg.

Er was niet al te veel verkeer geweest op de terugweg van Victoria, zodat Thorne voor tien uur thuis was. Louise was al naar bed. Hij dacht dat hij heel stil had gedaan, maar toen hij in de keuken water uit een fles stond te drinken, hoorde hij haar vanuit de slaapkamer roepen.

Hij kleedde zich in het donker uit.

'Ik kakte in voor de tv,' zei ze. 'Kon mijn ogen niet openhouden.'

'Geeft niet.'

'Ik ruik Guinness.'

Hij stapte in bed en ging op zijn zij liggen. 'Ik heb er een paar met Russell in de Oak gedronken.'

Als je Thorne op dat moment had gevraagd waarom hij loog, had hij het niet kunnen uitleggen. De avond daarvoor, toen Louise die vraag stelde over zijn eerste tripje naar Wakefield, had hij het gevoel gehad dat hij loog terwijl hij de waarheid vertelde. Nu had hij het idee dat een leugentje veel minder problematisch was dan de waarheid.

Hij hield zichzelf voor dat hij haar wilde beschermen. Dat ze op het ogenblik overgevoelig was, dat ze dat al sinds de miskraam was.

Hij wist dat hij zichzelf voor de gek hield.

Hij had geen zin in ruzie, zo simpel was het waarschijnlijk. Ja, Louise was de laatste tijd sneller gekrenkt, ze voelde zich snel aangevallen, ook al was het niet kwaad bedoeld, maar dat gold ook voor hem. Hij voelde zich nog steeds heel breekbaar en hij durfde geen ruzie aan.

Louise draaide zich naar hem toe en liet haar hand over zijn been gaan. 'Hoeveel heb je er op?'

'Een paar maar,' zei Thorne.

'Dat is heel netjes.'

'Ik was met de auto.'

'Hoe laat moet je morgen op kantoor zijn?'

Haar vingers gleden naar zijn kruis en haar adem voelde warm toen ze zachtjes kreunde in zijn nek. Op het moment dat hij zich naar haar toe draaide, dacht hij bijna niet meer aan Anna Carpenter.

12

Thorne pikte Anna op in de buurt van het Victoria-busstation en reed naar het noorden langs Whitehall, rond Trafalgar Square, over Euston Road naar Camden en vandaar verder.

Dit keer nam hij niet de moeite haar te waarschuwen of basisregels in te stellen waarvan hij het vermoeden had dat zij ze toch zou overtreden. Hij tilde aan dit gesprek veel minder zwaar dan aan dat in Wakefield Prison, en bovendien vond hij nu dat ze gisteravond ergens gelijk had gehad. Misschien kreeg hij wel meer uit Donna Langford als Anna erbij was.

Vooropgesteld dat er wat uit haar te krijgen viel.

Ze zeiden niet veel in de auto. Thorne vond het best om naar de radio te luisteren en Anna leek de boodschap begrepen te hebben. Terwijl ze bij Holloway Road voor het rode licht stonden te wachten, stak Thorne een cd in de speler, een compilatie van oude bluegrass. Lester Flatt en Earl Scruggs, de Louvin Brothers, Bill Monroe...

'O, ik ben gek op deze muziek,' zei Anna.

Thorne zette het volume wat harder toen het licht op groen sprong en hij weer gas gaf.

'Mijn vader had een heleboel van dit soort platen.'

Hij keek opzij en was aangenaam verrast te zien dat ze hem niet in de zeik nam; ze knikte op de maat van de muziek en sloeg het ritme mee met haar handen op haar knieën. Ze had ook instemmende geluiden gemaakt toen ze de BMW voor het eerst zag; nog iets waar Thorne niet aan gewend was. Zeker niet van collega's, die er genoegen in schepten de kanariegele CSi uit 1975 te omschrijven als een 'roestige banaan' of een 'kotskleurige doodskist'. Anna vond hem 'cool', zei ze tegen Thorne. Hij had geantwoord dat ze een heel goede smaak had maar had zich onwillekeurig afgevraagd of ze geen onderonsje met Holland of Hendricks had gehad en uitvoerig was ingelicht over hoe ze hem het best kon opgeilen.

'Maar mijn moeder heeft er een bloedhekel aan,' zei Anna glimlachend. Ze tikte nog steeds mee op het ritme van de contrabas, de krassende viool en de lekkere syncopische akkoorden van de dobro.

'This Weary Heart' van de Stanley Brothers, dat zoet en tegelijkertijd bitter klonk terwijl de auto de Seven Sisters Road af draaide en vaart minderde.

'Dat geldt voor de meeste mensen,' zei Thorne. 'Ik denk dat dat de reden is dat ik er zo van hou.'

Donna Langford liep niet over van enthousiasme om Thorne en Anna binnen te laten toen ze aanbelden. Ze was al bezig haar jas aan te trekken toen ze de deur opendeed en kwam snel naar buiten. 'Kate heeft vanmorgen echt een pestbui,' zei ze.

Thorne en Anna wisselden een blik terwijl Donna langs hen heen het tuinpad afbeende.

'Het is een mooie dag. Laten we naar het park gaan.'

Het was wel zonnig en helder maar niet echt warm, en het park, op vijf minuten lopen van Donna's huis, bleek een miezerig stukje groen te zijn dat niet veel groter was dan een paar tennisvelden. Er stonden een paar roestige schommels en een doel zonder net. Wat eens het strafschopgebied was geweest was zwartgeblakerd door een brandje en in het hoog opschietende lange gras erachter slingerde een verzameling weggegooide blikjes en flessen.

Ze gingen met z'n drieën op een krap ijzeren bankje zitten.

'Wat was je eerste gedachte?' vroeg Thorne. 'Toen je die eerste foto van Alan zag?'

Bij hun voeten waaiden een paar bladeren sloom omhoog, en in de paar seconden voordat Donna antwoordde, keken ze alle drie naar een aftandse Nissan Micra die door het smalle straatje achter het doel scheurde.

'Ik vond het typisch iets voor hem,' zei Donna lachend. 'Toen ik eenmaal van de schrik bekomen was, bedoel ik. Ik vroeg me af waarom ik niet eerder op de gedachte was gekomen dat hij nog leefde. Waarom ik ooit had gedacht dat het me echt gelukt was hem om zeep te helpen.'

'Waarom "typisch iets voor hem"?'

'Alan hield niet van half werk,' zei ze. 'Hij dacht altijd alles van tevoren tot in detail uit, snap je?'

'Dus maakt dit allemaal deel uit van een plan?' vroeg Anna. 'Die foto's...'

'Jezus, dat weet ik niet.' Donna zag er plotseling heel moe uit terwijl ze een sigaret opstak. 'Als hij wat gedronken had,' zei ze, 'vertelde hij dit verhaal altijd.' Ze richtte zich tot Thorne en wreef door haar dikke jas heen over haar buik. 'Je weet toch dat ik je vertelde over dat litteken, waar hij die steekwond had opgelopen?'

Thorne knikte.

'Hij dramde er maar over door dat dat alleen maar had kunnen gebeuren omdat hij de dingen niet goed had doorgedacht. Omdat hij niet over de details had nagedacht. In wezen was hij een eigenwijze sodemieter en hij had er geen rekening mee gehouden dat die andere vent een mes bij zich had. Maar hij zei altijd dat hij er een wijze les mee had geleerd. Daarna raakte hij geobsedeerd met het tot in detail uitdenken van zijn zaakjes, rekening te houden met alle mogelijkheden.' Ze leunde achterover en trok een grimas, vanwege de kou of een onprettige herinnering. 'Hoe gewelddadig zijn zaken ook werden, hoe krankzinnig ze soms ook mochten lijken, alles was... doordacht, begrijp je?' Ze keek Anna aan. 'Mijn ex heeft in zijn leven nog nooit iets spontaans gedaan, mop. Dus ja, ik denk dat hij precies weet waar hij mee bezig is.'

'Waarom wilde je hem laten vermoorden?' vroeg Anna.

Donna zuchtte diep en wierp Thorne een flauw glimlachje toe.

'Dat is een redelijke vraag,' zei hij.

Het was ook een vraag die Thorne nooit had gesteld, althans niet rechtstreeks aan Donna. Zoals bij zoveel zaken was hij weer verdergegaan met iets anders zodra hij resultaat had geboekt in de vorm van Donna Langfords bekentenis. Er was natuurlijk volop gespeculeerd over haar motief, vooral in de *Sunday People* en de *News of the World*. Maar omdat een veroordeling praktisch rond was, had Thorne zich niet veel gelegen laten liggen aan het 'waarom' of de tijd genomen daarover na te denken. Donna had zelf niet het woord gevoerd in haar verdediging, omdat haar raadsman bang was dat ze wellicht als een keiharde, verwende bitch zou overkomen. In plaats daarvan had hij een hartstochtelijk pleidooi gehouden over 'jaren van psychische mishandeling en huiselijk geweld'. Maar de jury bleek uiteindelijk niet overtuigd.

Een dergelijke provocatie, had het OM tegengeworpen, had slachtoffers er begrijpelijkerwijs toe kunnen brengen uit te halen met een mes of hamer of in uitzonderlijke gevallen wat rattengif in de jachtschotel van manlief te stoppen. Maar om doodgemoedereerd een executie in onderwereldstijl op touw te zetten, was een ander verhaal.

'Alan was wel spontaan in het uitdelen van klappen,' zei Donna. 'Maar zelfs dan was hij meestal slim genoeg om me niet op plekken te slaan waar het zichtbaar was.' Ze had naar haar voeten zitten staren, maar nu keek ze op naar Anna. 'Ik vond het ook een vreselijke gedachte dat het zijn weerslag had op Ellie. Dat hij haar misschien ook iets zou aandoen.' Ze schudde haar hoofd, alsof ze zichzelf wilde corrigeren. 'Ik heb nooit gezien dat hij haar sloeg, maar ik begon te denken dat het vroeg of laat zover zou komen, en dat wilde ik tot elke prijs voorkomen.'

Anna legde haar hand op Donna's arm.

'Dus het ging je niet om het geld?' vroeg Thorne. Hij zag de blik die Anna hem toewierp, maar hij keek haar strak aan in de hoop dat ze de boodschap zou snappen.

Ik ken deze vrouw heel wat beter dan jij.

'Hoor eens, ik zal niet ontkennen dat ik dacht dat ik er warmpjes bij zou zitten als Alan dood was.' Donna staarde het park in. De Micra stond ondertussen stil en twee mannen, twee jongens liever gezegd, stonden lachend tegen de auto geleund een sigaret te roken. 'Maar het was niet de reden dat ik van hem af wilde, dat zweer ik. Toen ik met hem samen was had ik geld, maar ik was doodongelukkig.' Ze haalde haar schouders op. 'En ik was ook helemaal niet verbaasd dat er niks over was. Ik heb altijd al gedacht dat hij het ergens heen sluisde waar de belastinginspecteur het niet kon vinden. Nu ik weet dat hij nog leeft, weet ik wel zeker dat hij dat heeft gedaan. Nog iets wat hij met een vooruitziende blik heeft geregeld.'

'Maar waarom die huurmoordenaar?' Thorne herinnerde zich de geur van geroosterd vlees op de open plek in het bos en de vragen die het OM tijdens het proces aan de jury had gesteld. Dezelfde vragen die in een tiental tijdschriftartikelen en een bijzonder sappige editie van *London Tonight* waren gesteld: Waarom had ze Paul Monahan erbij gehaald? Waarom had ze hem niet gewoon doodgestoken of doodgeslagen in zijn slaap?

Donna knikte, alsof ze snapte dat het gerechtvaardigde vragen waren. 'Ik heb natuurlijk over al die dingen nagedacht,' zei ze. 'Over alle mogelijkheden. Maar uiteindelijk was ik gewoon doodsbenauwd dat ik hem niet hard genoeg zou slaan. Dat ik hem niet op de goeie plaats zou steken, dat ik niet de juiste dosering zou nemen of weet ik veel. Je zou niet graag degene zijn die hem probeerde te vermoorden en die zijn poging zag mislukken.'

'Ik denk dat hij dan niet bepaald zou hebben staan juichen,' zei Thorne.

'De manier waar ik voor gekozen heb, door iemand te betalen om het voor me te doen, leek me het veiligst.' Ze glimlachte en er stond oprecht plezier op haar gezicht te lezen. 'Alan was niet de enige die zich druk maakte over details. Die alle mogelijkheden wilde afdekken.'

Thorne keek opzij en ving weer een blik van Anna op. In haar glimlach was ook plezier te lezen.

Misschien ken je deze vrouw toch niet zo goed als je dacht.

'Monahan is dood,' zei Thorne. 'Het is waarschijnlijk goed om dat te weten.'

Donna knipperde een paar keer met haar ogen en trok plotseling wit weg. Ze staarde Thorne even aan en keek toen naar Anna. 'Wanneer?'

'Eergisteren,' zei Anna. 'Hij is doodgestoken in zijn cel.'

Donna dacht even na en haalde toen haar schouders op. 'Nou ja, ik zal niet doen alsof het me ook maar een moer interesseert.'

'Dat had ik ook niet verwacht,' zei Thorne.

Ze zagen een man op hen afkomen die een Jack Russell uitliet. Een meter of wat van hen vandaan bleef hij staan en staarde onbezorgd in de verte terwijl de hond midden op het pad een drol draaide. Toen liep hij door.

Op het moment dat hij langs hun bank liep, zei Anna: 'Dat zou ik maar even opruimen.'

De man draaide zich naar hen om en stak zijn middelvinger op.

Thorne stond op en ging voor hem staan. 'Dat is niet erg beleefd.'

De man zuchtte en probeerde langs hem heen te lopen, maar Thorne deed een stap opzij en hield hem tegen door zijn vlakke hand op zijn borst te leggen. De hond sprong tegen Thornes benen op terwijl hij zijn andere hand in zijn zak stak en zijn legitimatie tevoorschijn haalde.

'Shit,' zei de man.

'Nu.' Thorne hield zijn legitimatie vlak voor het gezicht van de man.

'Oprapen!'

'Ik heb geen zakje bij me.'

'Dan doe je het maar met je handen.'

'Wát?'

'Het is al goed.' Anna stond op en haalde een verfrommeld stapeltje zakdoekjes uit haar zak. Ze boog zich voorover en gaf er een paar aan. De man trok zijn hond terug over het pad, raapte de drol op en liep toen snel de andere kant op.

Anna keek tot hij uit het zicht was. 'Klootzak,' mompelde ze.

Thorne haalde nog steeds zwaar adem toen ze een paar minuten later met z'n drieën terugliepen naar Donna's appartement. Donna knikte over haar schouder naar Anna, die een paar passen achter hen liep. 'Ik heb geloof ik wel de juiste vrouw voor dit klusje uitgezocht, hè?' zei ze.

Aan het eind van het paadje naar haar huis stak Donna haar hand in haar jaszak en haalde er een bruine envelop uit. 'De recentste foto. Londens poststempel, net als de andere.'

Thorne haalde de foto tevoorschijn zonder erop te letten hoe hij hem beetpakte. De andere foto's waren gisteren naar het Forensisch Instituut gestuurd, en hij vermoedde dat als er al vingerafdrukken te vinden waren, die waarschijnlijk ook daarop zouden zitten. Maar de envelop zou hij wel meesturen. Het zou niet de eerste keer zijn dat er

DNA aan de achterkant van een postzegel was onttrokken.

De foto kwam uit dezelfde serie als de andere. Zon, zee, het gebruikelijke werk.

'Waarom denk je dat hij dit doet?' vroeg Thorne.

'Wraak,' zei Donna. 'Zo ingewikkeld is het niet. Wat ik zonet zei, dat ik niet graag zou willen dat Alan het zou overleven en zou weten dat ik degene was die hem wilde vermoorden? Nou, dat is precies wat er is gebeurd, behalve dat het tien jaar heeft geduurd voordat hij er iets aan kon doen.' Ze trok de anorak dicht om zich heen. 'Door Ellie mee te nemen.'

'En waarom nu?' vroeg Anna.

'De timing is perfect,' zei Thorne. Hij herinnerde zich een zaak van een jaar of twee geleden. Een man wiens vriendin en kind waren vermoord, net voordat hij vrij zou komen uit de gevangenis. Zo'n kille, wrede wraakactie had Thorne nog nooit meegemaakt, en daarna was het moorden nog doorgegaan.

Donna knikte. 'Het kon niet beter, toch? Hij kidnapt haar vlak voordat ik vrijkom, wanneer ik er alleen maar aan denk dat ik weer met haar samen kan zijn.'

'Denk je dat hij dat ook zo van tevoren heeft bedacht?' vroeg Anna.

'O, zeker.'

'Tien jaar geleden?'

'Je kent hem niet,' zei Donna. Haar stem werd gesmoord door de opborrelende woede. 'Eerst... ontvoert hij haar. Dan stuurt hij die foto's om nog eens flink na te trappen. Om ervoor te zorgen dat ik me zo ellendig mogelijk voel.' Ze had weer een sigaret gepakt en stond te hannesen met een wegwerpaansteker. 'Hij laat me zien hoe geweldig zijn leven is, en dat ik nu helemaal niets heb.'

Anna schoot haar te hulp en hield Donna's hand stil zodat ze haar sigaret kon aansteken.

'Nu heeft hij me het enige goeie afgenomen dat ik ooit heb gehad.'

'We vinden haar wel,' zei Anna.

'Ik heb geen leven meer als het jullie niet lukt, zo simpel is het.' Donna trok hard aan haar sigaret, en bij elke haal zoog ze haar wangen hol. 'Geen leven dat de moeite waard is, tenminste. Als je een kind verliest, dan is er niet veel meer van je over, zo is het nu eenmaal.'

Anna deed een stap naar achteren. Ze stak haar handen diep in haar jaszakken en keek naar de grond.

'Heb je enig idee waar hij zou kunnen zijn?' vroeg Thorne. 'Daar zul je vast wel over nagedacht hebben...'

'Spanje ligt wel een tikkeltje te veel voor de hand, maar het is wel zo dat hij daar mensen kende. Mensen met wie hij ooit zaken heeft gedaan.'

'Herinner je je nog namen?'

'Dat kan je beter aan je eigen soort vragen,' zei ze. 'Die lui van de criminele inlichtingendienst of hoe ze tegenwoordig ook mogen heten. We hebben er in de loop der jaren zoveel over de vloer gehad dat Alan de meesten van hen bij de voornaam noemde.'

Als Langford inderdaad in Spanje verbleef zou het zeker zinvol zijn om te praten met de mensen over wie Donna het had. Tegenwoordig was dat de soca, en Thorne nam zich voor Brigstocke eens te vragen of hij daar al iets wijzer van was geworden. Daarna zou hij Dennis Bethell opsnorren om te zien of de vriendelijke eigenaar van de buurtpornowinkel al iets meer kon zeggen over de foto's.

'We spreken elkaar nog wel,' zei Thorne.

Donna omhelsde Anna uitgebreid voordat ze zich omdraaide en het tuinpad op liep. Voor Thorne kon er zelfs geen groet af. Toen hij bij de auto stond, zag hij Kate van achter een raam op de bovenverdieping naar beneden kijken, maar of ze naar hem of naar Donna keek, kon hij niet met zekerheid zeggen.

Thorne startte de auto en zette het volume van de bluegrass-cd harder. Toen keek hij opzij en zag de uitdrukking op Anna's gezicht.

'Wat is er?' Hij zette de motor uit. 'Anna?'

Hij zag geen tranen, maar het leek alsof die elk moment konden gaan vloeien. 'Het komt gewoon door dat gedoe over haar dochter,' zei Anna. 'Daar raak ik van overstuur.' Ze schudde haar hoofd en zei: 'Stom, hè?' en keek hem aan. 'Ik denk dat je wel wat... eelt op je ziel moet kweken om tegen dat soort dingen te kunnen, door alles wat je in je werk meemaakt. Ik bedoel, voor andere mensen is het gewoon een verhaal in de krant, snap je? Kinderen die vermoord zijn...'

'Je krijgt geen eelt op je ziel,' zei Thorne.

'Sorry, over een paar minuten gaat het wel weer.'

'Neem de tijd.'

'Heb jij kinderen?'

'Nee,' zei Thorne. Hij startte de auto weer en zei dat hij haar naar Victoria zou brengen.

'Dat is een heel eind om.' Ze wroette in haar tas en trok een pakje papieren zakdoekjes tevoorschijn. 'Je moet toch terug naar Hendon?'

'Het is echt geen probleem.'

'Ik red me wel,' zei ze. 'Zet me maar gewoon bij de ondergrondse af.'

De ruzie ging verder vanaf het punt waar ze gebleven waren. Kate kwam al de trap af lopen toen Donna de voordeur binnenkwam.

'En, hoe ging het?'

Donna negeerde de vraag, gooide haar jas over de trapleuning en liep langs haar vriendin naar de keuken. Kate kwam achter haar aan en herhaalde de vraag.

'Wat kan jou dat verdommen?'

'Kom op, Donna…'

'Je hebt al duidelijk gemaakt hoe je erover denkt.'

Kate ging aan de kleine tafel zitten. 'Luister, ik wil alleen maar voorkomen dat je valse hoop koestert.'

'Valse hoop?'

'Ik wil niet dat je teleurgesteld wordt.'

'Ik voel me teleurgesteld door jou, omdat je me niet steunt.'

'Dat is niet waar,' zei Kate.

'Ik kan geen mensen gebruiken die negatief zijn.' Donna sloeg met haar hand tegen een keukenkastje. 'Dat heb ik járenlang meegemaakt. Ik wil dat je achter me staat.'

'Ik heb altijd achter je gestaan. Ik zeg alleen dat je het kalm aan moet doen, dat is alles. Je hebt al je hoop gevestigd op die smeris en die slijmerige meid, en als je niet oppast –'

'Wat dan?'

'Dan kon je weleens een fikse dreun oplopen, wil ik maar zeggen.'

'Jij denkt dat ze dood is, hè?'

'Dat heb ik nooit gezegd.'

'Jij denkt dat mijn Ellie dood is. Ik wil die shit niet horen.'

'Je wilt níks horen…'

Donna zette de waterkoker aan en begon driftig heen en weer te lopen over de anderhalve meter versleten linoleum. 'Ik weet wel wat er aan de hand is,' zei ze.

'Er is niks aan de hand, oké? Ik denk alleen dat je realistisch moet zijn.'

'Je voelt je door haar bedreigd,' zei Donna. 'Je voelt je door Ellie bedreigd.'

'Doe niet zo stom.'

Donna knikte, en ze voelde zich plotseling zeker van zichzelf. Ze gooide de woorden eruit. 'Je denkt dat als ik mijn dochter terug heb, ik geen tijd meer heb voor jóú. Je schijt in je broek dat je dan nummer twee bent.'

'Je bent zielig.'

'Dat had ik al eerder moeten bedenken,' zei Donna. 'Het is precies als toen we nog in de bajes zaten. Je bent altijd al een stom, jaloers kreng geweest.'

'Hoe kan ik nou jaloers zijn op iemand die er niet eens is? Iemand die jíj niet eens kent?'

'Maar ik ken jou,' zei Donna. 'Ik heb je godverdomme wel door!'

'Jij hebt helemaal niks door.' Kate stond op en liep naar de deur. 'Je hebt helemaal niks door en ik kan je niet helpen.'

Ze staarden elkaar even aan tot Kate zich omdraaide en wegliep. Donna leunde tegen het aanrecht en voelde de woede en de paniek door haar borst gieren terwijl het gezoem van de waterkoker achter haar steeds luider werd.

13

Hoewel hij pas een paar dagen aan de zaak werkte, moest Dave Holland er ernstig rekening mee houden dat ze de identiteit van de man die in plaats van Alan Langford was gestorven, misschien nooit zouden achterhalen.

Het was niet dat de aantallen vermissingen moedeloosmakend waren. Hoewel er elk jaar meer dan tweehonderdduizend mensen vermist raakten, ging het slechts in een derde van de gevallen om volwassenen. De meerderheid werd binnen tweeënzeventig uur heelhuids teruggevonden, en bijna negenennegentig procent dook binnen het jaar weer op. Het aantal mensen dat dus na tíén jaar nog steeds vermist werd liep eerder in de tientallen dan in de honderden. En de parameters waarbinnen Holland moest werken perkten de zoektocht nog verder in. Hij was op zoek naar een man met ruwweg dezelfde lengte en bouw als Alan Langford, die waarschijnlijk twee weken voor of na de ontdekking van het lijk in Epping was vermist.

Tot dusver stond er echter maar één naam op de lijst van kandidaten.

Jan Doedel.

Holland was ervan uitgegaan dat Alan Langford bij het in scène zetten van zijn eigen dood twee vliegen in één klap had willen slaan en iemand in de Jaguar had gebarbecued die hij kwijt wilde. Het was de ideale gelegenheid om een concurrent uit de weg te ruimen of op z'n

minst iemand uit te schakelen die hem op stang had gejaagd. Maar nadat hij het Landelijke Computersysteem van de politie, de afdeling
Vermisten van het Nationale Bureau voor de Verbetering van Politie-
zorg en alle relevante pagina's op de websites van alle politiekorpsen
in het land had doorzocht, was er geen duidelijke naam komen bovendrijven. Geen criminelen, klein of groot, geen bonafide zakenlieden
die Alan Langford wellicht voor de voeten hadden gelopen, niemand
die eigenlijk enige zichtbare connectie met hem had, en die als vermist was opgegeven rond de tijd dat de man zelf zogezegd was vermoord.

Dat was beroerd, maar in dit soort zaken bepaald geen uitzondering. Dave Holland had al lang geleden afgeleerd optimistisch te zijn,
en tegenwoordig was hij eerder verbaasd als er in een zaak überhaupt
iets van een leien dakje bleek te gaan.

Omdat Langford geen vijand had die aan de beschrijving voldeed,
moesten alle andere gevallen worden nagetrokken – enkele tientallen
mannen met de vereiste lengte en lichaamsbouw, die tien jaar nadat ze
door hun dierbaren als vermist waren opgegeven nog steeds niet gevonden waren. Na twee dagen schaarde Holland dit monnikenwerk al
onder een van de meest onaangename klussen die hij ooit op zijn bord
had gekregen. Als hij de familieleden van vermisten opbelde deed hij
zijn best hun geen valse hoop te geven dat hun beminden misschien
waren gevonden, vooral niet als die hoop al snel in afgrijzen zou omslaan zodra hij de context uitlegde. Dus bleef hij zo vaag en ontwijkend
als mogelijk was tot hij zich zeker genoeg van zijn zaak voelde om de
persoon aan de andere kant te vragen of die DNA wilde afstaan. 'Dat is
puur om ons te helpen om uw zoon/broer/vader van ons onderzoek uit
te sluiten...' Dat werkte meestal. Het DNA kon dan worden vergeleken
met dat van het weefsel dat bij de oorspronkelijke lijkschouwing was
afgenomen en dat nu in het laboratorium van het Forensisch Instituut
in Lambeth was opgeslagen.

Maar voordat dat stadium aanbrak, konden al behoorlijk wat mensen worden uitgesloten. In het autopsierapport was aangetekend dat
er twee stalen pennen in het rechterbeen van het slachtoffer zaten, en
hoewel er verder weinig meer van het lichaam over was, had Phil Hendricks geen spoor van een appendix in het stoffelijk overschot kunnen

vinden. Omdat ze Donna Langfords bekentenis al hadden, had niemand destijds de moeite genomen om te controleren of haar echtgenoot ooit een ernstige beenbreuk had opgelopen of een blindedarmoperatie had ondergaan.

'Je ziet eruit of je dit wel kunt gebruiken.'

Holland keek op en glimlachte aangenaam verrast toen een aantrekkelijke vrouwelijke rechercheur in opleiding hem een kop koffie aanreikte. Ze had de afgelopen weken nogal flirterig tegen hem gedaan, maar hij wist niet of ze hem leuk vond of dat ze gewoon zat te slijmen. Maar hij was hoe dan ook blij met de aandacht en met de kop koffie.

'Het gaat moeizaam, hè?'

Holland had net een telefoongesprek achter de rug met een vrouw wier jongere broer, een Britse landmachtsoldaat, was verdwenen nadat hij 'ongeoorloofd afwezig' was geweest van zijn eenheid.

'Kunt u me niet gewoon vertellen dat hij dood is?' De vrouw had gekweld geklonken. 'Het zou allemaal veel makkelijker zijn als we wisten dat hij dood was...'

'Ja, moeizaam,' zei hij.

Hij had zich erop betrapt dat hij scenario's had zitten bedenken in een poging de vaak verbijsterende verdwijningen te verklaren die in de dossiers voor hem op tafel uit de doeken werden gedaan. De achtentwintigjarige man die tijdens een vrijgezellenweekend in Newquay op weg van de pub naar huis door Alan Langford of een van zijn gabbers in een auto kon zijn geduwd. Maar hij kon natuurlijk evengoed straalbezopen van de weg zijn geraakt en vanaf een klip in zee zijn gevallen. De zevenendertigjarige man met een psychiatrisch verleden, die voor het laatst bij een bushalte in Willesden was gezien, kon door Langford zijn opgepikt. Maar het was waarschijnlijker dat hij zichzelf was kwijtgeraakt en was teruggegleden in de duisternis en later onder banalere omstandigheden was gestorven dan de man naar wie Dave Holland op zoek was.

Het was een traag en tijdrovend proces: familieleden opsporen, politiemensen erheen sturen om DNA te verzamelen, en het DNA laten testen. Zonder garantie dat het ook resultaat opleverde. Er was een reële mogelijkheid dat Langford met opzet iemand had uitgekozen wiens verdwijning niet eens zou worden opgemerkt: iemand die al door de mazen van de samenleving was geglipt en die kennelijk geen rapport 'vermiste persoon' waard was. Dat leek op een zieke manier logisch en het was veel minder riskant dan iemand wiens dierbaren meteen naar de politie zouden stappen zodra hij niet voor het avondeten thuis was.

En als dat het geval was, zouden ze het slachtoffer misschien wel nooit kunnen identificeren.

En zouden ze de moord nooit aan Alan Langford kunnen toeschrijven.

Holland nam de koffie aan, vroeg waar de koekjes waren, en zei tegen de blozende rechercheur in opleiding vervolgens dat hij maar een dolletje maakte. 'Trek een stoel bij,' zei hij. 'Dan laat ik je zien waar ik mee bezig ben.'

Zodra Thorne weer op kantoor was, belde hij Gary Brand, de rechercheur die hij een paar dagen eerder in de Oak had gesproken. Voordat hij tien jaar geleden bij het team was gehaald dat de zaak-Langford onderzocht, had Brand bij de vroegere criminele inlichtingendienst gewerkt. Zijn expertise op dat gebied was juist de reden dat hij erbij was gehaald.

Thorne hoopte diezelfde expertise nu opnieuw te kunnen benutten.

'Ik heb het gehoord van Monahan,' zei Brand. 'Het ziet ernaar uit dat je echt een beerput hebt opengetrokken.'

'Dat heeft iemand anders al voor me gedaan,' zei Thorne.

'Nou ja, het effect is hetzelfde, toch?'

Thorne vertelde Brand van zijn gesprekken met Jeremy Grover en Cook, de corrupte gevangenbewaarder. Brand leek niet in het minst gechoqueerd door Thornes relaas, maar toonde zich wel verbaasd toen Thorne hem vertelde wat Donna had gezegd over de mogelijkheid dat Langford in Spanje zou zitten.

'Echt waar? Ik bedoel, daar moest ik meteen aan denken toen je me over die foto vertelde, maar je zou denken dat hij wat meer fantasie zou hebben. De Costa del Crime is toch wel verrekt voorspelbaar, vind je niet?'

'We zouden nooit een van die klootzakken oppakken als ze niet af en toe voorspelbaar waren,' zei Thorne.

Brand lachte. 'Da's waar, jongen.'

'Kijk, het is een mogelijkheid, meer niet, maar ze zei dat hij vroeger wel een paar lui kende die zich daar schuilhouden. Ik vroeg me af of jij misschien wat namen voor me hebt.'

'Godallemachtig, dan hebben we het wel over een tijd terug...'

'Dat weet ik, en waarschijnlijk is het tijdverspilling...'

'Ik ga een paar telefoontjes plegen om te kijken of ik wat van die oude dossiers kan opduikelen.'

'Alles wat je kunt vinden.'

'Ik beloof niks.'

'Volgende keer als je in de Oak bent, trakteer ik,' zei Thorne.

Brand antwoordde dat hij Thorne aan het eind van de dag zou terugbellen.

Nadat hij had opgehangen, liep Thorne de gang in naar het kantoor van Russell Brigstocke. De hoofdinspecteur had een stel munten voor zich op zijn bureau liggen. Hij probeerde ze van de ene hand naar de andere te verplaatsen en raakte steeds geïrriteerder door zijn gebrekkige vaardigheid. Thorne ging zitten en keek toe, en bedacht dat Alan Langford een vrijwel foutloze goocheltruc had uitgehaald. Hij was ertussenuit geknepen met achterlating van een mysterieus lijk in zijn plaats. En als Donna's vermoedens juist waren, was hij tien jaar later teruggekeerd om zijn dochter te laten verdwijnen.

'Wraak,' zei Thorne. 'Donna denkt dat het daar allemaal om te doen is.'

'Geloof je haar?' vroeg Brigstocke.

'Als het daarom ging, heeft het in elk geval gewerkt,' zei Thorne. 'Ze is er helemaal kapot van.'

'Heb je Anna Carpenter vanmorgen nog meegenomen?' Er lag een flauwe glimlach op het gezicht van Brigstocke toen hij de vraag achteloos stelde, maar Thorne maakte zichzelf wijs dat dat kwam doordat zijn baas er net in geslaagd was een van de muntstukken in zijn hand te laten verdwijnen.

'Dat leek me een goed idee,' zei Thorne. 'Ze kan het goed met Donna vinden. Weet haar op haar gemak te stellen.'

'Klinkt logisch.'

'Mooi.'

'Ik ben blij dat het allemaal goed uitpakt.' Brigstocke opende zijn hand om Thorne te laten zien dat die leeg was. 'Jesmond zal in elk geval tevreden zijn.'

'Fijn, want anders zou ik slecht slapen,' zei Thorne.

Terwijl Brigstocke doorging met oefenen vertelde Thorne hem over het telefoontje met Brand en de mogelijkheid dat Langford achter een paar oude maten aan naar Spanje was gegaan.

Brigstocke beaamde dat Spanje wel erg voor de hand lag, maar dat het de moeite waard was om het na te trekken. 'Ik zorg dat de jongens van de SOCA paraat staan,' zei hij. 'Maar ik zou liever hebben dat we wat meer zekerheid hebben voordat we met hen afspreken.'

Thorne antwoordde dat hij zijn best zou doen.

'Heb je al iets van Bethell gehoord?'

'Ik heb vandaag nog twee berichten ingesproken,' zei Thorne.

Brigstocke gaf toe dat hij met het Forensisch Instituut ook niet veel verder was gekomen dan Thorne met zijn eigen 'beeldanalyse-expert'. 'Ik zal hen ook nog even achter de vodden zitten,' zei hij. 'Zeggen dat we morgen echt wat willen weten.' Hij dacht even na en draaide zich toen om in zijn stoel om een rooster op de muur achter hem te bestuderen. 'Ben jij morgen op kantoor?'

Zaterdag.

De eerste sinds een lang vergeten en ogenschijnlijk opgeloste zaak plotseling weer keihard de kop op had gestoken. Sinds een lijk zich als moordenaar had ontpopt. Sinds een eerste moord met een tussenpoos van tien jaar een tweede had uitgelokt, allebei gearrangeerd door dezelfde man.

'Als je de overuren ergens vandaan hebt weten te toveren, tenminste,' zei Thorne.

'Je krijgt echt zin om eens te bellen,' zei Kitson. 'Om sommigen van die idioten de waarheid te vertellen.'

'Zou het wat uithalen?'

'Wat kan mij dat schelen?' Ze sloeg een la van haar bureau dicht. 'Maar ik kan je wel vertellen dat ze een verdomd snelle operator achter de piepmachine moeten hebben zitten als ik in de uitzending kom.'

'Het wordt met een vertraging uitgezonden,' zei Thorne. 'Iets van dertig seconden of zo, om de schuttingtaal uit de uitzending te houden.'

Kitson dacht erover na. 'Klootzakken,' zei ze toen.

Thorne en Kitson zaten in hun kamer aandachtig naar de radio te luisteren, die stond afgestemd op 5 Live, dat een belprogramma uitzond met als onderwerp het rechtssysteem en het uitgangspunt dat iemand onschuldig is tot het tegendeel is bewezen.

De studiogast was Adam Chambers.

Thorne had de indruk dat de presentatrice Chambers' kont likte alsof die een of andere beroemde acteur of popster was. Ze lachte om elk grapje en mompelde instemmend toen haar gast zich beklaagde over de manier waarop hij door de politie was behandeld of een lans brak voor de tolerantie en het begrip waar hij als onschuldig burger volgens hem recht op had.

'Dit is het zoveelste voorbeeld van veroordeling door de media,' zei een beller. 'En de politie doet daar gewoon aan mee.'

'Adam?' fleemde de presentatrice.

'Precies,' zei Chambers. 'De politie weet heel goed dat de mensen dit soort verhalen lezen en al die geruchten en aantijgingen in zich opnemen, zodat de waarheid er niet meer toe doet. En zelfs als de waarheid naar buiten komt, wat in mijn geval godzijdank is gebeurd, dan nog word je met de nek aangekeken en gestigmatiseerd. Dan word je zwartgemaakt, begrijp je?'

'Geen rook zonder vuur, is dat wat je wilt zeggen?'

Thorne kromp ineen; dat zinnetje ging hem zoals altijd door merg en been.

'Absoluut, Gabby,' zei Chambers.

'Ik ga hiervan over mijn nek,' zei Kitson.

Thorne werd verscheurd door een innerlijke tweestrijd. Hij had een bloedhekel aan de bekrompen deugdzaamheid van de 'geen rook-zonder-vuurclub' die de sensatiebladen gretig naar de mond praatte. Want hij wist als geen ander dat het af en toe inderdaad voorkwam dat mensen veroordeeld werden voor een misdaad die ze niet hadden begaan. En hij deed zijn best om te accepteren dat, in principe althans, degenen die in de ogen van de wet onschuldig waren, vrij waren om te gaan en te staan waar ze wilden, bevrijd van elke schijn van schuld.

Maar vervolgens kruiste Adam Chambers je pad.

In zijn geval was het niet zozeer een vuur maar een ziedende vlammenzee.

Toen Sam Karim binnenkwam met de mededeling dat Andy Boyle uit Wakefield aan de lijn was, vroeg Thorne hem om het telefoontje door te schakelen en zette hij de radio uit.

'Dat is maar goed ook,' zei Kitson. 'Ik stond op het punt om mijn lunch eruit te gooien.'

Thorne besloot de rest van de uitzending thuis op zijn computer af te luisteren. En dan zou hij zich er opnieuw over opwinden. Hij wist zeker dat Andrea Keane geen enkele keer ter sprake zou komen.

Boyle was in een iets betere bui dan de laatste keer dat Thorne hem had gesproken, maar echt vrolijk kon je hem moeilijk noemen. Thorne vroeg zich af of de man uit Yorkshire óóit vrolijk was.

'Ik dacht dat je een voortgangsrapportage misschien op prijs zou stellen.'

'Dat is erg aardig van je,' zei Thorne. 'En?'

'Geen voortgang,' zei Boyle, wiens humeur verder opklaarde terwijl hij het slechte nieuws bracht. 'We hebben Grover nog eens aan de tand gevoeld en we hebben die platte cipier een paar keer op het bureau gehad, maar ze staan geen van tweeën op het punt door te slaan.'

'En hoe zit het met het traceren van het geld?' vroeg Thorne.

'Nou, je weet hoe het met die rottige banken zit. Die buitelen niet bepaald over elkaar heen om ons even snel inzage in hun archieven te geven. Maar ik durf te wedden dat de betalingen in contanten zijn gedaan en dat ze nooit zijn overgemaakt, dus waarschijnlijk verdoen we onze tijd.'

Wat betreft de eventuele betalingen aan Paul Monahan was Thorne al tot dezelfde conclusie gekomen, maar een gedetailleerd onderzoek naar Monahans financiële situatie was sinds zijn dood op een laag pitje gezet. Het had weinig zin een getuige onder druk te zetten die geen getuigenis meer kon afleggen.

'Zelfs al vinden we het geld,' zei Boyle, 'dan kunnen we nog niet nagaan waar het vandaan komt. Cook kan wel wat vaker een nieuwe auto hebben gekocht dan de meeste mensen, of misschien zo nu en dan een luxe vakantie hebben geboekt of zo, maar als we het geld niet kunnen traceren is er niets dat hem of Grover met Langford in verband brengt.'

'Maar dan hebben ze wel het een en ander uit te leggen.'

'Dat is alles waar we op kunnen hopen,' zei Boyle. 'Ik bedoel, misschien zijn ze nog niet eens betaald voor de executie van Monahan, en het geld dat ze daarvóór hebben geïncasseerd is waarschijnlijk allang uitgegeven. Je verstopt de contanten onder je bed en je geeft het uit als je daar zin in hebt, zo is het toch?'

'Ik zou het niet weten,' zei Thorne.

'De meeste spullen kun je tegenwoordig cash betalen. Dat vindt iedereen allang best en daarom stelt niemand vragen.'

Thorne zei dat hij dat onmiddellijk aannam.

'Ik wed dat degene die de centen komt afleveren daar een tijdje mee wacht tot alles weer veilig is. Ze weten verdomd goed dat we Grover en Cook in de gaten houden, dus ze wachten rustig af en die twee smeerlappen bluffen zich gewoon overal doorheen.'

'Grover heeft niet echt veel te verliezen als hij zijn mond houdt, toch?'

'Klopt. Hij wordt nooit veroordeeld voor de moord op Monahan zonder dat Cook ook bekent. En Cook is al verstandig geweest en heeft zijn ontslag ingediend. Beweert dat het slecht gaat met zijn vrouw.'

'Nou, als hij daar geen schuld mee bekent...'

'Ja, dat weet jij, en dat weet ik...'

Thorne wist dat Boyle met recht pessimistisch was. Waar Alan Langford zich op dit moment ook bevond, zoals de zaken er nu voor stonden hoefde hij zich niet al te veel zorgen te maken.

'Ik blijf ze onder druk zetten,' zei Boyle. 'Meer kan ik niet doen.'

'We vinden wel wat.'

'Het punt is, dat ook al kan ik Cook iets in de schoenen schuiven, en zelfs áls hij Grover erbij lapt voor de moord op Monahan, dan nog denk ik dat je jouw man daarmee niet te pakken hebt. Niet direct, in elk geval.'

Thorne kon Andy Boyle moeilijk tegenspreken. Had Donna niet gezegd dat haar ex alle mogelijke scenario's uitdacht? Alan Langford was niet stom, en door Monahan zo efficiënt uit de weg te laten ruimen had hij al bewezen hoe voorzichtig hij te werk ging. Hij zou types als Jeremy Grover en Howard Cook zeker niet persoonlijk aansturen.

Er moest een tussenpersoon zijn.

Thornes mobiel zoemde op zijn bureau. Hij pakte hem op, zag aan de nummerherkenning wie het was en zei tegen Boyle dat hij morgen weer contact zou opnemen. 'En trouwens, sorry van die opmerking over je teckel,' zei hij.

'Maak je geen zorgen. Als ik niet toevallig een teckel had gehad, had ik je wel op je bek geslagen.'

'O nou, dat is dan oké.'

'Ik maak een grap, eikel.'

Thorne hing op en nam het gesprek op zijn mobiel aan. 'Dat werd verdomme tijd, Kodak.' Dat was de bijnaam die hij Dennis Bethell had gegeven. 'Ik stond op het punt om een paar vriendelijke types van de zedenpolitie langs te sturen om je deur in te trappen.'

'Ja, sorry, ik wilde u niet terugbellen voordat ik iets meer over die foto's kon zeggen, snapt u?'

Hoe geïrriteerd Thorne ook was, hij moest glimlachen om de vertrouwde hoge piepstem die totaal niet bij het uiterlijk van de man paste.

'Nou laat maar horen.'

'Het is beter als we ergens afspreken, oké? Dan kunnen we meteen het geld en dat soort zaken regelen.'

'Ik heb geen tijd voor spelletjes.'

'Ik kan vanavond wel.'

'Dan moet je het te goed houden.'

'Ik zit erg krap bij kas om u de waarheid te zeggen, meneer Thorne.'

Thorne zuchtte en rolde met zijn ogen naar Kitson. 'Goed dan. Waar en hoe laat?'

14

Anna kon niet zeggen dat ze Frank Anderson ooit stomdronken had gezien. Ze vermoedde dat hij door jarenlange training een hoge tolerantie had opgebouwd en dat hij behoorlijk wat drank kon verstouwen voordat het aan hem te zien was, maar ze merkte wel vaak dat hij wat ophad. Ze rook het, de zoetige lucht die net niet verbloemd werd door de kauwgom of de sterke pepermuntjes, ze zag het aan de blos op zijn gezicht als hij bij de lunch te veel rode wijn had gedronken. De liedjes die hij in zichzelf zong en de licht bevende handen.

Afgezien van het zingen was het met haar moeder grotendeels hetzelfde geweest.

Toen Frank een uur geleden was teruggekomen van een drie uur durende lunchbijeenkomst met een potentiële klant, was er duidelijk al een hoop drank doorheen gegaan. Dat verbaasde Anna niet, maar ze wist niet of zijn uitgelaten stemming aan de drank te wijten was of aan het feit dat hij de opdracht had binnengesleept. Frank voerde zijn besprekingen bij voorkeur in de chique bar aan de overkant van de straat, en hoewel Anna er begrip voor had dat hij zijn klanten liever niet in het armoedige kantoortje uitnodigde, vroeg ze zich vaak af of de overvloedige alcoholinname hen niet veel meer afschrok, en of die hem op de lange termijn niet meer zou kosten dan hij ooit verdiende.

Maar ze had nooit de moeite genomen om hem deelgenoot te maken van haar bezorgdheid.

Sinds vier uur, terwijl Anna knullige advertenties op A5-formaat in enveloppen had zitten doen – DETECTIVEBUREAU F.A.: GEMOEDS-RUST HOEFT GEEN VERMOGEN TE KOSTEN! – had Frank over zijn computer gebogen gezeten en telefoontjes gepleegd. Hij had een paar onwillige debiteuren gebeld en een mislukte poging gedaan om bars te klinken, en had daarna een stuk of wat concurrenten gebeld waarbij hij zich uitgaf voor een potentiële klant en tijdrovende afspraken op afgelegen locaties had gemaakt.

'Alles om ons een voorsprongetje te geven,' had hij tegen Anna ge-zegd toen ze hem daar voor het eerst op betrapte.

Ze keek op haar horloge en zag dat het bijna kwart over vijf was. 'Mag ik nu weg, Frank?'

Hij keek op, wierp een blik op zijn eigen horloge en haalde zijn schouders op. 'Je hebt de laatste tijd al behoorlijk vaak vrij genomen...'

'Ik ben ziek geweest.'

'En vanmorgen dan?'

'Dat was een familieaangelegenheid. Dat had ik al gezegd.'

'Ik denk dat het niet onredelijk is als ik je vraag dat te compenseren.'

Anna had Frank niets over Donna verteld of over de afspraken met Tom Thorne en dat ze met hem mee was geweest. Frank zou niet blij zijn als hij ontdekte dat ze achter zijn rug een klant had ingepikt. Als het erop aankwam, kon ze niet zeggen hoe hij zou reageren, maar ze was er zeker van dat hij op z'n minst het grootste deel van het honora-rium zou opeisen.

Ze staarde naar hem van de andere kant van het kantoortje en dacht: Krijg de klere!

'Heel vaak vrij genomen.'

'Maar jij hebt je nou ook niet echt uitgesloofd,' zei Anna.

Frank knikte langzaam en richtte zich weer op zijn computer. Anna deed nog twee flyers in enveloppen. Onderaan stond het logo van de Brancheorganisatie van Britse Detectivebureaus. DETECTIVEBU-REAU F.A. was geen lid van de BBD, en een cliënt hoefde alleen maar naar de website van die organisatie te gaan om daarachter te komen, maar dat kon Frank niet schelen. Weinigen namen die moeite, had hij Anna verzekerd, en trouwens, het was belangrijker om het vertrou-wen van een cliënt te wekken dan dat je volkomen eerlijk was.

Frank speelde op zakelijk vlak graag hoog spel en nam het niet zo nauw met het begrip transparantie. Anna had hem weleens geld zien aannemen voor klussen die hij niet fatsoenlijk kon of wilde uitvoeren. Ze herinnerde zich een verwarde weduwe die waarschijnlijk te veel thrillers had gelezen en die ervan overtuigd was dat er een luchtje zat aan het auto-ongeluk waarbij haar man om het leven was gekomen. Frank toucheerde het honorarium voor het consult en twee weken onkostenvergoeding, bleef twee weken op zijn gat zitten en rapporteerde toen dat na uitgebreid onderzoek was gebleken dat er niets verdachts was aan de tragische dood van de man. Hij kon natuurlijk geen greintje bewijs overleggen om zijn bewering te staven, maar hij verzekerde de vrouw dat het, aangezien er geen wetsovertredingen hadden plaatsgevonden, 'onethisch' en tegen de regels van de BBD was om de details van zijn onderzoek vrij te geven.

Dergelijke rookgordijnen, of wat Frank 'mensen overdonderen met dure woorden' noemde, werkten meestal.

'Er is toch niks dat je voor me verborgen houdt, hè meisje?'

'Zoals?'

'Ik weet niet. We steken onze neus de hele dag al in andermans geheimen, dus we zouden geen geheimen voor elkaar moeten hebben, vind je wel?'

'Je bent niet goed wijs, Frank.'

Nog drie flyers, nog drie enveloppen.

'Wie is Donna?'

'Hè?'

'Gisteren heeft er iemand voor je gebeld die Donna heet.'

Anna dacht koortsachtig na. Donna belde altijd haar mobiele nummer, dat had Anna tegen haar gezegd, en gisteren had ze dat nummer ook gebruikt om Anna over de meest recente foto te vertellen. Waarschijnlijk had ze daarvóór per ongeluk het kantoor gebeld. 'Geen idee wie dat kan zijn.'

'Ze klonk niet als een van je vriendinnen,' zei Frank. 'Ze klonk... ouder.'

Anna schudde haar hoofd, alsof ze haar best deed zich de naam te herinneren. Misschien was Frank toch een betere detective dan ze had gedacht. Ze haalde haar schouders op. 'Nou als het belangrijk is, belt ze nog wel een keer.'

'Nou, die nieuwe klant lijkt veelbelovend,' zei Frank.

'Echt?' Anna was eraan gewend geraakt dat hij van de hak op de tak sprong. Dat schreef ze toe aan de drank. Nog iets wat ze herkende.

'Een huwelijksklus, dus misschien moet je die nauwsluitende jurk maar weer van stal halen.' Hij grinnikte nu enthousiast. 'Nu we het erover hebben, misschien moet je er maar een paar toiletjes bij kopen, eens flink wat geld uitgeven. Dit is een groeimarkt, ik zweer het je.'

Weer een lokoperatie.

Anna voelde het prikkende zweet in haar nek en op haar borst uitbreken. 'Kom op, Frank.'

Hij hield een zwart-witfoto omhoog. Een portret. Het gezicht van de man was een doodgewoon gezicht, het onthouden niet waard. 'Het is tenminste geen ouwe dikzak, dus dat scheelt alweer.'

'Het maakt me niet uit hoe ze eruitzien.'

'Mij best, maar ik dacht dat je wat kieskeuriger was.'

'Sodemieter op, Frank.'

Hij legde de foto neer en stak zijn handen in gespeelde overgave omhoog. 'Rustig maar, meisje. Hij draaide zich weer om naar het computerscherm en mompelde: 'Ongesteld, zeker?'

Anna pakte nog een paar enveloppen en zag de grote wijzer van haar horloge over de wijzerplaat kruipen. Ze bedacht dat ze het toetsenbord van haar computer makkelijk los kon koppelen en naar zijn hoofd kon smijten, en ze vroeg zich af of hij met zijn papperige, rode hoofd op tijd opzij kon gaan. Ze vroeg zich af hoe lang Donna haar nog zou betalen nu de politie erbij betrokken was en het er een stuk beter afbracht dan zij.

Ze vroeg zich ook af of Tom Thorne het soort man was die zou zeggen: 'Ongesteld, zeker?'

Donna Langford stond huiverend in haar spijkerbroek en een dun sweatshirt buiten voor de achterdeur van haar flat in de postzegel die moest doorgaan voor een tuin, met daarachter de contouren van bomen en hier en daar een ster in de donkere hemel.

Het huis waarin ze tot tien jaar geleden gewoond had, had een tuin gehad waarvan ze het eind niet kon zien. Met vijvers en standbeelden die 's nachts werden verlicht en een wei voor Ellies pony. In die tuin hadden ze feesten in grote tenten gegeven. Donna sloot haar ogen even en verdrong de herinneringen die haar nu voorkwamen als beelden uit een film die ze ooit had gezien.

Het verhaal over het leven van iemand anders.

Ze had trouwens altijd al de pest gehad aan die stomme standbeelden, en de lucht was hier heel wat weidser dan in Holloway of Peterborough. Donna vroeg zich af of ze altijd al was voorbestemd om hier terecht te komen. In dit leven, ergens tussen luxe en de lik. Het leek niet eens zo'n slecht resultaat gezien alle stomme beslissingen die ze in haar leven had genomen.

Ze wist nu zeker dat, met uitzondering van Ellie en Kate, de meeste van haar beslissingen rampzalig hadden uitgepakt. En de beslissing dat zij en haar dochter beter af zouden zijn als haar man dood was, spande wel de kroon. Toen ze al haar spaargeld had opgenomen en contact met Paul Monahan had gezocht.

'Nou, dat is nog eens een verrassing, moet ik zeggen.' De man aan wie ze vroeg een moord voor haar te plegen was opgestaan en had gevraagd of ze iets wilde drinken. Hij had even geaarzeld en haar glimlachend aangekeken: 'Ik weet niet goed hoe ik je moet aanspreken.'

'Dat maakt me niet zoveel uit,' had ze geantwoord. 'En ik wil graag een grote gin-tonic.'

Donna wist nog precies op welke dag ze die bar was binnengelopen; in een anoniem hotel vlak bij het vliegveld Gatwick. Het was net een week na het feest waarop ze voor het eerst terloops aan Paul Monahan en een stuk of tien andere dubieuze vrienden en kennissen van haar man was voorgesteld. Een feest waarvan Alan haar even later had weggesleept toen hij te veel ophad. Nadat ze niet hard genoeg om zijn grap had gelachen en nadat ze volgens hem een paar blikken in de verkeerde richting had geworpen.

Hij had over het dak van de Jaguar tegen haar staan schreeuwen. Had haar een ondankbare hoer genoemd. Toen ze thuis waren had hij een vaas aan gruzelementen gesmeten en toen hem dat nog niet genoeg voldoening had geschonken, was hij de badkamer binnengelopen en had hij drie van haar vingers gebroken.

Ze had precies geweten wat Monahan voor de kost deed toen ze hem had zien kletsen en toastjes naar binnen had zien werken, en de volgende ochtend toen Alan onder de douche stond had ze zijn nummer koortsachtig op zijn mobieltje opgezocht en het een paar dagen later met een van haar ongeschonden vingers ingetoetst.

'Dit is een serieuze klus, schatje. Weet je zeker dat je er goed over hebt nagedacht?'

Ze waren aan een tafeltje in de hoek van de bar gaan zitten. Uit het zicht van spiedende ogen en uit de buurt van een lawaaierig groepje zakenlieden dat zich aan het bezatten was. Monahan had zuinig met zijn glas Guinness gedaan alsof hij gewoon een avondje uit was en had charmant zitten doen: zich dicht naar haar toe gebogen en met haar geflirt in de veilige wetenschap dat ze zich niet bij haar man zou beklagen. Alsof hij daardoor de prijs zou kunnen opschroeven wanneer ze het over het geld gingen hebben.

Brutale klootzak...

'Ik heb erover nagedacht.'

'Oké, maar dit is niet een pad dat je in een opwelling kunt inslaan, begrijp je wat ik bedoel?'

'Ik heb geen advies nodig.'

'Je kunt niet terug. Dat wil ik alleen maar zeggen.'

'Ik heb je al gezegd dat ik weet wat ik wil.'

'Het is niet als een mooi paar schoenen dat je kunt terugbrengen –'

'Ik wil alleen maar weten of je het wilt doen.'

'Als het maar genoeg schuift, doe ik alles,' had Monahan gezegd. 'Maar in aanmerking genomen wat je me vraagt, zou ik als ik jou was niet betalen met de creditcard van je vent...'

Een halfuur later was ze de bar uit gelopen, opgetogen en tegelijkertijd doodsbang, en hoewel ze Paul Monahan daarna nooit meer had teruggezien, zou de Ier de klus pas vijf maanden later eindelijk klaren.

Of doen alsof, tenminste...

Vier keer had Donna hem het groene licht gegeven en vier keer had ze haar zenuwen niet de baas gekund en Monahan gebeld om de opdracht in te trekken en gezegd dat hij het voorschot mocht houden. Ze had eigenlijk al besloten om van het hele idee af te zien en zichzelf ervan overtuigd dat ze wel gek moest zijn om het ook maar te overwegen. Maar op een dag, toen Alan een of andere zakendeal was misgelopen, kwam hij chagrijnig thuis en duwde hij haar hand tussen een hete stijltang.

Die avond had ze Monahan gebeld en hem gezegd dat hij er werk van moest maken.

'Don?'

Ze draaide zich om en zag Kate in de deuropening staan met een mok thee in haar hand waarvan Donna vermoedde dat die onderhand steenkoud moest zijn. Donna zei sorry, dat ze zo binnen zou komen, maar ze moest nog steeds aan Monahan denken, met zijn zelfverzekerde, zelfingenomen kop.

Dit is niet zomaar een klus, schatje.

Later was ze ervan overtuigd geraakt dat Monahan Alan zelf had gebeld. Waarschijnlijk had hij hem gebeld zodra ze de bar uit was gelopen. Had hij zich dubbel laten betalen.

Ze draaide zich om en liep weer naar binnen terwijl ze zich die arrogante gast voorstelde in een dichtgeritste zak in een vriesla. Ze glimlachte en dacht: ik ben niet de enige die niet alles goed heeft doorgedacht. Maar haar glimlach verstarde toen ze aan haar dochter dacht. Haar enige troost was dat, ongeacht waartoe haar ex in staat was, hij Ellie nooit kwaad zou doen. Of wel? Haar ontvoeren moest toch al genoeg zijn voor hem...

Ze voelde dat Kate van achteren dicht tegen haar aan kwam staan en haar handen liefdevol over haar bovenarmen liet glijden. Maar het kwam niet door de kou dat Donna moest huiveren. Het kwam door alles wat ze wist over de man die ze dood had gewaand. De man die door Paul Monahan vermoord had moeten worden.

Ze keek naar het tien jaar oude litteken op haar hand.

En bedacht dat die paar foto's misschien nog maar het begin waren.

15

Thorne reed vlak voor zessen West End binnen en wachtte tien minuten aan de noordkant van Marylebone Road om de spitsheffing te ontlopen. Hij parkeerde de auto op Golden Square en liep vandaar naar Soho. Het was aanmerkelijk minder koud dan het eerder op de dag was geweest – niet bepaald zacht, maar draaglijk – en de vrouwen in de neonverlichte deuropeningen waren wat bloter gekleed dan de laatste tijd.

Gezien alle andere risico's die ze dagelijks liepen, was een beetje kippenvel wel het laatste waar ze zich zorgen over maakten.

Terwijl Thorne op weg was naar Soho belde Gary Brand terug om te melden dat hij de namen had weten op te diepen van een paar mensen uit Alan Langfords verleden die waarschijnlijk op een of ander moment in Spanje waren geweest. Het was allemaal wat vaag, gaf hij verontschuldigend toe, maar het was alles wat hij op zo'n korte termijn had kunnen uitzoeken. Thorne bedankte hem en krabbelde de namen op een stukje papier, met zijn mobiel tussen zijn schouder en wang geklemd.

'We mikken dus nog steeds op Spanje?'

'Met een beetje geluk weet ik over een paar minuten meer,' zei Thorne.

Hij was al aangekomen bij een van de vele winkels in de buurt die zowel bij koopjesjagers als vieze ouwe mannen populair waren. Op de begane grond werden afgeprijsde boeken en cd's verkocht, en een paar stappen verder, in het souterrain, was porno te koop: tijdschriften, dvd's en een kleine selectie seksspeeltjes.

Thorne bleef bij een stel boekenplanken vlak bij de deur staan. Hij bekeek de rug van een thriller die hem wel iets leek om op zijn volgende vakantie mee te nemen – als dat er verdomme nog eens van kwam – en bladerde een salontafelboek door over de geschiedenis van de Grand Ole Opry dat voor de spotprijs van £ 6,99 werd verkocht. Vervolgens deed hij of hij de veelbetekenende blik van de vrouw achter de kassa niet zag en sjokte de trap af naar het souterrain, waar er in de uitgestalde boeken heel wat meer plaatjes vielen te bewonderen en waar Dennis Bethell vrijwel zeker zou rondsnuffelen.

Hij kreeg hem meteen in het oog.

Met zijn opgeblazen, krachtige lijf van 1 meter 92, zijn geblondeerde haar en de diamantjes in beide oren zou Bethell zelfs in het stadion van de Spurs zijn opgevallen. Er waren maar zes klanten in het souterrain. Vijf mannen en een vrouw.

'Is dat er een van jou, Kodak?' Thorne knikte naar het tijdschrift dat de fotograaf in zijn handen had.

Bethell bleef de bladzijden omslaan. Hij droeg een strakke spijkerbroek en een nog strakker T-shirt met daaroverheen een zilverkleurig Puffa-jack. 'Ik hoop dat u een geintje maakt, meneer Thorne. Mijn werk heeft heel wat meer klasse dan dit. Ik bedoel, moet je kijken hoe deze beunhaas die rotzooi heeft uitgelicht...'

Thorne bekeek de over twee pagina's afgedrukte foto die niets te raden overliet en die Bethell hulpvaardig vlak voor zijn neus hield, en was zich bewust van de blikken die hun werden toegeworpen, de hoofden die zich omdraaiden, zoals altijd gebeurde wanneer mensen Bethells stem voor het eerst hoorden.

'Volgens mij interesseert dat de mensen geen ruk,' zei Thorne. Hij knikte in de richting van de klant die het dichtst bij hen stond, een man in een bruin pak die eruitzag als het meest gevraagde type 'morsige accountant' van een castingbureau. 'Denk je dat híj wakker ligt van de belichting of de compositie?'

'Ik snap wat u bedoelt, maar je moet toch wel wat eer in je werk leggen?'

'Dat zal wel,' zei Thorne, en zoals altijd werd hij getroffen door Dennis Bethells tegenstrijdige voorkomen: hij had de torso van een uitsmijter maar een hoge piepstem, koesterde een oprechte passie voor zijn metier maar leek geen enkele aandacht of interesse te hebben voor degenen die voor zijn camera uit de kleren gingen. En op het meer primaire vlak was Thorne er nooit helemaal achter gekomen welke seksuele voorkeur Bethell zelf had en was hij tot de conclusie gekomen dat de man voor alles in was.

Mannen, vrouwen, vissen, wat dan ook. Maar de beelden die daarbij voor zijn geestesoog verschenen, waren niet bepaald aangenaam.

Rechts van Bethell stond de enige vrouw in de winkel naar de achterkant van een in plastic geseald tijdschrift te staren. Bethell ving Thornes blik, boog zich naar hem toe en zei zachtjes: 'U zou verbaasd staan, meneer Thorne. Een heleboel vrouwen kicken tegenwoordig op dit werk.'

Thorne wees naar het tijdschrift dat Bethell nog steeds in zijn handen had. 'Toch niet op dít werk hoop ik?'

'Nee, dat klopt, materiaal voor vrouwen is toch een specifieke markt. Een tikje gevoeliger, of hoe je het wilt noemen. Geloof het of niet, maar ze houden van een verhaal, begrijpt u wat ik bedoel? Als het een film is waarin er een lekkere loodgieter bij de hitsige huisvrouw langskomt, dan praten ze eerst een tijdje voordat hij haar pakt. En misschien knuffelen ze na afloop zelfs nog even.'

'Walgelijk,' zei Thorne. 'En dan biedt hij zeker ook aan op de natte plek te gaan liggen?'

Bethell lachte, hoog en angstaanjagend. De vrouw keek enigszins geschrokken op. Thorne glimlachte en ze wendde snel haar blik af.

'Nou, laat maar horen,' zei Thorne.

Bethell stak zijn hand in een schoudertas en haalde een grote bruine envelop tevoorschijn. 'Goed, nou, het is vrijwel zeker Spanje.'

'Meen je dat nou?' Thorne moest zijn best doen om zachtjes te blijven praten. 'Daar waren we zelf ook al zo'n beetje achter.'

'Wacht even, meneer Thorne. Ik kan u misschien ook vertellen welk deel.' Bethell haalde vier grote kleurenfoto's uit de envelop en gaf ze aan Thorne. 'Ik heb de stukjes van de foto's waar de boot op staat kunnen isoleren en vergroten. Herinnert u zich die boot op de achtergrond?'

Thorne keek naar de foto's. 'Ja, dat weet ik nog. Ga door...'

Bethell wees. 'Dat is de Spaanse vlag. Volgens de wet is elke boot die in Spanje is geregistreerd, verplicht die te voeren. Het kan natuurlijk dat we pech hebben. Ik bedoel, het is mogelijk dat er een of andere Spanjaard bij de Griekse eilanden heeft rondgevaren, maar dat betwijfel ik. Dus, zoals ik al zei, Spanje is een goeie gok.'

'Je zei dat je preciezer kon zijn.'

'Nou, ik denk dat ú dat wel kunt uitzoeken aan de hand van de registratie.' Hij wees op een onduidelijke zwarte vlek op de romp en pakte toen een andere afdruk waarop dat deel was uitvergroot. Nu kwam er een serie vage, maar leesbare letters en cijfers in beeld. 'Er is geen naam zichtbaar, maar ik denk dat dit alles is wat u nodig hebt. Een maat van me had een boot in Lanzarote en de Spanjaarden zijn bloedfanatiek in het bijhouden van dit soort informatie.'

Vanuit zijn ooghoek zag Thorne de morsige accountant staren, die duidelijk stond te popelen om de foto's te zien.

'Dat komt omdat ze schandalig hoge belastingen heffen,' zei Bethell. 'Liggeld voor de boten, havenbelasting, dat werk. Met die registratie zou u de eigenaar van die boot moeten kunnen opsporen en met een beetje geluk kan hij u vertellen waar hij op die dag was.' Om te laten zien dat geen zee hem te hoog ging, haalde Bethell een laatste foto tevoorschijn met een uitvergroting van de datum op de oorspronkelijke foto. 'Snapt u?'

'Zonde dat je in de porno zit, Kodak.'

'Dat is aardig van u, maar ik denk dat ik niet geschikt ben om smeris te zijn.'

'Nee, misschien niet.'

'Ik heb ze trouwens onder mijn beste klanten.'

Thorne liet de afdrukken weer in de envelop glijden. 'Goed werk, Kodak. Ik denk dat dit een van de zeldzame gelegenheden is dat je waar voor je geld levert.'

'Nu we het daar toch over hebben...

'Sorry, ik heb geen contant geld bij me. Het leek me beter het over te maken aan een of ander goed doel.'

'Hè?'

'Iets voor de blinden, misschien?'

'Erg grappig, meneer Thorne.'

Thorne stak zijn hand in de zak van zijn jack en haalde er de vier bankbiljetten van vijftig pond uit die hij uit de GMI-kas had opgenomen. Tegenwoordig gebruikten alleen koppige ouwe lullen als hij nog het woord 'verklikker'. Als voorbeeld van verhullend vakjargon werden Dennis Bethell en zijn soort tegenwoordig officieel aangeduid als 'geheime menselijke informatiebronnen', ook al was er in de verste verte niets geheims aan Kodak. Bovendien vervulde hij in dit geval eerder de rol van getuige-deskundige. Niet dat Thorne of wie dan ook er ooit over zou piekeren hem in de getuigenbank te zetten, natuurlijk. Zelfs al zou Bethell zijn uiterlijk aanpassen en zijn professie onvermeld laten, dan zou elk greintje geloofwaardigheid in rook opgaan zodra hij zijn mond opendeed.

'Wie is die vent op die foto's trouwens?' piepte Bethell.

'Een geest,' zei Thorne.

Hij bedankte Bethell nogmaals en Bethell bedankte Thorne op zijn beurt, herinnerde hem eraan dat hij altijd beschikbaar was voor dit soort werk en gaf hem een handvol visitekaartjes. 'Deel ze maar uit onder uw collega's als u wilt,' zei hij. 'Voor dit soort dingen, of nou ja, ik kan ook allerlei ander materiaal leveren als ze dat nodig mochten hebben.'

Thorne stak de kaartjes in zijn zak en vroeg zich af of Yvonne Kitson misschien in de markt was voor een dvd van een lekkere loodgieter en een hitsige huisvrouw. Met een knuffel als toegift.

'Ik ben heel discreet.'

'Jij zou nog niet discreet kunnen zijn als je leven ervan afhing,' zei Thorne.

Hij liep weg, maar bleef onder aan de trap staan en wenkte de morsige accountant. De man keek zenuwachtig maar kon geen weerstand bieden aan de uitnodiging. Thorne trok hem dichterbij, keek om zich heen als om te controleren of de kust veilig was en trok toen pesterig een van de foto's van de boot tevoorschijn.

'Moet je eens kijken wat een mast!' zei hij.

Het was vrijdagavond, en de uitvalswegen van West End zaten zoals gewoonlijk potdicht. Terwijl hij vastzat in het verkeer op Regent

Street, belde Thorne Brigstocke en vertelde hem over zijn ontmoeting met Bethell. Hij gaf hem het registratienummer van de boot en Brigstocke zei dat hij er meteen achteraan zou gaan.

'Maar ik zou er niet op rekenen dat ik voor maandag iemand te pakken krijg, dat zou zelfs niet lukken als het een Britse boot was,' zei de hoofdinspecteur. 'En we hebben hier met Spanjaarden te maken, jongen. *Mañana, mañana*, je kent het wel...'

Thorne antwoordde dat hij een racist was, en vroeg hem te bellen zodra hij iets hoorde.

De bmw kroop een halve meter vooruit en stopte weer. Thorne had de radio afgestemd op *talksport*, maar luisterde maar met een half oor naar een voorbeschouwing van de voetbalwedstrijden van de volgende dag. Hij dacht vooral aan Ellie Langford.

Had haar vader haar werkelijk naar Spanje ontvoerd?

Thorne besefte dat hij vrijwel niets van het vermiste meisje wist. Hoe had haar leven eruitgezien voordat ze verdween? Wat voor plannen had ze gehad? Ze was achttien. Wilde ze gaan studeren of had ze al een baan? Had ze een vriendje?

Hij moest erachter zien te komen.

Hij was erin geslaagd Oxford Street over te steken en stond nu te wachten voor de stoplichten bij Broadcasting House. Het was gaan miezeren en een of andere deskundige had het over de lekke verdediging van Arsenal toen Thorne links van hem een vrouw in een auto zag huilen. Ze had haar blauwe Peugeot 405 twintig meter voorbij hotel Langham geparkeerd, en eerst dacht Thorne dat ze zat te schudden van de lach om iets op de radio of handsfree zat te bellen. Daarna zag hij dat ze zat te snikken.

Hij staarde...

Na een tiental seconden begon hij zich licht ongemakkelijk te voelen omdat hij maar zat toe te kijken terwijl ze huilde, maar hij kon ook niet wegkijken. Hij voelde de impuls om zijn auto langs het trottoir stil te zetten, op haar raampje te tikken en te vragen of alles goed was. Maar hij had het idee dat ze die inbreuk niet op prijs zou stellen, dat ze, hoewel ze langs een drukke straat stond, het een vreselijke gedachte zou vinden dat ze werd gadegeslagen.

Hij zag dat ze haar hoofd schudde alsof ze met zichzelf in discussie was of vond dat ze stom deed.

Hij zag haar maar huilen en huilen.

Toen het licht voor hem op oranje sprong zag Thorne een meisje – vijftien, misschien iets jonger – een paar meter verder uit een huis komen en naar de auto rennen. Hij vermoedde dat het de dochter van de vrouw was, en dat de vrouw op haar had zitten wachten.

Haalde ze haar op bij het huis van een vriendin? Van een feestje?

De vrouw boog zich opzij over de passagiersstoel om het portier open te doen en ging weer snel rechtop zitten toen het meisje de auto in sprong. De vrouw wreef over haar gezicht. Ze wilde niet dat het meisje de tranen zag, of tenminste niet zag hoe hard ze had gehuild.

Net op dat moment, één ogenblik maar, ving Thorne haar blik. Door de regenstrepen op zijn raam en dat van haar, en voordat ze zich weer naar haar dochter toe keerde en Thorne langzaam doorreed.

De rest van de rit naar huis, langs de fraaie door Nash ontworpen herenhuizen aan de rand van Regent's Park, via Parkway naar Camden, dacht hij aan haar. Hij vroeg zich af of ze plotseling was ingestort en of het al eerder was gebeurd. Waardoor zou iemand in een stilstaande auto een hevige huilbui krijgen?

Slecht nieuws? Een recent of aanstaand overlijden? Een diagnose...

Of was het iets algemeners geweest? Iets waarmee ze opgezadeld was of waar ze mee moest leren leven? Iets waaraan ze niets kon veranderen behalve in haar eentje van woede en frustratie zitten huilen.

Hij dacht nog steeds aan de vrouw toen hij van Kentish Town Road afsloeg en voor zijn appartement parkeerde. Hij zag Louises zilverkleurige Mégane een paar plaatsen verderop in de straat staan. Hij wilde net uitstappen toen het sms-toontje van zijn mobiel klonk.

Het was een bericht van Anna Carpenter: SORRY DAT IK HET TE KWAAD KREEG VOOR DONNA'S HUIS. VOEL ME STOM! DENK ALSJEBLIEFT NIET DAT IK LABIEL BEN OF ZOIETS. IK KAN DIT ECHT WEL AAN. IK BEN STERKER DAN IK ERUITZIE :0)

Thorne startte de motor weer. Hij zette de radio uit en de verwarming hoger. Toen belde hij haar.

16

Vrijdagavond was de drukste avond van de week en zoals altijd zat de club stampvol. De dansvloer was afgeladen. Hoewel er amper ruimte was om te bewegen, glinsterde er zweet op gebruinde schouderbladen en liet het donkere plekken na op de dure witte en crèmekleurige linnen pakken. Hij kletste even met de eigenaar, een man die hij al bijna even lang kende als hij in het land was, maakte aan de bar een flesje San Miguel soldaat en nam een fles champagne van het huis mee naar de vipruimte.

De gorilla's die aan weerszijden van het fluwelen koord stonden opgesteld, lieten hem glimlachend door en staken het geld dat hij hun toestopte in hun zak.

Hij kende de meeste mensen die er al zaten, wisselde hier en daar een glimlach uit en schudde een paar handen op weg naar een van de zithoekjes. Soms zag je er een tweederangsvoetballer rondlopen met een aantrekkelijk model in zijn kielzog, of een middelmatige komiek die een paar toeristeneuro's probeerde mee te pikken, maar de meeste 'vips' in deze contreien hadden het etiket op dezelfde manier verdiend als hij.

Er waren allerlei manieren om bekend te raken.

Hij had hier met Candela afgesproken. Ze hield van dansen en hij pronkte graag met haar. Ze hadden een los-vaste relatie, niet echt serieus, maar hij genoot van haar gezelschap, vond haar fantastisch in bed en dacht dat dat wederzijds was. Vanavond gingen ze een hapje eten, daarna nog wat drinken en dan naar huis. Ze zouden uitslapen en dan zou hij haar na het ontbijt mee uit winkelen nemen om iets moois voor haar te kopen.

Het was belangrijk dat sommige dingen ongecompliceerd bleven, dat je het gevoel had dat het normale leven doorging, ondanks wat er op het thuisfront aan de hand was.

Een van de vele beeldschone serveersters bleef bij zijn zitje staan om de champagne te ontkurken en hem een glas in te schenken. Ze kletsten even. Vorige week was ze voor hem op haar knieën gaan zitten en had ze een vette fooi verdiend, maar hij kon zich haar naam niet herinneren.

Het thuisfront...

Het was grappig dat hij Engeland, Londen, nog steeds als thuis beschouwde. Merkwaardig, omdat hij toch niet zo'n sentimentele zeikerd was die altijd naar barbecuesaus en lauw bier verlangde. Hij was hier naar volle tevredenheid neergestreken en had zijn nieuwe leven opgebouwd, ook omdat hij geen keus had. Toch voelde hij nog steeds een band, natuurlijk voelde hij die, en hij zou geen mens zijn als hij niet een paar dingen miste.

Maar het vreemdst van alles was toch wel, ondanks wat er allemaal was gebeurd – wat nog steeds gaande was – dat hij nog steeds met genegenheid aan Donna terugdacht.

Hij kon zich nog precies het moment herinneren dat zijn wereld was ingestort. Die behulpzame stem aan de telefoon: 'Ik denk dat je moet weten wat je vrouw van plan is, Alan. Wie ze heeft ontmoet.' Destijds was hij door het dolle heen geweest van woede, en had hij Donna dezelfde behandeling willen geven als Monahan een paar dagen geleden uiteindelijk had gekregen, maar dat zou alleen maar argwaan hebben gewekt. Het had een streep door al zijn plannen kunnen halen en een aanleiding hebben gevormd voor een smeris om een paar zaken wat aandachtiger te bekijken.

Hij herinnerde zich de krantenkoppen toen ze de auto in de bossen hadden ontdekt. De smeris die het onderzoek leidde: Thorne. Zo'n type dat niet vies was van wat spitwerk.

Dus had hij zijn woede ingetoomd en had hij uiteindelijk wel iets van bewondering gevoeld voor wat die stomme teef van een Donna had gedaan. Er enigszins begrip voor gehad. Al die tijd dat ze opgedoft en slaafs achter hem aan had gelopen, als een brave meid de plichtsgetrouwe echtgenote had gespeeld, had ze haar ogen en oren de kost gegeven en van hem geleerd...

Toen Candela eindelijk verscheen zag ze er verrukkelijk uit, ze kropen dicht tegen elkaar aan en ze vertelde hem hoe haar dag was geweest. Ze werkte voor een van de succesvolste onafhankelijke makelaars in de streek en vertelde opgetogen over een Russische zakenman die zijn zinnen op een van de luxe villa's in een naburig dorp had gezet, die zij in haar portefeuille had.

'Hij is dríé keer met zijn vrienden komen kijken,' zei ze, drie vingers opstekend.

Drie keer raden wat hij voor de kost deed.

Toen de champagne op was, ging Candela dansen en stond hij langs de kant van de dansvloer naar haar te kijken. Hij vond het leuk om te zien hoe de jonge mannen bij haar in de buurt probeerden te komen en hoe de oudere mannen – al die sneue types die dachten dat ze het nog hadden – op haar geilden. Hij peinsde er niet over om zelf te dansen, dat was nooit zijn ding geweest, maar hij maakte zich geen zorgen om de concurrentie. Zelfs als een van die kerels niet wist bij wie ze hoorde en probeerde haar te versieren, maakte hij geen schijn van kans bij haar.

Ze wist dat ze het goed bij hem had. En bovendien vond hij zelf dat hij er nog goed uitzag voor zijn leeftijd. Hij had wat aan zichzelf laten sleutelen – wat aan zijn gebit laten doen en zijn haar geverfd, net genoeg om zich een nieuwe identiteit te kunnen aanmeten – maar het belangrijkste was dat je fit bleef. Door niet te eten als een beest, zoals sommigen deden. Een Engels ontbijt met alles erop en eraan alsof de wereld morgen kon vergaan en altijd maar pils drinken.

Candela sloot haar ogen, wiegde met haar heupen en liet haar handen voor hem door haar lange haar glijden. Ze was beeldschoon, absoluut, maar op die leeftijd was Donna op haar manier net zo adembenemend geweest.

En Ellie leek erg op haar moeder. Maar ze had ook hetzelfde temperament, wat de zaken er niet altijd even makkelijk op maakte.

Hij keek om zich heen, zag een paar mensen die hij al een tijdje beter wilde leren kennen en bedacht dat hij vanavond nog wel wat zaken zou kunnen doen. Dit was de ideale plek ervoor. Een paar drankjes, een handdruk en de deal was gesloten, en zo werkte hij het liefst. Het geld en de handel zouden later door anderen worden geregeld zodat hij zelf geen vuile handen hoefde te maken.

Dat was de laatste tien jaar zijn geheim geweest.

Maar het werd wel steeds moeilijker, met wat er nu allemaal in Engeland geregeld moest worden.

Candela zwaaide en hij zwaaide terug, maar hij was er met zijn gedachten niet bij. Die waren plotseling somberder en zaten hem meer dwars dan hem lief was.

Als hij op vrije voeten wilde blijven, zou het moeilijker worden om schone handen te houden.

17

Het verkeer op de M25 was in beweging, wat zo ongeveer het hoogst haalbare was, zelfs op een zaterdag. Thornes passagier kletste honderduit – over haar huisgenoot, het oliedomme vriendje van haar huisgenoot, mensen die ze had gekend toen ze nog bij de bank werkte, die hoogvliegers waren geweest en alles waren kwijtgeraakt toen het bergafwaarts ging met de economie – maar hij vond het wel best dat zij het grootste deel van de tijd aan het woord was.

Dan kon hij tenminste op de weg letten en aan andere dingen denken.

Hij had het beeld van de snikkende vrouw in de Peugeot niet van zich af kunnen zetten en vroeg zich af wie ze was en wat er was gebeurd dat haar leven zo ondraaglijk maakte, die paar minuten lang, tenminste. Sinds hij die ochtend wakker was geworden had hij er steeds aan moeten denken, en Louise en hij hadden amper een woord gewisseld tijdens een haastig ontbijt.

'Ben je laat vanavond?'

'Ik moet even zien hoe het loopt.'

'Goed. Ik heb zelf ook een hoop te doen, dus...'

Eerlijk gezegd hadden ze, afgezien van die aarzelende, onverwachte vrijpartij twee avonden geleden, nogal afstandelijk tegen elkaar gedaan de afgelopen dagen. De afgelopen weken, eigenlijk. Er werd minder vaak gebeld en ge-sms't en het leek of ze allebei niet echt de behoefte voelden om weer tot elkaar te komen. Er was minder belangstelling. Zoals Louise had gezegd, ze hadden het allebei druk...

Op weg naar Anna's flat, waar hij haar zou oppikken, had hij Russell Brigstocke gebeld om te zeggen dat hij niet naar kantoor kwam. Om hem te zeggen bij wie ze langs zouden gaan.

'Het is ook niet echt de moeite waard om hierheen te komen,' had Brigstocke gezegd. 'Zoals ik al dacht is het wat die bootkwestie aangaat een regelrechte ramp om op een zaterdag iets van Madrid gedaan te krijgen. Ik bedoel, het zou geholpen hebben als ik verdomme een tolk had kunnen krijgen.'

Thorne had geantwoord dat hij later nog terug zou bellen en had Brigstocke nog een paar minuten tekeer horen gaan.

'Weet je hoeveel beëdigde vertalers van het Albanees en bij Binnenlandse Zaken geregistreerd staan? Of van het Turks? Of het Urdu? Tientallen, jongen. Maar denk je dat ik iemand kan vinden die Spaans spreekt? Ik zou het graag zelf hebben gedaan, maar ik kom niet veel verder dan een paar spelers van Barcelona opnoemen en een pilsje bestellen...'

De afrit die ze moesten hebben kwam in zicht en Thorne tikte de richtingaanwijzer aan en stuurde de BMW naar de middenbaan.

'Dus het lijkt erop dat het achteraf toch niet zo stom was dat ik de deur van de bank achter me heb dichtgetrokken,' zei Anna. 'Ik bedoel, ík heb tenminste werk.'

'Klopt,' zei Thorne.

'Sommigen van die snelle jongens met wie ik vroeger samenwerkte, leven nu van een uitkering.' Ze grijnsde en keek naar de akkers die zich langs de snelweg uitstrekten. 'Dat montert me soms echt op.'

Thorne gaf weer richting aan en schoof op naar de binnenbaan. Anna zei nog iets, maar hij dacht nog steeds aan de vrouw in de blauwe Peugeot toen hij de afrit op reed en vaart minderde voor de rotonde.

Vijfendertig kilometer ten zuidwesten van het centrum van Londen, in het hart van het welgestelde platteland van Surrey, lag Cobham – een typisch forensenstadje. Er woonden ook een paar voetballers van Chelsea op hun exclusieve landgoederen, met de trainingsvelden vlak in de buurt, maar Maggie en Julian Munro vormden een betere afspiegeling van de doorsnee-bewoners daar. Hij werkte bij een architectenbureau in Clerkenwell en zij gaf les aan de plaatselijke openbare middelbare school. Ze woonden in een vrijstaand huis tegenover Cobham Mill en hadden ieder een Volvo. Ze hadden een zoon van negen die in de regionale rugbycompetitie speelde, ze hadden een flatcoat retriever en ze waren tien jaar lang de pleegouders van Ellie Langford geweest, tot ze zes maanden geleden werd vermist.

Maggie Munro ging Thorne en Anna voor naar een ruime zitkamer. Ze vroeg of ze thee wilden, maar Thorne zei dat hij hen niet te lang wilde ophouden.

De hond blafte in een ander deel van het huis.

'Ik reageerde misschien wat... opgewonden toen u belde,' zei Maggie. Aan haar starre glimlach en het zenuwachtige gewriemel van haar handen in haar schoot zag Thorne dat ze nog steeds allesbehalve kalm was. 'Maar toen u zei wie u was dacht ik dat u haar misschien had gevonden.'

'Excuses voor het misverstand,' zei Thorne.

Julian Munro kwam binnen en Thorne en Anna stonden op om hem de hand te schudden, en vervolgens gingen ze allemaal weer zitten. Het verliep allemaal nogal formeel, ondanks de uitnodiging aan Thorne en Anna om het zich gemakkelijk te maken en ondanks de vrijetijdskleding van de Munro's: hij in een spijkerbroek en rugbyshirt, zij in een lichtblauw trainingspak.

'Ik moet zeggen dat ik had gedacht dat u ouder zou zijn,' zei Thorne. Hij was stomverbaasd toen hij had gezien dat de Munro's achter in de dertig waren, omdat hij het in zijn hoofd had gezet dat pleegouders altijd vijftigers waren wier eigen kinderen het nest al hadden verlaten.

'We probeerden al een tijd kinderen te krijgen,' zei Julian, 'maar om een of andere reden lukte dat niet. Dus toen zijn we aan adoptie gaan denken, maar dat is een ongelooflijk lange en ingewikkelde procedure.'

Zijn vrouw had meegeknikt maar nam nu het verhaal over. 'We wilden eerst een pleegkind nemen om eens te kijken of we wel in staat waren een kind van iemand anders op te voeden. En toen kregen we Ellie.' Ze glimlachte. 'En toevallig kregen we een paar maanden later gezinsuitbreiding.'

Toen was het Thornes beurt om te glimlachen. 'Gezinsuitbreiding' leek een uitdrukking die uitsluitend door de gegoede middenklasse werd gebruikt. In plaats van 'zwanger worden'. Desondanks meende hij een spoortje van een noordelijk accent in hen allebei te horen en zonder precies te kunnen zeggen waarom, had hij al snel de indruk dat dit een stel was dat niets cadeau had gekregen. Dat hard had moeten knokken voor alles wat ze hadden.

'Ellie was dolblij dat ze een broertje zou krijgen,' zei Maggie. 'En toen Samuel er eenmaal was, waren we een echt gezin.'

'Hij is aan het trainen,' zei Julian ter verklaring van de afwezigheid van hun zoon. 'Elke zaterdagochtend.'

Anna trok haar schouders op en huiverde theatraal. Tijdens de rit hiernaartoe hadden ze het op de radio over sneeuw gehad. 'Dat arme joch heeft het vast steenkoud,' zei ze.

Julian schudde zijn hoofd. 'Hij kan wel wat hebben.'

De echtelieden zaten een eindje van elkaar af op een grote bank, terwijl Anna en Thorne tegenover hen in bijpassende leunstoelen zaten, met tussen hen in een salontafel die bezaaid was met glossy tijdschriften.

Maggie boog zich naar voren en schraapte haar keel alsof ze een ingestudeerd praatje ging afsteken. 'Eerlijk gezegd zijn we erg blij dat jullie zijn langsgekomen,' zei ze. 'Niemand leek Ellies verdwijning eigenlijk serieus te nemen. Ze was achttien, dus volgens de wet was ze verantwoordelijk voor haar eigen doen en laten, en ze bleven maar zeggen dat ze waarschijnlijk de hort op was met een vriendje. Ze zeiden telkens maar dat ze wel weer op zou duiken wanneer de lol eraf was of wanneer het geld op was. Het was ontzettend frustrerend.'

'Had ze er een?' vroeg Anna. 'Een vriendje?'

Maggie schudde haar hoofd. 'Niet dat we weten. Niemand in het bijzonder, in elk geval.'

'De politie heeft wel regelmatig contact gehouden,' zei Julian. 'In het begin, tenminste. Maar alleen om ons te zeggen dat ze ons niets konden vertellen, als u begrijpt wat ik bedoel.' Hij klemde zijn kaken op elkaar en ademde luidruchtig door zijn neus uit. 'Iemand van burgercontacten of weet ik veel zat daar waar u nu ook zit, van onze koekjes te schransen en te zeveren over hulpverlening, maar kon ons hoegenaamd niets vertellen over wat er nou concreet werd gedaan om onze dochter te vinden.' Hij staarde naar zijn voeten, waarvan er een boos op te vloer tikte.

'Vertel ons eens over de dag dat Ellie verdween,' zei Thorne.

Maggie keek haar man aan. Hij knikte. *Vertel jij het maar.*

'Ze was uitgegaan om te vieren dat ze voor haar eindexamen was geslaagd. Ze had mooie cijfers. Ze was met een stel vrienden naar een café in het centrum gegaan.' Maggie haalde haar schouders op. 'Dat is het. Gewoon een stel tieners die wat gingen drinken en die zich een beetje lieten gaan. Al haar vrienden hebben ons verteld dat er niks aan de hand was toen ze wegging om de bus te pakken. Ze is nooit thuisgekomen...'

Thorne bedankte haar en zei dat hij begreep hoe moeilijk het moest zijn om het allemaal weer op te rakelen. Ze antwoordde dat het ondertussen een tweede natuur was geworden; ze hadden het verhaal allebei inmiddels wel duizend keer verteld.

'Wat had ze voor cijfers?' vroeg Anna. 'U zei dat ze mooie cijfers had.'

Maggie leek even in verwarring gebracht en begon toen te stralen. Het was duidelijk dat niemand daar ooit naar had gevraagd. 'Twee achten en een zeven,' zei ze. 'Een acht voor geschiedenis en Engels, en een zeven voor Frans.'

Thorne wist dat de Munro's enigszins overdreven met hun bewering dat de politie niets had gedaan, maar hij begreep het wel. Als hij de ouder van een vermist kind zou zijn, zou hij eisen dat iedere agent in het land vierentwintig uur per dag naar haar op zoek zou gaan. De realiteit was dat degenen die bij het onderzoek waren betrokken al het mogelijke hadden gedaan, maar dat ze geen steek verder waren gekomen. Ellie Langford was al snel een van de paar duizend vermiste tieners geworden.

Thorne had met een agent gesproken die aan de zaak had gewerkt en die vermoedde dat er drugs in het spel waren. Hij had gezegd dat ze bijna allemaal dachten dat Ellie ergens op straat rondhing, waarschijnlijk in Londen. Nu hij hier met de pleegouders van het meisje zat te praten twijfelde Thorne daaraan, maar hij had geen ervaring met dit soort zaken. Het enige dat hij wist was dat er geen beelden van bewakingscamera's waren gevonden waar ze op stond en dat haar mobieltje sinds de avond van haar vermissing niet meer was gebruikt. Hij wist ook dat als ze het land uit was, ze dat illegaal had gedaan.

'Ze heeft haar paspoort niet meegenomen,' zei Thorne.

Maggie schudde haar hoofd. 'Nee. Dat hebben we de politie verteld. Haar paspoort en al haar kleren lagen nog hier. Ze was niet van plan weg te gaan.'

De suggestie was duidelijk: ze was meegenomen. De Munro's konden natuurlijk niet weten dat Alan Langford nog in leven was, en konden dus niet vermoeden dat Ellie door haar eigen vader was meegenomen. Ze koesterden een veel diepere angst, waarmee het veel moeilijker was elke dag op te staan.

Dat hun dochter door een onbekende was ontvoerd.

'Ze is dood.' Maggie richtte zich tot Anna. Zonder omhaal van woorden. 'Zo is het toch?'

'Waarom zegt u dat?'

'Omdat als ze in leven was, ze ons zou hebben laten weten dat het goed met haar ging. Dan had ze met ons willen praten, en met Sam.'

'We hebben goede reden om aan te nemen dat haar niets is overkomen,' zei Thorne. Hij wist dat de politie van Surrey destijds een grondig onderzoek had verricht en dat ze ook nu haar zaak nog steeds volgden door alle ongeïdentificeerde lijken na te trekken en maandelijks met ziekenhuizen te bellen.

'Niemand heeft het ooit met zoveel woorden gezegd, maar volgens mij keken de mensen die dachten dat ze was weggelopen, daar niet raar van op.' Julian leunde achterover, enigszins gekalmeerd. 'Alsof ze erop zaten te wachten dat ze vroeg of laat een inzinking zou krijgen. Na wat er met haar ouders is gebeurd, bedoel ik.'

De verbazing moest op Thornes gezicht te lezen zijn geweest.

'We wisten wie het waren.' De man deed zijn best om zijn afkeer te verbergen, maar die klonk duidelijk in zijn stem door. 'We hebben al die tijd geweten wie Ellies vader was en waarom haar moeder naar de gevangenis moest.'

Thorne haalde zijn schouders op. 'Ik had niet gedacht dat ze u alles zouden hebben verteld. Alle details, bedoel ik.'

'Nou, ze hebben ons destijds een beetje verteld, maar we hebben de rest van de puzzelstukjes zelf ingevuld toen het verhaal in de media naar buiten kwam. Ik denk dat ze wilden dat we de belangrijkste feiten kenden voor het geval dat Ellie er iets... aan zou overhouden, begrijpt u? Ze maakten zich zorgen dat het misschien in haar gedrag tot uiting zou komen, dat ze getraumatiseerd zou zijn.'

'En was dat zo?' vroeg Anna.

Maggie schudde haar hoofd. 'Je zou het nooit aan haar gemerkt hebben,' zei ze. 'Ze was de rust zelve. Ze werd nooit kwaad, had nooit een driftbui. Ook niet toen ze dertien, veertien werd en al haar vriendinnen vreselijk aan het puberen waren.'

'Vriendjes en krengerig doen,' zei Julian.

'Het scheen haar allemaal niet te raken. Alsof ze erboven stond.'

'Ze heeft het er nooit over gehad dat haar moeder uit de gevangenis zou komen?' vroeg Thorne. 'Hoe het dan verder zou gaan?'

De Munro's schudden hun hoofd.

'U weet toch dat ze vrij is gekomen?'

De uitdrukking op hun gezicht verried dat ze dat niet wisten. Kinderbescherming had misschien besloten dat het niet nodig was dat ze het wisten. Of misschien hadden ze een blunder begaan en waren ze vergeten hen te bellen. Hoe dan ook, het was een ongemakkelijk moment. Thorne keek hen aan en voelde zich plotseling onder druk gezet, alsof er van hem verwacht werd dat hij nu zei aan wiens kant hij stond.

'Hoe lang?' vroeg Maggie.

'Iets langer dan een maand,' zei Thorne.

Hij keek door een glazen deur die naar een kleine serre leidde en naar de tuin daarachter. In de ene hoek stond een groot voetbaldoel en in de andere een enorme trampoline. Thorne bedacht dat dit een fijne plek moest zijn om op te groeien, en een niet al te grote achteruitgang vergeleken bij het huis waar Ellie Langford daarvoor had gewoond. In elk geval een minder grote achteruitgang dan haar moeder had meegemaakt. En vlak voordat hij zich weer tot Julian en Maggie Munro richtte, moest hij aan een ander vermist meisje denken. Aan dat totaal andere gezin waarin Andrea Keane was opgegroeid.

Vier broertjes en zusjes die om aandacht vochten en een tuin die amper groot genoeg was om een bal in te laten stuiteren.

'Heeft u Ellies computer nog?' vroeg Thorne.

Maggie knikte. 'We hebben alles nog.'

'Vindt u het goed als we iemand langs sturen om die op te halen?'

'Ze hebben hem al bekeken,' zei Julian. 'De week nadat Ellie was verdwenen.'

'Dat weet ik, maar ze kunnen steeds meer met die dingen, dus misschien is het de moeite waard. Ik weet nauwelijks hoe ik een e-mail moet versturen, maar je kunt tegenwoordig allerlei informatie van een harde schijf afhalen, dus...'

'Geen probleem,' zei Maggie. 'Geef maar een seintje.'

Thorne gaf Anna een knikje en boog zich opzij om zijn tas te pakken. 'Nou, als u nog iets te binnen schiet...' Hij stond hoofdschuddend op. 'Waarom zeggen rechercheurs dat toch altijd?'

'Hebt u de verklaring gelezen die we destijds hebben afgelegd?' vroeg Julian.

'Ja,' loog Thorne. Hij had gevraagd of die gefaxt kon worden. Met een beetje geluk lag die op kantoor op hem te wachten, samen met de verklaringen van de vrienden met wie Ellie op de avond dat ze verdween uit was geweest.

'Nou dan weet u evenveel als ieder ander.' Julian liep langzaam naar de deur en Anna, Thorne en Maggie volgden hem. 'De pub, haar vrienden, die vrouw. Alles.'

'Welke vrouw?' vroeg Thorne. 'Ik herinner me niet...'

'Ik heb haar een keer met een vrouw zien praten,' zei Julian. 'Een oudere vrouw. Een paar weken voordat ze verdween. Ik dacht dat het een van haar leraressen was, maar toen zag ik... Nou ja, ze zag er niet uit als een lerares.' Hij leunde tegen de deurstijl. 'Ik heb ze trouwens twee keer gezien: een keer aan het eind van de straat toen ik van kantoor kwam, en een paar dagen later weer in een café. Ze zaten aan een tafeltje aan het raam en ze hadden ruzie.'

'Waarover?' vroeg Anna.

'Ik heb geen idee.'

Anna kwam opgewonden dichterbij staan. 'Maar ze hadden beslist ruzie?'

'Hoor eens, ik reed langs, dus ik heb ze niet erg lang kunnen zien, maar zo zag het eruit.'

'Hebt u Ellie ernaar gevraagd?' vroeg Anna.

'Ze wilde er eigenlijk niet over praten. Dat gevoel had ik tenminste toen ik er later over nadacht. Naderhand, bedoel ik. Ze zei dat het de moeder van een van haar vriendinnen was en daarmee was de kous af. Het schoot me pas weer te binnen nadat Ellie was verdwenen. Je vraagt jezelf van alles af, weet u?'

'Ik weet dat het in de verklaring staat,' zei Thorne, 'maar kunt u ons een beschrijving van die vrouw geven?'

'Dáárom ben ik bij de bank weggegaan,' zei Anna toen ze buiten in de auto zaten. Ze sloeg met haar vlakke hand op het dashboard om haar woorden kracht bij te zetten. 'Waarom ik dit werk wilde gaan doen. Om dit gevoel te krijgen, deze kick!'

Thorne keek haar van opzij aan. Ze zat bijna te stuiteren in haar stoel.

'Ik bedoel... gebeurt dat nou vaak?'

Thorne startte de auto.

'Ach, kom op, zeg nou niet dat jij dat gevoel niet ook had.'

'Ik voelde het ook,' zei Thorne. 'En nee, het gebeurt niet vaak. Niet vaak genoeg, in elk geval.'

'Toen hij de vrouw beschreef die hij met Ellie had zien praten, piste ik haast in mijn broek.'

'Nou, daar moet je dan eens iets aan doen.'

'Maar ik heb trouwens geen idee wat het betekent, hoor. Dat zíj met Ellie praatte.' Ze keek Thorne aan op zoek naar een antwoord.

'Geen idee,' zei hij.

'Dus wat nu?'

'We gaan terug naar Seven Sisters om dat uit te zoeken.' Hij keerde de auto en wachtte op een opening in het tegemoetkomende verkeer. De eerste auto flitste met zijn lichten om hem ertussen te laten. Het was prettig om even niet in Londen te zijn. 'Maar eerst gaan we lunchen,' zei hij. 'Ik dacht dat ik een paar kilometer terug een aardige pub had gezien.'

'O, goed dan.' Anna klonk enigszins teleurgesteld. Alsof ze de spanning van het moment wilde vasthouden; alsof ze bang was dat die onbekende spanning zou wegebben.

'Ik denk dat je even tot rust moet komen,' zei Thorne. 'Bovendien wordt dit geen makkelijk gesprek. Dan kun je maar beter geen lege maag hebben.'

18

Thorne had aan typische Engelse plattelandspubs al net zo'n hartgrondige hekel als aan trendy bars. Maar goddank waren er nergens paardenhoofdstellen te bekennen of verschrompelde ouwe mannetjes met hun eigen bierpul, en viel de tent niet volledig stil toen ze de gelagkamer binnenkwamen.

Ze gingen aan een ronde tafel met een koperen blad zitten en bestelden een fles mineraalwater met belletjes, twee zakjes chips en een paar baguettes van de vorige dag. Aan de bar zat de uitbater samen met twee vrouwen van middelbare leeftijd naar A Place in the Sun te kijken op een kleine tv die hoog in de hoek was opgehangen.

'Mensen liegen altijd tegen je,' zei Anna.

Ze hadden het sinds ze bij de Munro's waren weggereden, alleen maar gehad over de vrouw bij wie ze straks langs zouden gaan.

'Strikt genomen,' zei Thorne, 'kan ze nooit een oneerlijk antwoord hebben gegeven op een vraag die we haar nooit hebben gesteld.'

'Je weet best wat ik bedoel.'

'Ze heeft het gewoon niet gezegd.'

'Een leugen door nalatigheid, dan. Ze moet hebben geweten dat het belangrijk was.'

'Laten we eerst maar eens horen wat ze te zeggen heeft.'

'Ik merk het wel als ze weer liegt,' zei Anna. 'Daar ben ik goed in.'

'Ik luister,' zei Thorne.

Ze boog zich naar hem toe. 'Het heeft alles te maken met lichaams-taal en minieme veranderingen in je gelaatsuitdrukking. Zoals in die serie op tv, die met die acteur uit *Reservoir Dogs*... god, wat ben ik slecht in namen. Nou ja, die helpt de politie door ze te zeggen of iemand liegt, maar het is zowel een gave als een vloek, want hij ziet het ook als de mensen van wie hij houdt liegen.' Ze slikte. 'En dat is niet altijd... zo prettig.' Ze pakte een bierviltje en begon het systematisch in kleine stukjes te breken. 'Ben jij er goed in?'

'Dat heb ik ooit wel gedacht.' Thorne bolde zijn wangen en liet de lucht ontsnappen. 'Maar ik heb me zo vaak vergist dat ik dat nu niet meer zou durven beweren.'

'Als je maar van je fouten leert, vind je niet?'

'Mensen liegen meestal om voor de hand liggende redenen,' zei hij. 'Ze zijn bang of zenuwachtig of ze hebben iets te verbergen. Soms lie-gen ze om iemand verdriet te besparen, of dat houden ze zichzelf al-thans voor.' Hij keek langs haar naar de tv. 'We doen het allemaal wel tientallen keren per dag, de meesten van ons dan. Sommige mensen liegen zelfs zonder dat er een reden voor is, gewoon omdat ze het niet kunnen laten. Elke keer dat ze liegen zonder te worden betrapt, voelt dat als een kleine overwinning voor hen. Ik denk dat dat ze door de dag heen helpt. En dan heb je natuurlijk de mensen wier leugens wat ern-stiger zijn.'

Op de tv werd een ouder echtpaar rondgeleid in een boerderij in Toscane of in de buurt van Carcassonne of zo. Louise keek altijd naar het programma als ze maar even de tijd had, maar Thorne had nog nooit iemand daadwerkelijk het huis zien kopen dat ze hadden bezich-tigd. 'Ze doen het gewoon om er een gratis vakantie aan over te hou-den,' had hij tegen Louise gezegd, die antwoordde dat het haar niks kon schelen en dat hij zijn kop moest houden.

'Denk je weleens aan die vent die niet veroordeeld is?' vroeg Anna. 'Die dat meisje heeft vermoord... Chambers?'

'Hij heeft haar niet vermoord,' zei Thorne. 'Niet in de ogen van de wet.'

'Maar jij denkt van wel.'

'Daar wil ik het niet over hebben.' Omdat hij zelf geen bierviltje had om te versnipperen, boog Thorne zich naar voren en veegde de snip-pers van tafel op zijn bord.

'Ik heb tegen je gelogen,' zei Anna.

'Wanneer?'

'In de auto toen we voor Donna's huis stonden. Toen zei ik tegen je dat ik overstuur was vanwege haar en Ellie, maar het had eigenlijk te maken met mij en mijn moeder.'

'Jullie hebben ruzie gehad,' zei Thorne. 'Dat heb je me verteld. Nadat je je baan had opgezegd.'

'Het ging wel wat verder.' Ze glimlachte en bloosde een beetje. 'Zie je, daar gaan we, alweer een leugentje. De waarheid is dat we elkaar sindsdien niet meer gesproken hebben. Al anderhalf jaar niet meer.'

'Allemachtig.'

'Het is altijd al moeizaam gegaan tussen mij en mijn moeder.'

'En met je vader dan?'

'Hij is er nu overheen, of dat zegt hij tenminste. We spreken elkaar een keer per week, zoiets, maar steeds als ik bel wil zij niet aan de telefoon komen.'

'Het lijkt erop dat zíj zich kinderachtig gedraagt, dus waarom voel jij je dan schuldig?'

Anna ging daar niet tegen in. 'Kijk, ik weet wel dat zij melodramatisch doet en dat ze me zou moeten steunen, maar het ligt iets ingewikkelder. Ze drinkt, snap je, en ik denk niet dat de manier waarop ik leef de zaak veel goed doet.'

'Hoe erg is het?'

'Het ging eigenlijk wat beter. Dat is het probleem. Maar ik denk dat ze door mijn... carrièrestap een terugval heeft gekregen. En mijn vader kan het niet goed aan.'

Thorne schonk het laatste beetje water uit. 'Dus wat je daarnet zei, dat je goed kon zien wanneer mensen liegen...'

Ze knikte en wist dat hij het verband had gelegd. 'Mama was er heel goed in, maar ik heb geleerd de tekenen te herkennen. Ik wist dat ze al vier glazen ophad wanneer ze zei dat het er maar eentje was, ik wist waar ze de lege flessen bewaarde, van die dingen. Dus, begrijp je, ik ben niet precies als die vent in die tv-serie, maar meestal heb ik het wel door als iemand de kluit belazert.'

'Dat zal ik onthouden.'

'Hoe kom je aan dat litteken?'

Ze wees. Thorne bracht zijn hand omhoog en volgde de rechte witte lijn die over de onderkant van zijn kin liep.

'En pas op, ik merk het als je onzin verkoopt, weet je nog?' zei ze.

'Het was een vrouw met een mes, een paar jaar geleden,' zei Thorne. 'Of een man met een zegelring die me een hijs gaf toen ik zijn broer probeerde te arresteren. Of ik ben tegen een salontafel gevallen toen ik vijf was.'

Ze kneep haar ogen tot spleetjes. 'Mes,' zei ze. 'Ik heb gelijk, hè?'

'Je had een kans van een op drie.'

'Ik moet je ook nog vertellen dat ik daardoor erg goed ben in liegen.' Ze leunde achterover en sloeg haar armen over elkaar. 'En dat ik een verrekt goeie pokerspeler ben.'

'Meen je dat?'

'Daardoor heb ik tijdens mijn studie niet in een bar hoeven werken.'

Thorne knikte, oprecht onder de indruk. Ze was beslist naïef, deze meid, en praatziek en overenthousiast.

Maar ze bleef hem verrassen.

Aan de uitdrukking op Kates gezicht toen ze de deur opendeed meende Thorne te zien dat ze heel goed wist waarom Anna en hij langskwamen. Ze reageerde in ieder geval niet erg geschokt toen hij het haar vertelde.

Ze stonden met z'n drieën in de woonkamer en alle drie verstrakten ze toen ze voetstappen op de trap hoorden. Donna kwam binnen met een handdoek om haar natte haar. Niemand was nog gaan zitten.

'Wat is er loos?' vroeg ze.

Thorne zette voor Donna nog een keer alles op een rijtje. Vervolgens richtte hij zich weer tot haar vriendin. 'Julian Munro heeft de tatoeage gezien, Kate,' zei hij. 'Niet heel gedetailleerd, hoewel ik niet denk dat de naam een lichtje bij hem had doen branden.'

'Maar bij ons wel,' zei Anna.

Kates hand ging naar haar hals, naar de sierlijke letters die boven het boordje van haar T-shirt uit krulden. Ze knikte. 'Het was bloedheet die dag,' zei ze. 'Ik weet nog dat we met z'n tweeën in dat café zaten te zweten en dat ik dat stomme onderhemd aanhad...'

Donna stond daar maar met de handdoek in haar hand, met een blik in haar ogen waaruit zoveel razernij sprak dat het even leek alsof ze de vrouw van wie ze hield ermee wilde wurgen. 'Heb jíj Ellie gezien? Waarom heb je me dat godverdomme niet verteld? Wat heb jij daar verdomme mee te maken?' schreeuwde ze, en ze vuurde razend van woede de ene na de andere vraag af, terwijl Kate haar gezicht afwendde en een wanhopige poging deed haar te onderbreken. 'Waarom heb je haar opgezocht? Jézus, waarom krijg ik dit nu pas te horen?'

'Het spijt me.'

'Al dat gelul laatst, toen je met je hand op je hart zwoer dat je aan mijn kant stond. Ik had gelijk, hè? Dat je jaloers was. Heb je geprobeerd haar bang te maken?'

'Nee –'

'Heb je haar gezegd dat ik haar niet wilde zien?'

'Jézus, nee. Waarom zou ik dat willen?'

'Hoe moet ik dat verdomme weten? Omdat je niet helemaal lekker bent in je hoofd?'

'Probeer nou even rustig te blijven,' zei Thorne.

Donna draaide zich in een flits om. 'En jij kunt ook de klere krijgen. Ik zie heus wel hoe je hiervan geniet.'

'Onzin.'

Donna richtte zich tot Anna en priemde met haar vinger in de richting van Thorne. 'Hij kickt erop, kijk maar.'

'Waarom ben je Ellie gaan opzoeken, Kate?' vroeg Thorne.

Kate deed een stap naar achteren tot ze tegen de bank aan stond en plofte erop neer. 'Luister, het was een stom idee van me,' zei ze. 'Dat wist ik. Maar ik wist ook hoe je ernaar uitkeek om haar terug te zien. Dus toen ik vrijkwam, wilde ik gewoon… ik weet niet, de weg effenen of zoiets. Gewoon helpen.'

'Wat zei ze?' vroeg Anna.

'Wat heb jíj verdomme gezegd?' Donna beende op Kate af, ging vlak voor haar staan en wierp haar een giftige blik toe. 'Wat heb jij tegen mijn dochter gezegd? "Je kent me niet, maar ik heb je moeder de laatste jaren in de gevangenis gebeft"?'

'Ik heb haar verteld dat ik een vriendin was.'

'Nou, mooie teringvriendin,' zei Donna.

Kate keek Thorne aan. 'Het pakte niet goed uit, oké? Zoals ik zei, het was een stom idee en ik weet eigenlijk ook niet wat ik ervan verwachtte.'

'Jullie konden dus niet goed met elkaar overweg?' vroeg hij.

'Ik denk dat ik haar helemaal overstuur heb gemaakt.'

'Julian Munro zei dat het leek of jullie ruzie hadden.'

'Het kwam op een slecht moment voor haar, dat is alles. Ze wachtte op de uitslag van het examen en daar was ze helemaal gestrest over. Ze raakte overstuur en... Nou ja, het was gewoon niet het goede moment, oké?'

'En dat was de laatste keer dat je haar hebt gezien?'

Kate knikte.

'Je hebt Ellie Langford nooit meer gezien na die ontmoeting in het café in Cobham?'

'Nee, daar is het bij gebleven,' zei Kate. 'Dat was een paar weken voordat ze werd vermist.'

Opeens zwiepte Donna de handdoek met kracht in het rond en sloeg er keihard mee op het kussen naast Kate, die in elkaar kromp toen hij neerkwam. 'Ik heb bij jou uitgehuild. Toen je op bezoek kwam, de dag nadat ik had gehoord dat Ellie was verdwenen. Ik huilde als een kind en jij zat daar maar. Je had haar gezíén en je zat daar maar en zei niets.'

'Je weet waarom ik het vraag, Kate,' zei Thorne. 'Waarom ik het móét vragen.'

Anna keek hem aan en het was duidelijk dat ze niet begreep waar hij het over had. Thorne bleef Kate aanstaren.

'Het meisje dat je hebt vermoord was ongeveer even oud als Ellie, toch?'

Kates ogen, waarin nu wanhoop stond te lezen, ontmoetten die van Thorne. 'Dat kun je niet menen.'

'Dat was ook een geval van slechte timing, als ik me niet vergis.'

'Nu ga je te ver.'

'Iemand die niet reageerde zoals je verwachtte.'

'Dat is bijna twintig jaar geleden.'

'Waarover maakten Ellie en jij ruzie?'

Kate keek omhoog naar Donna, boog zich naar haar toe en greep de natte handdoek vast alsof haar leven ervan afhing. 'Don, die onzin geloof je toch niet, hè? Ellie is gewoon verdwenen, ik zweer het!' Ze trok aan de handdoek, maar Donna hield stand, haar knokkels krijtwit, haar ogen op de vloer gericht. 'Zeg het tegen ze. Zeg tegen ze dat dit te ver gaat, Don, in godsnaam...'

'Heeft ze iemand vermóórd?'

Thorne knikte terwijl ze snel naar de auto liepen nadat Donna de voordeur achter hen had dichtgeslagen. 'Ze zei het zelf al: we hebben het dan wel over twintig jaar geleden. Ze was nog maar een tiener.'

'Wie was het?' vroeg Anna.

'Een meisje op wie ze verliefd was, maar die al iets met iemand anders had.' Thorne had Katherine Mary Campbells dossier na zijn eerste bezoek aan Donna opgevraagd. 'Kate heeft haar meer dan twintig keer met een zware hamer geslagen.'

'Jezus...'

Toen ze bij de auto waren, konden ze het geschreeuw in het huis nog steeds horen.

'Dus wat denk je?' vroeg Thorne. 'Liegt ze?'

'God mag het weten,' zei Anna. 'Vanaf het moment dat deze zaak aan het rollen is gebracht, heb ik het idee dat bijna iedereen wel ergens over liegt.'

Thorne opende het portier van de auto. 'Kijk, nóú begin je eindelijk als een rechercheur te denken,' zei hij.

19

Thorne en Louise liepen over Camden Market te struinen, waar het ondanks de ijzige kou en een dreigende regenbui even druk was als op andere zondagen. Hoewel Louise nog een paar avonden per week in haar
eigen appartement in Pimlico doorbracht, hadden ze het er vagelijk
over gehad om Thornes appartement wat op te knappen en ze was op
zoek naar ideeën voor de inrichting.

'Iets kleurrijkers,' had ze gezegd. 'Iets swingends.'

Maar er zat niets bij wat haar iets leek en het doel van de strooptocht
verdween al snel naar de achtergrond. Ze sjokten bijna twee uur lang
doelloos rond terwijl Thorne over de kou liep te mekkeren, kochten
versgebakken donuts van een stalletje vlak bij Dingwalls en liepen
daarna door naar Chalk Farm voor een lunchafspraak met Phil Hendricks.

Ook al was hij nog zo goed bevriend met Hendricks, een paar maanden geleden zou Thorne zich nog gestoord hebben aan de aanwezigheid van zijn vriend – die als een inbreuk hebben beschouwd op de
paar kostbare uurtjes die hij samen met zijn vriendin had. Hij kon zich
niet meer herinneren wie van hen deze afspraak gemaakt had, maar
dat gaf ook eigenlijk niet. Hij stond er nu heel anders tegenover en vermoedde dat dat voor Louise ook gold.

Ze aten mosselen met friet bij Belgo en dronken daar bier bij met
bizarre namen als Satan Gold en Slag, en een walgelijk brouwsel dat

Mongozo Banana heette en dat Louise niet weg kreeg. Hendricks hielp haar maar al te graag. Hij vond het buitengewoon grappig dat de meest gevaarlijk klinkende bieren door monniken van de trappistenorde werden gebrouwen.

'Na een paar pinten van dat spul komen de tongen wel los, denk ik,' zei hij, terwijl hij een frietje in een kommetje mayonaise doopte. 'Dan moeten ze toch op z'n minst over hun lippen kunnen krijgen: "Ik hou van je, je bent mijn beste vriend."'

'Of kunnen vragen waar de dichtstbijzijnde kebabtent is,' zei Thorne.

'Geloof me, je wilt niet weten wat ze allemaal uitvreten in die kloosters waar liters bier omgaan. Misschien kunnen ze wel niet praten omdat ze altijd wat in hun mond hebben zitten...'

Hendricks was op dreef en ze hadden alle drie ontzettende lol. Hij vertelde wat anekdotes over een paar van zijn collega-pathologen – 'humorloze eikels' – en had het over zijn liefdesleven, 'levenlozer dan de stakkerds op mijn snijtafel'. Hij scheen te voelen dat Thorne en Louise snakten naar wat gezelschap en plezier, dat ze allebei een zware tijd doormaakten op hun werk en dat het thuis niet veel beter ging.

Toen Louise naar het toilet was, vroeg Hendricks hoe het met Thorne ging. Ze hadden de hele dag nog niet over het werk gesproken, maar het was duidelijk dat hij niet op Adam Chambers of Alan Langford doelde.

'Ik denk dat ik haar op de zenuwen werk,' zei Thorne. Hij keek Hendricks aan en zag dat zijn vriend daar niet in trapte. 'We werken elkaar op de zenuwen.'

'Jullie moeten er eens tussenuit,' zei Hendricks. 'Zodra het even kan.'

'Ja, zodat we elkaar ergens anders op de zenuwen kunnen werken waar het wat warmer is.'

'Het gaat er gewoon om dat jullie de tijd voor elkaar nemen, dat is alles.'

'Misschien...'

'En je zou eens wat aan je woonsituatie moeten doen. Om het allemaal wat duidelijker te maken of zoiets.'

'Heb je je speech als ceremoniemeester al klaarliggen?'

'Ik zeg het alleen maar, misschien moet Lou haar appartement opgeven. Of jullie zouden allebei je appartement kunnen verkopen en dan iets groters zoeken.'

Die mogelijkheden hadden ze al besproken voordat Louise een miskraam had gekregen. Maar zoals zoveel andere dingen was verandering brengen in hun woonsituatie iets geworden wat ze allebei met de zwangerschap associeerden en waar om die reden niet meer over werd gepraat.

'Het is maar een blip op de radar, jongen,' zei Hendricks.

Thorne keek op en zag Louise terugkomen van het toilet. Ze zag er moe en afwezig uit en leek geen haast te hebben om weer aan tafel te komen zitten, en plotseling begreep Thorne het onbewuste verband dat hij de laatste dagen had gelegd: hij zag Louise hartverscheurend zitten huilen in haar zilverkleurige Mégane die ze ergens had geparkeerd.

Hij dacht: het gaat over mij.

Iets waarmee ze was opgezadeld of mee moest leren leven.

Een blip.

Hendricks boog zich over de tafel en zei: 'Als ik mijn speech ga houden ligt iedereen in een deuk...'

Na de lunch gingen ze terug naar de markt en terwijl Hendricks en Louise de vintagewinkels afstroopten op zoek naar tweedehandskleding en retromeubels, liep Thorne terug langs de hoofdstraat naar de Electric Ballroom op zoek naar tweedehands cd's.

Hij doorzocht een paar bakken en stuurde toen een sms'je naar Anna Carpenter: DE SERIE HEET 'LIE TO ME' EN DE ACTEUR IS TIM ROTH!

Hij stond de lijst met nummers op een verzamel-cd van Alison Krauss door te nemen, toen ze hem terugbelde.

'Je bent geniaal,' zei ze. 'Dat zat me de hele tijd dwars.'

'Ik wilde het je gisteren al zeggen.'

'Weet je, er is een pubquiz waar ik op zondag weleens naartoe ga met een paar vrienden. Ik vroeg me af of je het leuk vindt om een keer mee te gaan.'

'Een quiz?'

'Het is heel leuk en eerlijk gezegd kunnen we jou wel in ons team gebruiken.'

Thorne deed een stap opzij zodat een andere snuffelaar even in de bak met Johnny Cash bootlegs kon zoeken. 'Klinkt heel wat leuker dan de administratie doen, maar ik moet voor morgen een heleboel achterstallige zaken wegwerken.'

'Kom op! Twee pinten voor elk lid van het winnende team.'

'Ik ben er trouwens helemaal niet goed in,' zei Thorne. 'Als het niet om muziek, voetbal of onbekende tv-series gaat.'

'Dat soort vragen zit er altijd wel tussen, en het maakt ook eigenlijk niet uit of je het antwoord weet. Het is gewoon voor de gezelligheid.'

'Ik kan het beter niet doen.'

'Oké, nou bel maar als je nog van gedachten verandert.'

Thorne zei dat hij dat zou doen en omdat hij nog een kwartier had tot hij Louise en Phil weer zou treffen, richtte hij zich weer op de bakken met cd's. Hij vroeg zich af waarom het gesprek hem zo nerveus had gemaakt, en of Anna eigenlijk wel zo goed was in het doorzien van leugens als ze dacht.

Hij hoefde de administratie helemaal niet te doen. En de naam van de acteur had hij via Google opgezocht.

Als hij op vrijdagavond zin had om uit te gaan, sprak hij meestal met Candela of met een van zijn andere vriendinnen af. Maar de zaterdagavond bracht hij meestal met de jongens door. Gisteravond had hij met een paar maten een boot genomen en waren ze een mijl de kalme zee op gevaren en daar voor anker gegaan. Iemand had een royale hoeveelheid coke meegenomen waarmee ze in de juiste stemming waren gekomen, daarna hadden ze wat zaken gedaan en rode wijn gedronken tot niemand meer een zinnig woord kon uitbrengen.

Dus op zondag sliep hij zoals gewoonlijk lang uit. Toen hij weer op de been was, strompelde hij naar de patio om thee te drinken en naar een van de Engelstalige radiostations te luisteren. En toen hij zich weer een beetje mens voelde, ging hij bij het zwembad liggen om de losbandigheid van de vorige avond uit te zweten.

Hij bladerde *El Sur in English* door, een gratis krant die elke week werd bezorgd. Op de voorpagina stond een artikel over een mislukte actie van de ETA om mensen uit de gevangenis te bevrijden en in de rubriek 'plaatselijk nieuws' herkende hij een paar gezichten, maar er stond niets in dat zijn belangstelling trok. Later op de dag zou hij naar de stad rijden om de buitenlandedities van de *Mail on Sunday* en de *News of the World* te kopen. Hij miste de bijvoegsels, maar hij vond het heerlijk om de sportpagina's te lezen en de kruiswoordraadsels op te lossen.

Hij had in iedere plee van het huis boeken met kruiswoordraadsels en sudoku's liggen; dat hield zijn geest scherp.

De wind bemoeilijkte het lezen van de krant, dus pakte hij een pocket die hij bij zijn laatste reisje naar Noord-Afrika op het vliegveld had gekocht en die al een paar maanden naast zijn bed lag. Het boek werd aangeprezen als een 'keiharde thriller over het criminele milieu' en beloofde 'onthullend' te zijn. Dat leek hem nou net geschikt om zijn gedachten af te leiden van wat er in de echte wereld aan de gang was.

Hij wilde weer eens kunnen lachen.

Met de meeste films was het net zo. Al die aan de lopende band geproduceerde rotzooi met snelle gozers en explosies en autoachtervolgingen van die gast die het vroeger met Madonna hield... Gangster chic of hoe ze het ook mochten noemen.

Het had meer weg van gangster shit.

Best onderhoudend als het je daar om te doen was, en hij en de jongens hadden een paar keer ontzettend moeten lachen. Maar verder was het net zo realistisch als die verdomde *Lord of the Rings*-films...

Het boek beantwoordde aan de verwachtingen – snelle pakken en geweren met afgezaagde loop – althans in de paar pagina's die hij las voordat de woorden wazig werden en hij zich voelde wegdommelen. Hij klapte de rugleuning van zijn ligstoel helemaal naar achteren en trok de handdoek over zijn hoofd. Uit de radio klonk een oud nummer van de Rolling Stones en de automatische stofzuiger slurpte en tikte terwijl hij de bodem van het zwembad schoonmaakte, en toen hij een uur later wakker werd, had hij een bonkende koppijn.

Hij hield de handdoek over zijn gezicht en bleef roerloos liggen. Hij snakte naar een drankje, maar had geen zin om op te staan en naar de keuken te lopen of zelfs maar de hulp te roepen die binnen in de weer was. Achter zijn ogen was het heet en wit, hij baadde in het zweet en zijn bezorgdheid sloeg om in woede terwijl de zon steeds hoger aan de hemel kwam te staan. Hij werd chagrijnig en kreeg moordneigingen terwijl hij overdacht wat er aan de hand was, en welke maatregelen hij moest treffen.

Zoveel gezeik om een paar rotkiekjes...

Iemand had het op hem gemunt, dat was duidelijk, maar het was niet zo makkelijk om erachter te komen wie. Daarom moest hij behalve de zaken die hij in Engeland moest regelen, ook hier laten rondvragen. Er kwamen een paar mensen in aanmerking: een gemeenteraadslid dat hij misschien te veel onder druk had gezet, een Marokkaanse leverancier die vond dat hij onderbetaald werd, een parvenuachtige tweedehandsautohandelaar die hier een halfjaar geleden was neergestreken en op zijn nummer was gezet toen hij zich gedroeg of hij de baas was. En dan waren er nog een heleboel anderen die zich eraan stoorden dat hij te dicht bij hun vrouw of vriendin in de buurt kwam. Ieder van hen kon die foto's hebben gestuurd en het gedonder hebben veroorzaakt.

Het zou natuurlijk helpen als hij die verrekte foto's te zien kreeg. Dan zou hij een duidelijker idee hebben van wie zijn karretje in de poep had gereden. Hoe dan ook, hij zou er uiteindelijk wel achter komen en orde op zaken stellen, maar tot dat moment moest hij vooral de schade zien te beperken.

Gelukkig was hij daar altijd goed in geweest.

Hij probeerde nog wat te lezen maar het verhaal werd er niet beter op, en hij smeet de pocket, die in ieder geval lekker zwaar aanvoelde, zo hard als hij kon naar de schuifpui. Het boek sloeg met een klap tegen het glas en viel toen op het terras. Hij lag te kijken hoe een paar losgeraakte bladzijden door de wind in de richting van het water werden geblazen.

Ze kochten gebakjes bij een patisserie in Camden Parkway en namen die mee naar Thornes appartement. Louise toverde ergens een theepot vandaan en serveerde melk in een kannetje, ondanks Thornes chagrijnige tegenwerpingen dat een kom warme soep met geroosterde beschuitbollen meer op zijn plaats was omdat het zo koud was dat zijn ballen er bijna af vroren.

Hendricks had Thorne toegevoegd dat hij een zijige zeikerd uit het zuiden was. Thorne deed alsof hij het niet hoorde. Louise was het alleen niet eens met het 'zijige'.

Na de thee kwam de wijn tevoorschijn, en terwijl ze daar met elkaar zaten te praten en te drinken zette de zondagse landerigheid al vroeg in. Buiten nam het licht af, en toen ook het gesprek een duistere wending nam, kondigde Louise aan dat ze in bad ging.

Thorne maakte nog een fles open. 'Ik had op school beter mijn best moeten doen.'

'Wát zeg je?'

'Een diploma moeten halen waarmee ik naar de universiteit had kunnen gaan. Een baan had kunnen krijgen waarin ik me niet zo vaak zou voelen als ik me nu voel.'

'Daar zou ik me niet druk over maken,' zei Hendricks. 'Ik vraag me sowieso af of je daar wel slim genoeg voor was geweest.' Glimlachend hief hij zijn glas. 'Dit is vrijwel zeker het hoogst haalbare voor je.'

Het was een truc die Hendricks al heel vaak had gebruikt. Dollen en grappen maken om Thorne van een sombere bui af te helpen. Dat had vaak geholpen, maar vanavond was het onbegonnen werk, en dat zei Thorne hem ook.

'Wie zegt er nou dat ik een grap maakte?' vroeg Hendricks.

'Misschien heb je wel gelijk,' zei Thorne. 'Anders had ik het niet zo lang uitgehouden.'

'Misschien moet je eens hogerop.'

'Je bedoelt...'

'Je was al inspecteur toen ik nog medicijnen studeerde.'

'Ik vind het wel best, zo.'

'Wat is er mis met een extra streep en een vaste parkeerplek?'

'Niks... als ik de hele dag op m'n reet wil zitten. En als ik het niet erg zou vinden die van Jesmond de hele tijd te moeten likken.'

'Dan ben je wel even uit de vuurlinie.'

'Dan zou ik nog liever een lijk wassen.'

'Dat kan geregeld worden,' zei Hendricks. Hij schonk hun glazen bij en knikte in de richting van de badkamer. 'Zeg, je zou haar rug moeten masseren in plaats van hier met mij te zitten ouwehoeren.'

Thorne legde een glimlach op zijn gezicht, maar ondertussen dacht hij aan het bruisende enthousiasme dat Anna Carpenter uitstraalde.

Ooit had hij hetzelfde gevoeld, of waarschijnlijk gevoeld, lang voordat hij over het lijk van een kind gebogen had gestaan. Voordat hij had toegekeken terwijl een man werd gemarteld zonder in te grijpen. Lang voordat hij een moordenaar triomfantelijk de rechtszaal uit had zien lopen om door de media gefêteerd te worden.

'Waarom doe je niet gewoon examen?' vroeg Hendricks. 'Dat leidt je gedachten misschien wat af.'

Vijf minuten later stond de patholoog op om naar huis te gaan, klagend dat de Northern Line nog meer vertraging had dan anders vanwege reparaties aan het spoor in het weekend. Bij de voordeur trok hij Thorne naar zich toe voor de gebruikelijke onhandige omhelzing en knipoogde. 'Met een beetje geluk is dat badwater nog warm.'

Thorne liep terug naar de woonkamer en dronk zijn glas leeg. Hij zocht een nummer in zijn agenda op en belde.

'Steve? Je spreekt met Tom Thorne.'

Stephen Keane was een man van weinig woorden, althans in Thornes beleving. Maar aan de andere kant kende Thorne hem niet zo goed en had hij hem nooit onder normale omstandigheden meegemaakt. Voor hetzelfde geld was hij in zijn gewone doen een ontzettende ouwehoer, maar sinds zijn dochter was vermoord, was hij een man van weinig woorden.

Ook nu kostte het de vader van Andrea Keane een paar seconden om de juiste woorden te vinden.

'O, hallo.'

'Ik belde even om te horen... hoe het met jullie ging. Met jullie allebei.'

'Met ons gaat het goed.'

'Ik had al eerder willen bellen, het spijt me –'

'Is dit omdat Chambers op de radio is geweest?'

'Heb je het gehoord?'

'We werden gebeld door een vriend die het ons vertelde.'

'Het is een schande. Wat kan ik ervan zeggen?' Thorne zat nu hoofdschuddend op de rand van de bank. 'Als we het op een of andere manier hadden kunnen tegenhouden, hadden we het gedaan, dat kan ik je wel vertellen. Dit had jullie bespaard moeten blijven.'

'Luister, ik ben net even ergens mee bezig, dus –'

'Geen probleem. Sorry dat ik... Geen enkel probleem.'

Er viel een stilte. Stemmen op de achtergrond aan Keanes kant. Thornes adem luid tegen de telefoonhoorn.

'Wat wíl je eigenlijk?'

'Zoals ik zei, ik wilde alleen weten hoe het met jullie ging.' Thorne liet zich op de grond zakken. 'Ik weet niet... ik dacht dat het misschien zou helpen.'

'Mij zou helpen, of jou, meneer Thorne?'

Howard Cook hield het autoportier open en wachtte op zijn vrouw die langzaam over het pad van het restaurant aan kwam lopen. Hij pakte haar liefdevol bij de arm en hielp haar terwijl ze zich bukte en zich moeizaam in de passagiersstoel liet zakken.

'Zo, jij zit, schat.'

De artritis werd steeds erger, dus er had in ieder geval een greintje waarheid gezeten in wat hij tegen die smeris had gezegd. Hij wist al een tijdje dat Pat steeds meer zorg nodig zou hebben. Door de gebeurtenissen in de gevangenis had hij de knoop eerder doorgehakt, maar hij dacht er toch al een tijdje over om vervroegd met pensioen te gaan.

Het was eigenlijk gewoon een pub, maar je kon er uitstekend eten en het was maar tien minuten rijden, dus trakteerden ze zichzelf een paar keer per maand op een etentje. Af en toe gingen ze er met vrienden naartoe – een stel dat Pat van de bibliotheek kende, of een van de andere bewaarders met zijn vrouw – en ze hadden ook hun oudste zoon en zijn vriendin een keer meegenomen op een van die zeldzame gelegenheden dat hij het zich verwaardigde bij hen langs te komen. Maar als ze samen waren was het ook goed.

'Hoe was jouw lamsvlees, schat?' vroeg ze.

'Heel mals. En jouw biefstuk?'

'Voor mij een tikje te rood om eerlijk te zijn, maar ze zijn daar zo aardig dat je er niet graag wat van zegt, hè? En het toetje was heerlijk.'

'Zullen we gaan?' zei hij.

Op weg naar het dorp over de smalle onverlichte wegen lieten ze de radio zoals altijd uit. Ze vonden het fijner om met elkaar te praten. Na tweeëndertig jaar huwelijk hadden ze nog steeds genoeg gespreksstof.

Heel wat mensen benijdden hen daarom, zeiden dat dat het geheim van een lang en goed huwelijk was.

Dat, én dat je wist wanneer je beter níét over bepaalde dingen kon praten.

Onderweg zetten ze het gesprek voort dat ze in de pub tijdens de maaltijd met een fles rosé erbij waren begonnen. Ze hadden het over de kinderen gehad, hadden besproken waar ze dit jaar met vakantie heen zouden gaan en wat ze aan moesten met Pats moeder, die vijfentachtig was en amper het huis meer uit kwam. Ze praatten over van alles en nog wat, behalve over waar het geld vandaan moest komen en over zijn pensioen dat uit het niets was komen opduiken, heel wat jaartjes te vroeg. Cook was blij dat zijn vrouw hem goed genoeg kende om het er niet over te hebben. Toen hij haar een paar dagen geleden over zijn besluit had verteld, had hij met zoveel woorden duidelijk gemaakt dat hij geen zin had om er verder op in te gaan. Ze had geknikt, bezorgd maar begripvol, en hij had haar een geruststellende knuffel gegeven.

'Het is allemaal al geregeld, dus we hoeven het er verder niet meer over te hebben.'

Hoe het allemaal precies was geregeld stond nog te bezien, maar hij dacht niet dat Boyle en zijn team hem snel met rust zouden laten. Cook had zich brutaal door de eerste confrontatie heen gebluft omdat hij niet wist wat hij anders moest doen. Hij had behoorlijk arrogant gedaan tegen die Londense smeris en gezegd dat hij vooral moest spitten tot hij erbij neerviel, maar nu was hij voortdurend doodsbenauwd dat er op zijn deur zou worden geklopt en dat er een grijnzende Andy Boyle voor zijn neus zou staan als hij opendeed.

'Goed nieuws, Howard. Niet voor jou, helaas...'

Het geld dat hij voor de eerste paar 'gunsten' had gekregen – dat mobieltje en een paar andere dingen – was allang op, en voorlopig zou er zeker geen poen meer binnenkomen tot de boel weer tot rust was gekomen. Maar hij had geen flauw idee of alle andere betrokkenen even zorgvuldig waren geweest. Eén uitglijer en ze waren allemaal het haasje.

Ze stopten voor hun huis; Pat had het erover dat ze thee ging zetten en Cook besloot zich wat te ontspannen. Dit waren tenslotte wel mensen die wisten waar ze mee bezig waren; die hun huiswerk hadden gedaan. Hij had zich vaak afgevraagd of ze hem soms beter kenden dan zijn vrouw hem kende. Of ze, toen ze hem voor het eerst hadden benaderd, precies hadden geweten hoeveel zorgen hij zich maakte of hij de eindjes wel aan elkaar kon knopen van zijn pensioentje als gevangenbewaarder.

Dat het niet waarschijnlijk was dat hij hun aanbod zou afslaan.

'Nou, we zijn thuis, schat...'

Maar godallemachtig, nu wenste hij dat hij indertijd nee had gezegd. Destijds had het een hoop geld geleken voor weinig werk of risico. Een paar klusjes in de gevangenis en daarbuiten, en in ruil daarvoor een zak vol tientjes in de achterbak van zijn auto.

'Blijf maar zitten, dan help ik je uitstappen.'

Maar niemand had het over moord gehad. Of over bloed dat over de vloer van een cel gutste en over zelfgemaakte steekwapens die verdonkeremaand moesten worden. En hij had zich er niet aan kunnen onttrekken.

Want op dat moment hadden ze hem al in hun zak.

Hij stapte uit en liep om de auto heen om Pats portier open te doen. Ze stak haar hand uit en hij stond op het punt die te pakken, toen de koplampen over de heuvelrug verschenen.

De auto kwam zo hard aanrijden dat hij maar een of twee seconden lang besefte wat er ging gebeuren. Net lang genoeg om nog één keer in de hand van zijn vrouw te knijpen voordat hij haar losliet. Voordat de auto hem samen met het geopende portier schepte en vervolgens vol gas wegscheurde, terwijl het gebrul van de motor wegstierf en Patricia Cook steeds harder begon te schreeuwen.

Een paar minuten later belde een buurman de hulpdiensten, terwijl hij geknield zat naast het lijk op de weg en zijn echtgenote de radeloze vrouw in de auto trachtte te kalmeren. Toen er eenmaal een ambulance onderweg was, werd de noodoproep doorgeschakeld naar het dienstdoende evaluatieteam moordzaken dat onmiddellijk een van hun auto's erop afstuurde. Binnen het uur, zodra de patholoog zijn eerste onderzoek had afgerond en de identiteit van de overledene was vastgesteld, werd contact opgenomen met de Recherche Informatiedienst van West Yorkshire. Nadat ze de naam van het slachtoffer in de computer hadden ingevoerd, werden de details van het incident doorgegeven aan de rechercheur die leiding gaf aan het onderzoek waarin Howard Cook een verdachte bleek te zijn. Binnen twee uur na het voorval in Kirkthorpe had de zaak een nummer gekregen en waren de benodigde dossiers geopend.

Er werd een tweede moordonderzoek gestart.

Om iets voor halftwaalf 's avonds, terwijl hij van zijn huis aan de andere kant van Wakefield op weg was naar de plaats delict, belde Andy Boyle met Tom Thorne.

20

'Er valt nog zoveel te doen,' zei ze. 'Er moet van alles geregeld worden. Ik heb nog niet eens de kans gehad om boodschappen te doen of te koken en het huis is een zwijnenstal. Ik zou graag thee voor jullie zetten of iets anders. Ik kan zo even naar het eind van de straat lopen om een cake te kopen...'

Pat Cook zweeg, de gedachte vervloog alsof er net een herinnering was komen bovendrijven, en ze keek naar de vrouw die naast haar op de bank zat. Ze leek verbaasd daar de plaatselijke agente te zien – die opdracht had gekregen de nacht bij haar door te brengen en al die tijd naast haar had gezeten – en schudde haar hoofd. Even leek ze zich af te vragen wat die vrouw en de twee andere politiemensen in haar voorkamer deden.

Ten minste één van de rechercheurs leek dat zelf ook niet precies te weten.

'Nee, hoor. Dat hoeft echt niet,' zei Thorne. 'Wij zitten hier goed.'

Het was maandag rond lunchtijd, maar de gordijnen voor de grote ramen waren nog dicht en de enige lichtbron in de kamer deed verwoede pogingen door de bruine lampenkap met franje van een staande lamp te dringen. Pat Cook droeg een gewatteerde blauwe kamerjas en had iets in haar handen wat op het shirt van een herenpyjama leek. Ze sprak langzaam, en elke gedachte scheen haar veel inspanning te kosten, alsof ze nog niet helemaal wakker was.

'Hebt u een glimp van de auto kunnen opvangen?' vroeg Andy Boyle. Hij stond bij de deur, net als die keer toen Thorne Jeremy Grover ondervroeg. Thorne vroeg zich af of hij dit expres deed, of het iets met status te maken had. 'Het merk of de kleur?'

'Het was donker,' zei Pat Cook. 'En het ging allemaal zo snel.'

'Ook niet toen hij wegreed? Een paar cijfers van het kenteken, misschien?'

'Ik keek niet naar die auto, ik keek naar Howard. Hij leek maar door te blijven rollen. Toen hij eindelijk stillag, zag ik het portier naast hem in het gras liggen.' Ze richtte zich tot de agente. 'Het portier van de auto is er finaal af, wist u dat?' De agente knikte en bevestigde vriendelijk dat ze het wist. 'Ik keek ernaar, het was helemaal verwrongen en ik bedacht nog dat het een hele klus zou worden om het weer op de auto te monteren. Belachelijk, nu ik erover nadenk. Vindt u niet dat dat een idiote gedachte is?'

'Nee hoor, helemaal niet,' zei Thorne.

Hij wist uit ervaring dat mensen in shock de vreemdste gedachten konden hebben. Hij herinnerde zich een vrouw die haar man met een vleesmes te lijf was gegaan en maar bleef zeggen dat ze er zoveel spijt van had dat ze zijn favoriete overhemd had vernield. Een vader wiens jonge zoon het onschuldige slachtoffer van een schietpartij was geworden en die obsessief op zoek was gegaan naar de voetbal die zijn zoon bij zich had gehad. 'Het was zijn beste bal,' bleef de man maar zeggen. 'Hij zou het verschrikkelijk hebben gevonden als die kwijt was geraakt.'

'Hebt u kunnen zien of er een of twee mensen in de auto zaten?' vroeg Boyle.

Thorne rolde de mouwen van zijn overhemd zo onopvallend mogelijk op en trok zijn boordje los. Het was veel te warm in de kamer, maar geen van de bezoekers had daar een opmerking over willen maken.

'Ik heb niets gezien.'

Thorne vroeg zich af of Howard Cook de radiatoren altijd temperde; of hij degene was die altijd klaagde dat het te benauwd was in huis en de thermostaat lager zette en de ramen opengooide. Thorne moest het stel dat het over dat soort dingen eens was, nog tegenkomen.

Boyle stelde nog een paar vragen over het incident, maar Thorne wist dat het alleen voor de vorm was. De auto was vrijwel zeker gestolen en als hij uiteindelijk werd gevonden zouden ze heel veel geluk hebben als die een greintje nuttige informatie opleverde. Gezien het verloop van het onderzoek tot dusver, zouden ze zelfs als het enorm meezat en ze degene konden arresteren die de moord had gepleegd, waarschijnlijk nooit te weten komen wie hem had betaald om Howard Cook te vermoorden. Thorne wist natuurlijk wel wie in laatste instantie verantwoordelijk was, en hij had uit goede bron vernomen dat dit een man was die alle mogelijke uitkomsten goed had overdacht. Dus hij had beslist rekening gehouden met de kans dat de mensen die hij had ingehuurd gearresteerd en ondervraagd zouden worden.

'Het heeft te maken met zijn baan, hè?' vroeg Pat Cook plotseling. 'Met dat geld?'

Boyle zette een halve stap van de deur vandaan. 'Wat is daar dan mee?'

'Toen ik hem ernaar vroeg, en dat is minstens een jaar geleden, zei hij dat hij veel vaker overwerkte.' Ze schudde haar hoofd om wat in haar ogen een onschuldig leugentje om bestwil was geweest. 'Maar ik wist wanneer hij wegging en thuiskwam omdat ik altijd voor hem kookte, ik had altijd eten klaarstaan, weet u? Ik kende zijn rooster beter dan hijzelf, en hij deed echt geen overwerk.'

'Wat denkt u dan dat het was?' vroeg Thorne.

'Ik wist dat het... geen overwerk was.'

Thorne knikte. 'En waar begon u dat aan te merken?'

'Eigenlijk aan een paar kleine dingen. Hij kocht zo'n Tens-apparaat voor me vanwege de artritis, en een orthopedisch bed, zo'n ding dat omhoog en omlaag kan. En die zijn niet goedkoop. Ik heb het nagevraagd. En toen de auto een beurt moest hebben hoorde ik hem er niet over jeremiëren zoals altijd, begrijpt u? Want ze plukken je kaal, die garages, zo is het toch? Stuk voor stuk onbetrouwbaar.'

Thorne en Boyle wisselden een blik. Het was duidelijk nog niet tot haar doorgedrongen dat haar echtgenoot dood was, dus de ironie van het woord 'onbetrouwbaar' was waarschijnlijk niet aan haar besteed.

'Dus u slikte het voor zoete koek? U vroeg er verder niet naar?'

'Ik was het eerlijk gezegd helemaal vergeten. Howard lette altijd op de financiën. Hij wilde niet dat ik me er zorgen om maakte.'

Dat geloof ik maar al te graag, dacht Thorne.

'De rekeningen werden betaald, we gingen met vakantie. Alles ging zijn gewone gangetje, begrijpt u?'

'Hebt u hem ooit met verdachte types gezien?' vroeg Boyle.

Dat scheen Pat Cook bijzonder grappig te vinden. 'Hij was een gevangenbewaarder, jongen,' zei ze. 'Hij bracht acht uur per dag door met de meest verdachte types die je ooit hebt gezien.'

'Dat is waar...'

Weer vroeg Thorne zich af wat Andy Boyle verwachtte: *Ja, nu je het zegt, er was een vent... zag er heel onbetrouwbaar uit, die er altijd voor zorgde dat niemand het zag als hij Howard zo'n grote bruine envelop vol geld gaf. Grappig, want destijds zocht ik daar helemaal niks achter...*

'Dus wat gaat er nu gebeuren?' vroeg ze.

'Nou, we doen al het mogelijke om degene die verantwoordelijk is voor de dood van uw man voor het gerecht te brengen...' Het was het begin van een praatje dat Thorne al vaak had afgestoken en waarvan hij wist dat het overtuigend klonk, maar hij zweeg toen hij zag dat Pat Cook het hoofd schudde.

'Nee, jongen, ik bedoel met Howard.' Ze vouwde haar handen in haar schoot. 'Laten jullie hem nu alsjeblieft met rust?'

Na afloop reed Andy Boyle terug naar Wakefield en daarna door naar zijn kantoor op een industrieterrein ten zuiden van de stad, waar zijn team was ondergebracht in een aantal met elkaar verbonden units. Politiebureaus waren zelden mooi, maar dit zag er wel heel grimmig uit, en zelfs Becke House oogde daarbij vergeleken als een charmant gebouw. Thorne vroeg zich af of de politiekorpsen een of andere exclusieve overeenkomst hadden gesloten met dezelfde mensen die slachthuizen en parkeergarages ontwierpen. Moesten die bureaus er nou echt zo treurig uitzien? Hij hoefde heus geen rieten dak of geraffineerde waterpartij, maar godallemachtig... was het werk op zich al niet treurig genoeg?

Het deed de zaak toch geen goed als de mensen die het werk moesten doen al gedeprimeerd raakten zodra ze de drempel over stapten?

Thorne maakte er een opmerking over toen ze het gebouw in liepen, maar Boyle antwoordde dat hij er eigenlijk nooit over had nagedacht en dat het hem ook geen moer interesseerde. Thorne vroeg of hij weleens van het sickbuildingsyndroom had gehoord, maar Boyle schudde zijn hoofd, ging hem voor naar de meldkamer en gebaarde naar het tiental mannen en vrouwen dat aan rommelige bureaus zat te werken.

'Het ziekeklootzakkensyndroom zal je bedoelen,' zei hij, ingenomen met zijn grap. 'Je zou eens moeten horen wat ze er soms uit gooien.'

Toen hij aan de ploeg werd voorgesteld, zag Thorne dat Boyle ondanks zijn chagrijnige pose niet alleen trots was op zijn mensen, maar de meesten van hen ook bijzonder graag mocht. Dat hij beslist een hechtere band had met hen dan Thorne had met sommige mensen met wie hij helaas moest samenwerken.

Voor de zoveelste keer verbaasde hij zich erover dat politiemensen die in teams werden samengebracht altijd in duidelijk onderscheiden en herkenbare categorieën konden worden ingedeeld. Je had de types die van aanpakken wisten en je had de klagers. Je had de kontlikkers, de eenlingen en de kleerkasten. Thorne herkende een Yvonne Kitson en een paar Dave Hollands, en na een paar slechte grappen en gewaagde opmerkingen kreeg hij ook de Sam Karim van dit team in de peiling. Nadat hij met vrijwel iedereen een praatje had gemaakt, wist hij niet zeker wie van hen het dichtst in de buurt van hemzelf kwam. Hij vroeg zich af of het Andy Boyle misschien was, maar terwijl hij daarover nadacht, dwaalden zijn ogen af naar een knorrige brigadier die zich wat afzijdig hield. Hij had alleen wat gebromd toen Thorne aan hem was voorgesteld en had zich daarna weer naar zijn computerscherm gekeerd. Hij maakte een wat verstoorde indruk.

Thorne sprak met de rechercheurs die de financiële handel en wandel van Howard Cook en Jeremy Grover moesten uitpluizen en kreeg vrijwel hetzelfde verhaal te horen dat Andy Boyle hem al had verteld. Vrijwel zeker in contanten. Tot dusver geen gedocumenteerde geldstroom.

'Die smeerlappen zijn niet achterlijk,' zei een van hen.

Thorne dacht terug aan de woorden van Pat Cook voordat ze weggingen: de smeekbede uit naam van haar man. Hij had de vraag ontweken omdat hij haar de pijnlijke waarheid wilde besparen. Maar het kwam erop neer dat ze hem, tot ze iets vonden wat hun meer houvast bood – wat dat ook mocht zijn – niet met rust zouden laten.

'Blijf graven,' zei hij tegen de rechercheurs.

Hij vertelde in het kort hoe het onderzoek in Londen vorderde. Voor de opsporing van Alan Langford trokken ze een aantal veelbelovende aanwijzingen na, maar ze konden nog steeds alle hulp gebruiken die ze maar konden krijgen. 'Als we een veroordeling uit het vuur willen slepen,' zei hij, 'geeft het werk dat jullie hier doen waarschijnlijk de doorslag.'

'Een bewogen toespraak,' zei Boyle toen Thorne klaar was. 'Jij gaat het nog ver schoppen.'

'Over m'n lijk,' zei Thorne.

'Nu we het daar toch over hebben...' Boyle knikte naar een man in een duur pak die op hen af kwam benen. Hij mompelde: 'Daar gaan we, hoor...' en stelde met een glimlach hoofdinspecteur Roger Smiley voor.

Toen de hoofdinspecteur Thornes hand schudde en zei hoe blij hij was met de wijze waarop hun twee korpsen samenwerkten, bleek meteen dat hij zijn achternaam geen eer aandeed. Thorne deed zijn best om te doen alsof hij een en al aandacht was, en vormde zich ogenblikkelijk een mening over de man. Zelfde rang als Brigstocke, maar waarschijnlijk geen Brigstocke. Veel te formeel, maar gelukkig geen goocheltrucs.

'We gaan er graag van uit dat we net zo goed kunnen anticiperen als jullie in Londen,' zei Smiley. 'Zo is het toch, Andy?'

'Precies,' zei Boyle, maar hij keek erbij alsof hij niet het flauwste benul had waarop geanticipeerd moest worden.

'We zijn er dus ontzettend trots op dat dit onderzoek zo'n goed praktijkvoorbeeld is van het CHIPS-initiatief.'

'Het wát voor initiatief?' vroeg Thorne.

Eindelijk glimlachte Smiley. 'CommunicatieHulpmiddelen voor Informatie-uitwisseling tussen PolitieSystemen.'

'Jazeker, een lichtend voorbeeld. Absoluut.' Nee, geen Brigstocke, concludeerde Thorne. Een uitgesproken Jesmond, geen twijfel mogelijk.

'Jullie hebben vast genoeg te doen,' zei Smiley. 'Andy regelt wel een kamer voor je als je er een nodig hebt.'

Thorne bedankte hem en zei dat hij niet van plan was al te lang te blijven maar dat een kamer voor een uur of twee mooi zou zijn. Toen Smiley weg was, wendde Thorne zich tot Andy Boyle. 'CHIPS? Maakt hij een geintje?'

'Ziet hij er zo uit?'

'Ik denk weleens dat ze eerst die stomme afkortingen bedenken en daar dan van die nutteloze programma's bij maken.'

'Laatst heb ik er zelf een voorgesteld,' zei Boyle. 'Politie Infrastructuur voor Landelijke Systemen. Zei hem dat hij dan een PILS bij zijn CHIPS kon nemen.'

Thorne schoot in de lach.

'Hij vertrok geen spier van zijn gezicht.'

Aan het eind van de dag had Thorne een paar uur in een muf kantoortje doorgebracht en alles doorgelezen wat het team van West Yorkshire na de moord op Paul Monahan had verzameld, plus de informatie die ze in de paar uur na de moord op Howard Cook hadden weten te vergaren. Alle informatie die op het onderzoek betrekking had zou vanuit Londen ook toegankelijk zijn via een gemeenschappelijk databasesysteem, maar Thorne vond het handiger om de dossiers door te nemen terwijl degenen die ze hadden samengesteld in de buurt waren om eventuele vragen te beantwoorden.

Maar er bleek niets bij te zitten wat hem verontrustte of reden tot opwinding gaf.

Een dossier opbouwen, noemden sommigen het, hoewel Jesmond en Smiley en hun soort er waarschijnlijk een veel verhullender omschrijving voor zouden hebben. In Thornes ogen was niemand iets aan het opbouwen, maar dat viel ook wel te begrijpen aangezien het hun aan het benodigde materiaal ontbrak en ze geen duidelijk idee hadden wat er gebouwd moest worden.

Zie dat je Alan Langford te pakken krijgt. Voor Thorne was het al zo eenvoudig geworden.

En zorg dat je zijn dochter vindt.

Hij belde en liet een bericht voor Louise achter om haar te laten we-

178

ten dat hij op het punt stond te vertrekken en dat hij op tijd thuis zou zijn voor een laat avondmaal, tenzij de trein vertraging had. Hij stelde voor om op weg naar huis van King's Cross een curry mee te nemen.

Hij stond op en pakte zijn jack, toen hij van gedachten veranderde en weer terugliep naar het bureau. Hij pakte de telefoon en belde Donna Langford.

'Wat moet je, verdomme?'

'Hoe is het nu tussen jou en Kate?' vroeg hij.

'Wat kan jou dat schelen?'

'Kennelijk genoeg om ernaar te vragen.'

'We slaan elkaar de hersens in. We praten niet met elkaar. Ik ga verhuizen. Welke van de drie wil je het liefst horen? Waar krijg je de grootste atijve van?'

'Wat ben je kinderachtig, Donna.'

'Hoor's, het zijn hier nou niet bepaald de wittebroodsweken op dit moment. Laten we het daarop houden, goed?'

'Kate heeft niets te maken gehad met de verdwijning van Ellie,' zei Thorne. 'Dat moet je wel weten.'

Er viel een stilte aan de andere kant. 'Dus waarom heb je laatst dan die ouwe koeien uit de sloot gehaald? Toen je dat akkefietje van Kate van twintig jaar geleden oprakelde?'

'Ik probeerde alleen maar de knuppel in het hoenderhok te gooien, begrijp je?'

'De knuppel in het hoenderhok?'

'Jullie uit je tent lokken, proberen erachter te komen wat er is gebeurd. Dat is wat ik lacherig "mijn werk" noem.' Thorne trok een stuk papier naar zich toe, pakte een pen en begon te droedelen. 'Het was niet mijn bedoeling om jullie tegen elkaar op te zetten.'

'Nou neem je me zeker in de zeik?' zei ze.

'Oké, ik wist dat dat zou kunnen gebeuren, maar dat was niet de opzet. Dat wil ik alleen maar zeggen.'

'Dat is allemaal mooi en aardig, maar ik hoor je geen sorry zeggen.'

Thorne zat al zo dicht tegen een verontschuldiging aan als hij van plan was geweest. 'Hoor eens, toen je dit allemaal in gang zette, moet je geweten hebben dat je wat... rottigheid zou kunnen tegenkomen.'

'Ík heb niks in gang gezet.'

'Hoe dan ook, je weet wat ik bedoel.' Thorne rekende terug naar de datum waarop de eerste foto was gearriveerd, en hoewel de gedachte even bij hem was opgekomen, had hij niet het idee dat Donna Langford de foto's naar zichzelf had opgestuurd. 'Nou ja, sinds dit allemaal aan het rollen is gebracht...'

'Ik heb nooit gedacht dat het van een leien dakje zou gaan,' zei ze. 'Ik ben niet naïef.'

'Er zijn twee mensen vermoord, Donna, dus van een leien dakje gaat het inderdaad niet.'

Zoals Thorne had verwacht, bleef het stil aan de andere kant van de lijn. Het incident in Kirkthorpe was nog niet in het nieuws geweest. Donna wist van de moord op de huurmoordenaar die ze tien jaar geleden had ingehuurd, maar ze kon onmogelijk weten wat de gevangenbewaarder was overkomen die daaraan medeplichtig was geweest. Hij hoorde dat ze een sigaret opstak.

'Wie dan nog meer?' vroeg ze zacht.

'Ik kan je geen details geven, maar ga er maar van uit dat je ex in de gaten heeft dat er mensen naar hem op zoek zijn.'

'Jezus...'

'En daarom wil ik je vragen om Anna Carpenter te bellen en haar te zeggen dat je niet meer van haar diensten gebruik wilt maken.'

'We leven toch in een vrij land? Als ik haar wil betalen en zij het geld wil –'

'Luister, we zijn geen van tweeën groentjes meer, oké?' Thorne drukte de balpen hard op het papier en ging keer op keer over dezelfde vorm heen. 'We weten allebei waartoe Alan Langford in staat is als hij zich bedreigd voelt; wij weten wat hij al gedaan hééft, en om allerlei redenen kunnen jij en ik er niet voor kiezen om er wel of niet bij betrokken te raken. Ik wil hem graag achter slot en grendel hebben en jij wilt je dochter terug. Maar wat Anna ook denkt dat ze wil, ze is hier niet rijp voor. Ze is verdomme niet veel ouder dan jouw dochter.'

De zucht was gevuld met rook. 'Goed. Ik praat wel met haar,' zei Donna.

'Dank je.'

Er gingen tien seconden voorbij voordat Donna zei: 'Wat zijn het voor mensen? Die Ellie kregen?'

Het duurde even voordat Thorne zich realiseerde dat ze naar de Munro's informeerde. 'Ze zijn heel aardig,' zei hij.

'Gelukkig.'

'En ze maken zich evenveel zorgen als jij.'

Er viel niet veel meer te zeggen, en nadat Thorne had gezegd dat hij nog zou bellen om te vragen hoe het gesprek met Anna was verlopen, hing Donna op. Hij leunde achterover in zijn stoel en bedacht dat hij zin had in een borrel. Dat de relatie van Kate en Donna hecht genoeg was om de storm te doorstaan die hij had veroorzaakt. Dat Kate ondanks haar verleden de eerlijkste van de twee was.

Hij pakte het stuk papier op en staarde naar zijn gekrabbel: een huis, een boot met een enorme zon erboven, een vrouw die in een auto zat. Toen verfrommelde hij het en gooide het op weg naar de meldkamer in een prullenmand.

Hij trof Andy Boyle bij de kopieermachine en vroeg of er iemand was die hem bij het station kon afzetten. Boyle zei dat hij het zelf wel zou doen. En vervolgens: 'Ik wilde trouwens vragen of je nog plannen had voor de rest van de avond.'

Thorne aarzelde. Hij stond op het punt de smoes over de achterstallige administratie op te lepelen, zoals hij gisteren ook bij Anna had gedaan, maar Boyle gaf hem de kans niet.

'Misschien heb je zin om een hapje te eten.'

'Nou ja... misschien kunnen we in de buurt van het station even snel iets nemen,' zei Thorne.

'Niks bijzonders hoor. Ik heb een enorme stoofschotel in de koelkast staan, dat is alles.'

'O.' Thorne besefte dat hij bij Boyle thuis werd uitgenodigd. 'Nou, dank je wel Andy, maar ik denk dat ik maar eens terug moet. En ik wil je ook niet lastigvallen.'

'Je valt me niet lastig, hoor.' Boyle leunde tegen de kopieermachine. 'Ik zou het wel gezellig vinden om je de waarheid te zeggen, en die stoofschotel moet op.'

Thorne wierp een blik op Boyles trouwring. 'Oké. Ik dacht alleen...'

Boyle keek zelf ook naar de ring, bewonderend, alsof hij hem voor het eerst zag. 'Ze is een paar jaar geleden overleden.'

'Dat spijt me.'

'Het is best een lekkere stoofschotel, al zeg ik het zelf.'

'Dat geloof ik graag,' zei Thorne.

'Ze heeft me die laatste maanden allerlei soorten dingen leren koken.'

21

Boyle en Thorne reden door een drukke straat vol winkels die voor het merendeel nog open waren hoewel het al na halfzeven was, en restaurants die net vol begonnen te lopen. Aan de klanten en de uithangborden te zien was de gemeenschap overwegend van Aziatische origine.

Terwijl ze voor een stoplicht stonden te wachten, draaide Thorne het raampje omlaag en dacht aan de curry die hij vanavond had kunnen eten.

Algauw reden ze een rustiger buurt in en stopten voor Boyles bescheiden rijtjeshuis. 'De stad heeft heel wat voor z'n kiezen gehad de afgelopen jaren,' zei Boyle. 'Een paar van die gasten die in 2005 de bomaanslagen in Londen hebben gepleegd kwamen hier vandaan, dus we hebben hier heel wat antiterreuracties meegemaakt. Er is veel aandacht in de pers geweest voor eerwraakmoorden en zo, speciale campagnes en wat niet meer.' Hij deed de deur open. 'Persoonlijk kan het me geen reet schelen waaróm je iemand vermoordt. Je bent een klootzak en ik grijp je in de kraag, zo simpel is het.'

Thorne liep achter Boyle aan over het smalle pad en vond dat het als werkopvatting wel aardig de spijker op de kop sloeg.

'De laatste trein gaat rond tien uur, denk ik,' zei Boyle. 'Ik heb binnen wel ergens een dienstregeling liggen.' Hij leunde tegen de voordeur tot die openging. 'Het kan zijn dat mijn toestand dan niet toestaat dat ik je nog naar het station breng, maar er rijden genoeg taxi's.'

'Dat is prima.'

'Let niet op de rotzooi...'

De stoofschotel was goed, zoals Boyle had beloofd, en Thorne zorgde ervoor dat hij dat ook zei. Het lamsvlees was mals en goed gekruid en er zat gedroogd fruit in – abrikozen en stukjes mango – wat Thorne nog nooit eerder in een stoofschotel had geproefd, maar wat heel goed combineerde met de Le Puy-linzen. Ze aten in de keuken en gingen daarna met blikjes bier in de woonkamer zitten. Die was behoorlijk ruim maar rommelig: een stapel kranten op een salontafel, een berg schone of vieze kleren, dat viel niet uit te maken, op een stoel. De ene hoek van de kamer werd in beslag genomen door een enorme plasma-tv waaronder dvd's stonden opgestapeld en over de vloer slingerden. Thorne zag dvd-boxen van *Only Fools and Horses* en *The Fast Show* en alles wees erop dat zijn gastheer van cricket hield: *England's Six of the Best*, *The Greatest Ashes Ever* en *Boycott on Batting*.

Andy Boyle was een Yorkshireman tot in zijn vezels.

'Zal ik je eens vertellen waar ik echt vrolijk van word?' zei Boyle. 'De gedachte aan Jeremy Grover die in z'n broek schijt als hij hoort wat Howard Cook is overkomen.'

'Aangenomen dat hij het al niet weet?'

'Ja, er is altijd wel iemand die iemand anders kent, hè? De tamtam.'

Die zijn er genoeg, dacht Thorne.

'Misschien wordt die schijtlijster daar wat praatgrager van.'

'Of juist niet,' zei Thorne.

Boyle haalde zijn schouders op en beaamde dat dat meer voor de hand lag, dat de moord op Cook weleens in de eerste plaats bedoeld zou kunnen zijn als waarschuwing aan Grover. 'Begrijp me niet verkeerd,' zei hij. 'Ik heb medelijden met zijn vrouw, natuurlijk. Maar ik vind ergens ook wel dat Cook zijn verdiende loon heeft gekregen.'

'Dat vind ik nogal hardvochtig.'

'Dat kan wel zijn, maar hij kende de risico's. Als je besmet geld van dat soort tuig aanpakt, gaan alle regels overboord.' Boyle schudde zijn hoofd. 'Cook was plat en dat kan ik mensen nooit vergeven. Wat er ook gebeurt, je blijft eerlijk, vind je niet?'

Dit was duidelijk een stokpaardje, dus Thorne knikte alleen maar en zei: 'Klopt.'

'Net als in ons werk. Het kan me niet schelen of het om een paar rot-centen gaat of om kilo's coke die je links en rechts jat, een platte smeris is een platte smeris en daar wil ik niks van weten.' Hij glimlachte sluw. 'Ik herken ze altijd meteen.'

'Is dat zo?' Thorne dacht aan Anna Carpenter en haar ingebouwde leugendetector. Hier zat weer iemand die dacht dat hij een neus voor oneerlijkheid had.

'Zeker weten, vriend.' Boyle wees. 'Ik had jou al na vijf minuten door.'

'Ga door...'

Boyle zweeg even voor het komische effect. 'Je bent een rukker, maar wel een eerlijke rukker.'

Thorne lachte, en hield zijn blikje omhoog toen Boyle dat van hem omhoogstak.

Ze zwegen een poosje. Zo lang dat het ongemakkelijk werd en Thorne op het punt stond te vragen of de tv aan kon.

'Maar het was wel een vreemd wijf, hè?' zei Boyle. 'Cooks vrouw.'

'Ik heb mensen wel vreemder zien reageren,' zei Thorne.

'O ja, ik ook.' Boyle nam een grote slok bier en leunde ontspannen achterover in zijn stoel, zich duidelijk al verheugend op de kans om sterke verhalen uit te wisselen. Of misschien gewoon wat te kletsen. 'Een maat van me kreeg eens een klap in zijn gezicht toen hij het nieuws moest brengen. Die vrouw ging door het lint en verkocht hem een flinke lel, alsof het zijn fout was.'

'Iedereen reageert verschillend.'

'Ja, dat kun je wel zeggen.'

Een plotselinge dood kon mensen op de meest uiteenlopende ma-nieren doen reageren. Thorne had meegemaakt dat mensen in lachen uitbarstten toen hun het slechte nieuws werd meegedeeld, alsof hij en de agent die met hem mee was een met zorg voorbereide practical joke met hen hadden uitgehaald. Het duurde bij de meeste mensen even voordat het tot hen doordrong, maar hij kon zich niemand herinneren die zo kalm reageerde als Pat Cook. Haar ontkenning was haast kin-derlijk, een spelletje doen-alsof.

'Je staat helemaal perplex, ook al zie je het aankomen,' zei Boyle.

Thorne knikte en voelde waar Boyle heen wilde.

'Net als met mijn Anne. Ik bedoel, die laatste paar maanden praatten we nergens anders over... we hebben alles geregeld, want Anne hield niet van losse eindjes, weet je? Maar helemaal op het eind was het nog steeds... verschrikkelijk.' Hij nam nog een slok. 'Je denkt dat je erop voorbereid bent, maar dat is niet zo, dat wil ik maar zeggen. Het is nog steeds alsof de wereld stilstaat.'

'Dat moet vreselijk zijn geweest,' zei Thorne.

'Het is niet te beschrijven, jongen.'

'Hoe oud was...'

'Ze was tweeënveertig.' Zijn vingers waren bezig met de armleuning, plukten aan een losse draad, een viezigheidje, of nergens aan. 'Dat is toch verdomme geen leeftijd om te gaan?'

'Maar je redt jezelf goed, Andy,' zei Thorne. 'Ik weet zeker dat ze trots op je zou zijn.'

'Ze zou stomverbaasd staan, jongen.'

'Ik meen het.'

Boyle dronk zijn blikje leeg en drukte het in elkaar. 'Je moet verder, zo is het toch? Je hebt geen keus.'

Thorne vroeg zich af hoe het de komende weken en maanden voor Pat Cook zou zijn. Bij sommige mensen hielp het als ze al hun energie stopten in hun onversneden haat tegen degene die ze verantwoordelijk hielden. Voor anderen was het eenvoudiger om zichzelf de schuld te geven.

Ik had hem nooit naar buiten moeten laten gaan.

Ik had haar moeten ophalen.

Had ik maar, had ik maar, had ik maar...

Hij vroeg zich ook af hoe het Andrea Keanes familie zou vergaan nu het rechtssysteem had verordonneerd dat Adam Chambers vrij was om te gaan en te staan waar hij wilde, dat hij frisse lucht mocht inademen en mocht praten met wie hij maar wilde over de jonge vrouw die zij waren kwijtgeraakt. Maar zij konden hun woede tenminste afreageren op het rechtssysteem; misschien zou dat sommigen van hen helpen.

'Wil je er nog een?' vroeg Boyle, zwaaiend met het verkreukelde blikje.

'Ik heb deze nog niet op.'

'Je vindt het niet erg als ik er nog eentje neem?'

'Het is jouw huis,' zei Thorne. Hij keek toe hoe Boyle naar de keuken liep en dacht nog steeds aan de ouders van Andrea Keane. Hij hoopte dat wat er in de rechtszaal was gebeurd, niet langzaam het weinige dat nog van hen restte kapot zou maken.

Het was waarschijnlijk ijdele hoop, dat wist hij.

Eén enkele moord kostte vele levens.

Ondanks het feit dat ze al haar impulsen onderdrukt had en extra aardig tegen Frank had gedaan, had hij haar geen toestemming gegeven om iets voor halfzes de deur uit te gaan, zodat ze midden in het spitsuur terechtkwam. Het had haar bijna anderhalf uur gekost om de twaalf kilometer van Victoria naar het huis van haar ouders in Wimbledon af te leggen. Tijd genoeg om zich af te vragen waarom ze die moeite nam.

En zichzelf moed in te spreken.

Toch had ze nadat ze voor de deur had geparkeerd nog vijf minuten nodig voordat ze er klaar voor was om naar binnen te gaan. Ze zat in de auto en staarde naar wat ooit haar thuis was geweest: een huis met vier slaapkamers en een flinke tuin en uitzicht op het park, en op nog geen tien minuten lopen van de All England Club.

'Op een dag is dat allemaal van jou,' had haar vriend Rob gezegd.

'Ik denk dat ik onterfd ben,' had Anna geantwoord.

Geen van beiden had het echt als grap bedoeld.

Haar vader liep terug van de ijskast en droeg de melk naar de keukentafel, waar Anna zat.

'Dat moet een vreemde oerdrift zijn,' zei Anna. 'Elke keer als ik hier ben, krijg ik zin in cornflakes.'

Haar vader glimlachte. 'Ik zorg altijd dat ik ze in huis heb.'

'Dank je.'

'Ikzelf neem altijd een geroosterde boterham, en je moeder...'

'Ja, ik weet het. Als zíj Rice Krispies zou nemen, zou ze er geen melk overheen gieten.' Anna keek op en zag de uitdrukking op haar vaders gezicht. 'Stomme grap. Sorry...'

Ze begon te eten.

'Ze zal blij zijn dat je gekomen bent, weet je.'

'Wat?'

'Ik heb haar verteld dat je zou komen en als je straks weg bent, vraagt ze me het hemd van het lijf.'

'Als ze nuchter is.'

'Dan vraagt ze waar we het over gehad hebben.'

'Of ik misschien ook iets over háár heb gezegd, bedoel je.'

Haar vader zocht naar woorden, maar gaf het op en wendde zich af. Hij pakte een doekje dat over de gootsteen hing en begon het aanrecht af te nemen. Anna keek naar hem en dacht: Deze ellende maakt hem stukken ouder. Het is belachelijk...

Robert Carpenter zat nog net aan de goede kant van de zestig, en werkte tot voor kort fulltime bij een van de grootste accountantskantoren in het financiële centrum van Londen. Maar sinds zijn vrouw weer zwaar was gaan drinken ging hij steeds minder vaak naar kantoor en Anna wist dat ze daar niet eeuwig begrip voor op zouden blijven brengen. Ze voelde zich er elke dag schuldig over, hoewel ze heel goed wist dat het niet haar fout was.

'Ze praat heus wel over je, hoor.'

Anna liet haar lepel vallen en ging bruusk achterover in haar stoel zitten. Ze zag dat haar vader ervan schrok, maar ze zat zich zo te ergeren dat het haar niets kon schelen. 'Daar moet je echt eens mee ophouden.'

'Waarmee?'

'Met op zo'n belachelijk zachte toon over haar te praten, alsof ze die gekke vrouw op zolder is of zo.'

'Ik wist niet dat ik dat deed.'

'Ze is haar verstand niet kwijt... nog niet. Ze is alleen maar een stom, koppig wijf.'

'Maak je nou niet zo kwaad –'

'Een koppig, stomdronken wijf!'

'Hou alsjeblieft op met schreeuwen.'

'Het kan me niet schelen dat ze me hoort. Ze speelt waarschijnlijk toch luistervink, als ze tenminste nog bij bewustzijn is.'

Haar vader ging weer verder met schoonmaken, maar gaf het na een poosje op. Hij smeet het doekje in de gootsteen en ging tegenover Anna zitten.

'Sorry,' zei ze.

'Het is goed.' Hij droeg een chic overhemd op een spijkerbroek, alsof hij zichzelf niet toestond zich helemaal te ontspannen, dacht Anna. Of zich dat niet kon permitteren.

'Hoe gaat het met haar?'

'Wat beter, denk ik. Vorige week zijn we een paar dagen naar het Lake District geweest. Mooi hotel. Ze leek er echt van te genieten.'

'Is ze nuchter gebleven?'

Een flauwe glimlach. 'Min of meer.'

'Neemt ze al haar pillen nog?'

'Dat denk ik wel, maar ik kan haar niet de hele tijd in de gaten houden, snap je?'

'Dat begrijp ik.' Anna boog zich voorover en gaf een klopje op haar vaders arm. 'En je kunt het jezelf niet kwalijk nemen dat zij een fles wodka in haar keel giet terwijl jij de kost probeert te verdienen. En probeert te leven.'

Hij zat een tijdje toe te kijken hoe ze at. Ze was bijna klaar. 'En jij moet jezelf ook niet de schuld geven... van al dit gedoe. Het is niet jouw fout.'

Anna wilde te snel antwoord geven, waardoor er melk over haar kin droop. Ze schoten allebei in de lach en ze deed een nieuwe poging. 'Zo voelt het soms wel.'

'Je was alleen maar een excuus,' zei hij. 'Het excuus waarop ze zat te wachten. Zo werkt dat bij verslaafden.'

Anna keek hem aan.

'Ik heb er een paar boeken over. Het is altijd makkelijker te beweren dat iemand ze aan de drank of wat dan ook heeft gebracht. Het is makkelijker om iemand anders te haten dan jezelf.'

'Denk je dat ze me haat?'

'Nee, natuurlijk niet, zo heb ik het niet bedoeld...'

Anna knikte en nam de laatste paar happen. 'Ze komt zeker niet naar beneden, hè?'

'Ik kan het haar nog een keer vragen,' zei haar vader. 'Proberen haar over te halen.'

'Dat zou niet nodig hoeven zijn, ik ben haar dochter, verdomme.' Ze leunde achterover en wipte op haar stoel. 'En ik ben gelukkig, weet je dat?'

'Dat weet ik,' zei hij. 'En wat er ook in het hoofd van je moeder omgaat, hoe erg dit ook uit de hand loopt, ik ben blij dat het voor jou goed heeft uitgepakt.'

'Nou, zover zou ik niet durven gaan. Ik kan de huur amper betalen.'

'Heb je geld –'

'God, nee, ik bedoelde alleen... Ik moet het vak nog onder de knie krijgen, dat is alles. Maar die zaak waar ik nu aan werk is geweldig. De mensen zijn interessant en leuk. Vroeger bij die bank... Nou ja, dat weet je.'

Ze zweeg, en ze deden allebei net of ze niet luisterden naar die zware voetstappen op de vloer boven hen, de deur die harder werd gesloten dan nodig was.

'Vertel me eens wat over die zaak,' zei hij.

Anna knikte. 'Weet je het zeker? Ik bedoel, misschien vind ík het alleen interessant.'

'Dat is voor mij genoeg,' zei hij. Toen boog hij zich voorover om nog een portie cornflakes in de kom van zijn dochter te strooien.

Andy Boyle was zo'n drinker die steeds minder zei naarmate hij meer had gedronken. Hij kletste nog steeds vrolijk verder, maar had de neiging zichzelf te herhalen en de stiltes tussen zijn steeds onduidelijker en onsamenhangender uitspraken werden steeds langer.

'Je moet tevreden zijn met wat je hebt, dat wil ik maar zeggen, want het ene moment is alles nog rozengeur en maneschijn, en het volgende moment ben je de lul. Je fietst vrolijk door het leven, niks aan de hand, en dan ga je naar de dokter omdat je een knobbeltje voelt of weet ik veel, en dan gaat alles naar de gallemieze. Kijk dus maar verdomd goed uit.'

'Zal ik doen.'

'Ik bedoel maar...'

Thorne luisterde, bromde af en toe wat en wierp een blik op zijn horloge als Boyle niet keek of zijn ogen even dichtdeed. Uiteindelijk, om kwart over negen, vroeg hij waar hij de dienstregeling van de trein kon vinden en het nummer van een plaatselijke taxidienst. Boyle dirigeerde hem naar een la in het tafeltje in de hal, en vervolgens naar een schaal in de keuken. Terwijl Thorne naar het achterlijk kleine lettertype van de dienstregeling tuurde, tastte Boyle naast zijn stoel naar een nieuw blikje, een van de vele die hij van zijn laatste tocht naar de ijskast had meegenomen.

'Dat meen je niet.'

'Wat?'

'Weet je hoe lang de laatste trein er verdomme over doet om in Londen te komen?' Thorne had twee keer gekeken om vast te moeten stellen dat de trein van 22.10 uur uit Wakefield er bijna negen uur over deed om in St. Pancras te komen, met twee keer overstappen, een keer in Sheffield, en vervolgens in Derby, waar hij vierenhalf uur op een verbinding zou moeten wachten.

'Ik weet het, het is belachelijk,' zei Boyle.

'In die tijd zou ik naar huis kunnen lopen,' zei Thorne.

'Kijk maar even, man... je kunt morgen om kwart voor zes ook een trein nemen, of eerder zelfs, als je je nest uit kunt komen. Dan zit je om halfnegen achter je bureau. Probleem opgelost.'

Thorne nam even de tijd om de East Coast Mainline, Richard Branson en iedereen die het leek te verdienen stijf te vloeken. Toen pakte hij een van Boyles blikjes en liep naar de gang om Louise te bellen.

'Volgens mij wilde hij de hele tijd al dat je bleef slapen,' zei Louise nadat Thorne haar over de treinen had verteld. 'Misschien vermoordt hij je wel in je slaap.'

'Misschien heeft hij nog wel maffere plannen...'

'Wie weet zat er rohypnol in die stoofschotel.'

'Hoe was jouw dag?'

'Nu je er toch naar vraagt, het begon ermee dat ik in de kattenkots stapte en vanaf dat moment ging het van kwaad tot erger.'

'O, god.' Thorne had Elvis die ochtend vlak voordat hij van huis ging te eten gegeven, een goed halfuur voordat Louise moest opstaan. 'Sorry.'

'Kun jij niks aan doen.'

'En hoe was het op het werk?'

'Ach, ik heb te maken met een kreng van een rechercheur die aan het team is toegevoegd.' Nu klonk de frustratie van de werkdag in haar stem door. 'Giftige praatjes verspreiden, het gebruikelijke werk.'

'Wat voor praatjes?'

'Maakt niet uit. Maak je geen zorgen, ik krijg haar nog wel...'

Thorne maakte een instemmend geluidje. Daar twijfelde hij niet aan. 'Dus...'

'Maar jij hebt een welbestede dag achter de rug, zo te horen.'

'Ik denk van wel.' Thorne ging nog iets verder van de deur van de woonkamer af staan. 'Hoewel de laatste paar uur eerder onder de noemer "mantelzorg" vallen.'

'Je goede daad van het jaar,' zei Louise.

'Nou, we zien elkaar morgenavond dan.'

'Eigenlijk was ik van plan morgen naar mijn eigen stek te gaan. Ik moet een paar dingen doen.'

'O, oké. Ik dacht alleen dat het fijn zou zijn om –'

'Je kunt ook naar mijn huis komen, hoor.'

Het gesprek kreeg plotseling iets gekunstelds en eigenaardigs, vooral omdat ze dat soort eenvoudige afspraken al honderd keer hadden gemaakt.

'Goed, dat doe ik,' zei Thorne.

'Vooropgesteld dat je de nacht veilig doorkomt, natuurlijk...'

Toen Thorne de woonkamer weer binnenkwam, lag Boyle te slapen in zijn stoel. Thorne schudde hem zachtjes wakker en opperde dat hij misschien beter in bed kon gaan liggen, maar zijn collega hield vol dat hij dik tevreden was met waar hij zat. Hij grabbelde blindelings om zich heen naar de afstandsbediening en zette de tv aan, sperde zijn ogen wijd open en zocht op de tast naar zijn danig geslonken voorraad pils.

'Goed,' zei hij. 'Waar waren we gebleven?'

Thorne belde de taxidienst en regelde een wagen voor kwart over vijf de volgende ochtend. Hij zei tegen de telefonist dat hij wist dat dat achterlijk vroeg was en vroeg hem ervoor te zorgen dat de taxi op tijd was. Hij pakte een paar lege blikjes en bracht die naar de keuken, schonk een glas water in en wenste Boyle toen welterusten.

Hij hoorde Andy Boyle zachtjes in zichzelf praten terwijl hij de trap op liep om de logeerkamer te zoeken.

22

Jeremy Grover lag op zijn brits en luisterde.

In het eerste uur na het afsluiten van de cellen werd er altijd veel gekletst in de vleugel: eerdere gesprekken werden voortgezet en er werden nieuwtjes doorgegeven. Achter de celdeuren werden luidkeels smerige grappen verteld en liedjes gebruld; geruchten, vloeken en bedreigingen uitgewisseld.

Hij luisterde of hij Howard Cooks naam hoorde noemen.

Een paar van de zwarte jongens hadden het over Cook gehad toen het eten werd opgediend. Ze stonden in een hoekje met elkaar te geinen en grijnsden vrolijk naar de bewakers die dienst hadden. Grover had de naam opgevangen en was op hen af gelopen. Ze hadden groot nieuws te vertellen zeiden ze, en het was echt om je te bescheuren. Een van hen maakte de grap dat Cooks pensioen nu eeuwig zou duren, maar op dat moment was een dikke, afstotelijke bewaker die Harris heette, naar hen toe gekomen en had het gesprek afgekapt voordat Grover meer aan de weet kon komen.

Harris was een maat van Cook, en aan de uitdrukking op het gezicht van die klootzak te zien, had hij ook iets gehoord.

Grover was meteen na het eten teruggelopen naar zijn galerij en was op zijn brits gaan liggen. Hij was het liefst in zijn eigen cel tot de deuren op slot gingen en had tijd nodig om na te denken. Hoopte dat de zenuwen in zijn buik tot bedaren kwamen. Hij had het mobieltje uit de schuilplaats gehaald en had een sms'je naar het gebruikelijke nummer gestuurd en duidelijk gemaakt dat hij wilde praten. Instructies nodig had.

Nu lag het mobieltje in de kussensloop onder zijn hoofd; ironisch genoeg het mobieltje dat Howard Cook hem zelf had gegeven.

Zo was Grover erachter gekomen dat Cook te koop was. Dat ze, als puntje bij paaltje kwam, in hetzelfde team zaten. Hij was stomverbaasd geweest. Als hij had moeten raden welke bewaarders zich lieten omkopen, had hij een heleboel anderen aangewezen, die dikke zak van een Harris incluis, voordat hij ooit bij Howard Cook was uitgekomen. Hij bedacht dat dat ook gold voor de criminelen zelf. Vaak waren degenen die eruitzagen als doorgeslagen mafkezen zo bang als een wezel, terwijl degenen die de hele dag braaf in de bibliotheek zaten je kop eraf trokken als je een grap maakte over het boek dat ze zaten te lezen.

Toch had het hem diep geschokt toen hij erachter kwam dat een dienstklopper als Cook corrupt was.

Hij dacht terug aan die avond in de cel, toen hij Monahan te grazen had genomen. Cook die daar in de deuropening stond en zijn keel schraapte alsof hij bijna geen adem kreeg en zijn hand uitstak. 'Geef hier,' had hij gezegd, en Grover had hem de scherp geslepen tandenborstel gegeven nadat hij het bloed eerst aan zijn broekspijp had afgeveegd zodat Cook het niet op zijn uniform zou krijgen. Een seconde lang hadden ze elkaar alleen maar aangestaard en Grover kon zich nog herinneren hoe doodsbang de bewaker had gekeken. Hij zag lijkbleek, en aanvankelijk kreeg hij het niet eens voor elkaar om de tandenborstel weg te stoppen. Hij kon zijn broekzak niet vinden omdat zijn hand zo trilde.

Zo te horen was Cook dus terecht doodsbang geweest.

'Plat was-ie bij leven, plat is-ie dood,
Howard Coo-ook, Howard Coo-ook...'

Het lied galmde als een voetballied over de galerij. Agressief en uitbundig.

Toen hij het trillen onder zijn wang voelde, schrok Grover op en stak snel zijn hand uit om het mobieltje te pakken. Hij gleed van zijn brits en drukte zich plat tegen de muur naast de deur. Hij haalde diep adem.

'Waarom die paniek?'

'Wat is er met Cook aan de hand?' siste Grover.

'Sodeju, dat is snel. Ze hebben hem nog niet eens van de weg geschraapt.'

'Ik begrijp het niet.'

'Moet ik het je uitleggen, Jeremy? Zonder moeilijke woorden?'

'Hij zou nooit iets hebben losgelaten.'

'Hij werd zwaar aan de tand gevoeld door die rechercheur, en je begrijpt dat we het zekere voor het onzekere moesten nemen...'

Grover zei: 'Wacht even,' en drukte zijn oor tegen de celdeur. Er werd nog steeds een hoop lawaai gemaakt dus ze konden hem er onmogelijk bovenuit horen. 'Dus nou moet ik zeker ook bang worden?'

'Ben je dat?'

'Vertel me maar wat over het geld dat ik ga krijgen. Voor het omleggen van Monahan.'

'Daar moeten we nog even mee wachten, tot het wat rustiger is geworden, maar maak je geen zorgen. We sturen het waar jij het naartoe wilde hebben.'

Grover dacht aan zijn zoon en aan de vrouw die hem ter wereld had gebracht. Hij kon er niet zeker van zijn dat dat stomme wijf het meeste geld niet aan coke en drank zou verspillen als ze het uiteindelijk kreeg, maar het zou hun leven in elk geval wat makkelijker maken.

'Trouwens, best een goeie school waar je zoon naartoe gaat. En hij kan ook heel verdienstelijk voetballen. Je mag trots op hem zijn.'

Grover weigerde te happen hoewel hij de implicatie heel goed begreep, maar hij vond het plotseling wel wat moeilijker om adem te halen. Een band om zijn borst die strakker werd aangehaald. 'Dus wat –'

'Hou je gedeisd.'

'Doe ik altijd.'

'We zullen proberen de zaken daarbinnen zo prettig mogelijk voor je te maken. Zolang je maar weet dat het net zo makkelijk de andere kant op kan.'

'Je hoeft je nergens zorgen over te maken.'

'Dat hoop ik. Ik weet nog goed dat ik een hele tijd geleden een soortgelijk gesprek met Paul Monahan heb gevoerd...'

Grover zei: 'Luister, relax nou maar, oké?' en realiseerde zich toen dat hij tegen zichzelf sprak. Hij verstopte het mobieltje weer en ging liggen.

Buiten zongen ze nog steeds liedjes over Howard Cook – vinding-rijke variaties op een populair deuntje, tot er een stem boven de kako-fonie uit rees die dreigde met het intrekken van voorrechten als ze hun kop niet hielden.

Die fokking Harris.

23

Thorne was meer dood dan levend. Hij probeerde zich te concentreren, maar zijn gedachten waren stroperig en traag en Russell Brigstocke hield een slaapverwekkend verhaal. Er was iets nodig om de boel wat op te peppen, vond Thorne.

'Dus laten we verder gaan met het incident in Kirkthorpe,' zei Brigstocke.

Misschien kon hij een van de rechercheurs doormidden zagen, dacht Thorne...

Hij had de wekker van zijn mobieltje gezet en was iets na vijven wakker geworden met een gevoel alsof hij nauwelijks geslapen had. Beneden lag Boyle te slapen waar Thorne hem had achtergelaten, maar hij wist zijn ogen net lang genoeg open te houden dat Thorne kon vragen of hij schone sokken en een onderbroek van hem mocht lenen.

'Ik stuur ze morgen wel terug met de post,' had Thorne gezegd.

Boyle had half slaperig gemompeld: 'Bedankt dat je bent langsgekomen.'

Doordat zowel de taxi als de trein als door een wonder op tijd waren, was Thorne – zoals Boyle had beweerd – om halfnegen terug in Becke House. Hij had nog net tijd gehad om thee en een bacon sandwich uit de kantine mee te grissen. En te bedenken wat hij moest antwoorden op het sms'je dat hij van Anna Carpenter had ontvangen op het moment dat de trein King's Cross binnenreed.

Wat heb je verdomme tegen Donna gezegd?

Nu zat hij achter in de meldkamer, achter een stuk of twintig anderen die op stoelen zaten rond een paar bureaus die tegen elkaar aan waren geschoven. Na de aanslag op Howard Cook waren er de vorige dag nog tien rechercheurs aan het team toegevoegd. Het onderzoek had van de ene op de andere dag 'meer gewicht' gekregen.

Een handig en delicaat eufemisme dat eenvoudigweg betekende dat er steeds meer mensen werden vermoord.

'De auto die zondagavond is gebruikt om Howard Cook dood te rijden is gisteravond laat uitgebrand teruggevonden in een veld tussen Wakefield en Castleford.' Brigstocke keek achter in de zaal en ving Thornes blik.

Een uitgebrande auto. Was het daar niet allemaal mee begonnen?

'Zoals jullie je wel kunnen voorstellen, was er niet veel meer van over,' ging Brigstocke verder. 'Net genoeg om te kunnen vaststellen dat het inderdaad het betreffende voertuig was. Het is zondagochtend gestolen uit een parkeergarage in Wakefield. De auto wordt momenteel onderzocht door een forensisch team daar, maar ik denk niet dat we daar veel van moeten verwachten.'

Yvonne Kitson die ergens vooraan zat, zei: 'Als degenen die die auto in de fik hebben gestoken dachten dat er misschien nog iets bruikbaars te vinden zou zijn, hadden ze hem niet zo open en bloot achtergelaten.'

'Klopt,' zei Brigstocke.

Achter hem was de zaak op een whiteboard uitgetekend: een reeks namen en foto's die met de dikke zwarte lijnen van een marker verbonden waren. Links hing een foto van Howard Cook die ze van zijn vrouw hadden gekregen. Daarboven hing een foto van Paul Monahan, en helemaal bovenaan een foto van het eerste slachtoffer uit het oorspronkelijke sectierapport. De geblakerde overblijfselen die tien jaar geleden uit Alan Langfords Jaguar in Epping Forest waren gehaald.

Een gezicht dat als zodanig nauwelijks herkenbaar was. En aan de rest viel hooguit nog de vorm van een lichaam te herkennen.

Midden op het bord prijkte een van de vele foto's uit het dossier van Alan Langford zelf – allemaal minstens tien jaar oud. Vanuit deze foto liepen pijlen naar de foto's van de slachtoffers en naar de kopieën van de recentere foto's die zijn ex-vrouw had ontvangen. Donna Langfords eigen foto en een foto van haar dochter hingen aan de rechterkant van het whiteboard.

Onder het praten liep Brigstocke zo nu en dan naar het bord en wees de betreffende foto op het bord aan. Het was een eenvoudig geheugensteuntje voor de minder creatieve geesten in het team. Dit is het slachtoffer van de moord. Dit is het vermiste meisje. Dit is die geslepen klootzak die we willen spreken in verband met de dood van déze man.

'We zijn nog niet verder gekomen met uitzoeken wie deze arme stakker was.' Brigstocke wees naar de bovenste foto. 'Daarom concentreren we ons nu op de moorden op Howard Cook en Paul Monahan en proberen die in verband te brengen met Alan Langford.'

Voor de zoveelste keer verbaasde Thorne zich erover hoe optimistisch Brigstocke wist te klinken, hoe goed hij erin was het moreel van het team hoog te houden. Zeker wanneer, zoals in dit geval, 'concentreren op' makkelijk vervangen had kunnen worden door 'zijn nog geen steek opgeschoten met'.

'Wat betreft zijn verblijfplaats,' zei Brigstocke, 'met enig geluk hebben we hem aan de zuidkust van Spanje kunnen traceren.'

Samir Karim stak zijn hand op. Brigstocke vroeg wat er was.

'Ik meld me als vrijwilliger, chef.' Karim draaide zich om naar degenen die achter hem zaten. 'Voor als je mensen zoekt om daarheen te gaan en hem op te pakken.'

'Ik zal aan je denken, Sam.'

'Ik kan wel weer wat kleur gebruiken.'

Er ging wat gelach op, andere stemmen die commentaar leverden en meer handen die de lucht in gingen.

Brigstocke glimlachte en zei: 'Ja hoor, al goed,' en hij wachtte tot de groep weer tot rust was gekomen. 'Ik heb voor iedereen een factsheet en ik zal inspecteur Thorne straks nog wat meer details geven. Er is natuurlijk alle kans dat de vermiste dochter ook in Spanje zit...'

Thorne keek naar de foto van Ellie Langford, een van de reeks die Donna Langford hem had laten zien. Ze keek nors, alsof glimlachen haar fysiek pijn deed.

'... maar we blijven natuurlijk contact houden met de gebruikelijke instanties voor het geval dat er een lijk wordt gevonden.'

Thorne vergeleek de foto onwillekeurig met de tientallen foto's van Andrea Keane die hij de afgelopen acht maanden had gezien. Hij kon zich geen enkele foto herinneren waarop Andrea níét had geglimlacht. Hij kwam tot de conclusie dat hun leeftijd het enige was dat de twee meisjes gemeen hadden, en dat sommige achttienjarigen minder reden hadden om te glimlachen dan andere.

Andrea's moeder was tenslotte niet de bak ingedraaid wegens samenzwering om haar vader te vermoorden.

'We hebben ook een goed resultaat geboekt met de foto's die aan Donna Langford zijn opgestuurd,' zei Brigstocke, en tikte weer op de foto op het whiteboard. 'Het Forensisch Instituut heeft een paar redelijke vingerafdrukken kunnen nemen, en die zijn in elk geval niet van Alan Langford. Ik hoef jullie niet te vertellen dat het enorm belangrijk is om erachter te komen wie die foto's dan wél heeft verstuurd.'

Er ging weer een hand de lucht in. Een van de nieuwelingen. Brigstocke knikte.

'Aangenomen dat Langford, of hoe hij zichzelf nu ook noemt, tot zijn nek in de drugshandel zit of wat je daar verder nog hebt, moeten we dan ook niet kijken naar collega's van hem die met hetzelfde bezig zijn? Misschien heeft een van hén die foto's gestuurd.'

Een vrouw die naast hem zat, ook een nieuwe, knikte instemmend. 'Klopt. Het kan best een slimme truc zijn van een van zijn concurrenten om hem uit te schakelen. Die foto's opsturen, de politie gaat op zoek –'

'Dat is niet logisch,' zei Thorne. De vrouw draaide zich om en keek hem aan. Ze was jong, zwart en keek ernstig. 'Ten eerste zou deze "concurrent" moeten weten dat hij eigenlijk Langford heet. En ook al wist hij dat, bekijk die foto's eens goed.' Hij wuifde in de richting van het whiteboard. 'Hij lacht, houdt zijn glas omhoog en poseert voor de camera. Hij voelt zich volledig op zijn gemak, als een vlieg op een hoop stront. Wie die foto's ook heeft gemaakt, Langford denkt in ieder geval dat het een vriend is.'

De vrouw glimlachte zuinigjes naar Thorne en draaide zich weer naar het whiteboard. Brigstocke bedankte haar en de andere rechercheur voor hun bijdrage en begon met de afronding. Maar vlak voor het eind had de vrouw – van wie Thorne al dacht dat die voor grote dingen was voorbestemd – nog één suggestie.

'Ik zat aan belastingontduiking te denken,' zei ze.

Brigstocke keek haar afwachtend aan.

'Zou ik niet doen,' zei Karim in een poging grappig te zijn. 'Dat is namelijk illegaal, weet je.'

'Nee, serieus. Als het echt zo lastig is om Langford voor die moorden achter de tralies te krijgen, kunnen we hem misschien op zoiets pakken.' Ze sprak luid en snel; zenuwachtig, dacht Thorne, maar dat wist ze goed te verbergen. 'Wat voor zaken hij tegenwoordig ook doet, ik ben er zeker van dat hij zijn inkomsten niet opgeeft.'

Haar collega naast haar zei: 'Zo hebben ze Al Capone te pakken gekregen.'

'Luister, ik wil Alan Langford hier hebben en ik wil hem veroordeeld hebben voor moord,' zei Brigstocke. 'Voor drie moorden als het even kan. Maar als jij intussen contact wilt leggen met de belastingdienst, dan is dat jouw zaak. Als het niet anders kan, heb ik er vrede mee dat hij erachter gaat op grond van welke aanklacht dan ook.'

'Ik pleeg wel een paar telefoontjes,' zei Thorne. 'Eens kijken of hij nog een paar bibliotheekboeken heeft die hij al had moeten inleveren.'

Een kwartier later zat Thorne in Brigstockes kamer. Hij las het factsheet door waarin stond hoe ze hadden vastgesteld waar de foto's van Langford waren genomen terwijl Brigstocke op de koop toe een gedetailleerd verslag gaf.

'Elke boot in Spanje moet officieel zijn geregistreerd en elke eigenaar – de *patrón de yate* – moet de vereiste papieren bezitten om zijn vaartuig te mogen besturen. Al die informatie is vastgelegd bij de plaatselijke *Commandancia de Marina Mercante*, en die speelt het door aan de instanties die de diverse belastingen op pleziervaartuigen innen. Dus –'

'Ik kan lezen, hoor,' zei Thorne.

'Goed.'

'Maar ik ben wel onder de indruk van je uitspraak...'

Elk stadium van het proces werd hem zwart-op-wit uit de doeken gedaan. Met behulp van het registratienummer van de boot had de betreffende overheidsinstantie in Madrid de naam van de eigenaar snel weten op te duikelen. Daarna was het voor Interpol in samenwerking met de Guardia Civil een kwestie van enkele uren geweest om de man op te sporen. Señor Miguel Matellanes had precies kunnen zeggen waar hij die dag was geweest, en dat hij zijn zes meter lange zeiljacht op zondagmiddag altijd in de kleine haven van Benalmádena Costa aanmeerde. Dat had iets te maken met de beste *pulpo a feira* van de zuidelijke kust.

'Ik zit maar wat op te scheppen,' zei Brigstocke met zichzelf ingenomen. 'Het is lang geleden dat ik eigenhandig wat spitwerk heb verricht.'

'Pulpo wat?'

Brigstocke trok een gezicht. 'Een soort inktvis...'

Thorne schudde zijn hoofd. 'Maar we weten nu alleen waar Langford op die dag was,' zei hij. 'Misschien woont hij wel honderdvijftig kilometer verderop.'

'Maar het is wel een aanknopingspunt.' Brigstocke stond achter Thorne en keek over zijn schouder mee naar het factsheet. 'Het is allemaal doorgegeven aan het betreffende team bij soca. Je hebt om drie uur een afspraak met ze.'

'Hier of daar?'

'Daar.'

'Mooi,' zei Thorne. 'Ze hebben daar betere koekjes.'

Brigstocke wees op het vel papier. 'Ze vonden dit trouwens een goed uitgangspunt. Beter dan de informatie waar je maat Brand mee kwam aandragen. Ze hadden helemaal niks aan die namen.'

'Dit is echt een van de fraaiste staaltjes van speurwerk dat ik ooit heb mogen meemaken, Russell,' zei Thorne, wuivend met het stuk papier. 'Zonder gekheid, het zal lastig worden jezelf te overtreffen.'

''t Is goed, hoor.'

'Misschien kun je een paar munten uit je reet toveren of zo...'

Brigstocke slenterde naar zijn bureau. 'Hoe komt het dat je opeens zo verdomd spraakzaam bent? Je zag er beroerd uit toen je binnenkwam.'

'Vroeg opgestaan.'

'En je humeur op die nieuwe agente afgereageerd.'

'Een toppertje,' zei Thorne.

'Ik ben blij dat je er zo over denkt. Want als jij haar intussen tenminste niet hebt afgeschrikt, kunnen we haar misschien hier houden wanneer dit achter de rug is.'

'Ik praat wel even met haar,' zei Thorne. 'Dan laat ik haar mijn charmante, geestige kant zien. Ik denk eerlijk gezegd dat ze nu al verliefd op me is.'

'Misschien moet je eerst maar even tot rust komen...'

Na afloop van de briefing had Thorne in een kwartier tijd drie koppen sterke koffie achterovergeslagen, en hij voelde zich weer helemaal opgepept. Vlak voordat hij bij Brigstocke langsging had hij even de tijd gevonden om Andy Boyle te sms'en. Om hem te bedanken voor zijn gastvrijheid, om de stoofschotel nog eens op te hemelen en om een nieuw acroniem voor te stellen dat hij op zijn baas zou kunnen uitproberen. Een nieuw landelijk politiesysteem voor de uitwisseling van informatie. Bijzonder Universeel Landelijk Logistiek Systeem voor Hypersnelle Informatie Transfer.

Oftewel BULLSHIT.

'Hou deze stemming nog even vast, wil je?' zei Brigstocke. 'Ik heb vanochtend een halfuur aan de telefoon gezeten met onze geliefde recherchechef.'

Het aangename effect van de koffie begon snel te vervliegen. 'Ik ben een en al oor,' zei Thorne.

'Jesmond geeft dit onderzoek nu de hoogste prioriteit, dus het wordt geen probleem om extra middelen los te krijgen. Hij staat op scherp.'

'Ach, de Heer sta ons bij.'

'Omdat onlangs bepaalde zaken die veel publiciteit trokken ons imago geen goed hebben gedaan, wil hij er zeker van zijn dat deze goed afloopt.' Brigstocke ploegde voort, kapte Thornes poging om hem te onderbreken af en maakte onder het spreken aanhalingstekens in de lucht. 'Hij wil dat we "keihard terugkomen". Dat hij "hoe dan ook resultaat wil zien". Woorden van die strekking.'

'Wat is er gebeurd met het voornemen om dit "stil te houden"?' Thorne maakte nu ook aanhalingstekens in de lucht.

'Dat is allemaal bij het grof vuil gezet nu er een gevangenbewaarder is vermoord. Hij denkt dat de media zich erop zullen storten... en daar heeft hij waarschijnlijk gelijk in.'

'Kunnen we de media niet voorzichtig laten weten dat Cook corrupt was?'

'Hebben we daar al bewijs voor?'

'Kom op, Russell...'

'Jesmond schijnt ook te denken dat als die informatie in de pers terechtkomt, Langford te weten komt dat we hem op het spoor zijn.'

Thorne wist niet of hij moest lachen, huilen of met zijn hoofd tegen de muur moest bonken. Dus koos hij ervoor om zijn stem te verheffen. 'Ik denk dat het feit dat Langford de afgelopen week twee mensen heeft laten vermoorden, erop wijst dat hij daar al van op de hoogte is, denk je niet?'

Brigstocke hief een hand op om duidelijk te maken dat hij het daarmee eens was, maar dat hij het niet waardeerde dat er tegen hem werd geschreeuwd. Thorne mompelde een verontschuldiging.

'Hoe staat het met Anna Carpenter?' vroeg Brigstocke.

'Wat bedoel je met "hoe staat het"?'

De hand werd weer waarschuwend geheven. 'Omdat de zaak wat... ernstiger is geworden, is Jesmond er nog meer op gebrand om de fouten die we tien jaar geleden hebben gemaakt, onder de pet te houden.'

'Welke "fouten"?'

'Daar hebben we het al over gehad, Tom,' zei Brigstocke. 'Ik zeg alleen dat hij wil dat we onze volledige medewerking geven aan iedereen die op de hoogte is van die zaak. Donna Langford, mevrouw Carpenter...'

'Nog steeds bang dat ze met hun verhaal naar de krant stappen?'

'Niemand vindt het fijn om een slechte pers te krijgen, waar of niet?'

Hoe het ook allemaal uit zou pakken, Thorne had geen idee wat Donna Langford later ging doen, en hij kon haast niet geloven dat Anna het verhaal ooit zou verkopen. 'Ik heb al met Donna gesproken,' zei hij. 'Ik heb haar gezegd dat ze tegen Anna moest zeggen dat ze niet meer met haar verder wil.'

'Omdat?'

'Omdat ík niet meer met haar verder wil. Dit gaat allemaal veel verder dan het bespioneren van ontrouwe echtgenoten.'

Brigstocke knikte. 'Geen plaats voor amateurs.'

'Daar lopen er al genoeg van rond.'

'Oké. Nou ja, ik geef maar door wat Jesmond heeft gezegd. Ik laat het aan jou over om te bedenken hoe je het het best kunt afhandelen.'

Thorne zei dat hij dat zou doen, hoewel hij in werkelijkheid de hele dag al aan weinig anders had gedacht.

Terug op zijn kamer, deed Thorne een serieuze poging zijn bureau op te ruimen en praatte hij even bij met Yvonne Kitson. Ze vroeg wat hij van die nieuwe vrouwelijke rechercheur vond en hij vertelde haar over de avond die hij bij Andy Boyle had doorgebracht. Net toen hij van plan was de deur uit te gaan voor zijn afspraak bij soca, werd er een telefoontje van Julian Munro doorgeschakeld.

Even dacht Thorne dat Munro zich misschien iets had herinnerd; dat hij belde om cruciale nieuwe informatie door te geven.

'Ik wilde eens horen hoe het ermee staat,' zei Munro. 'Of jullie al iets verder zijn gekomen.'

Thorne trok zijn wenkbrauwen naar Kitson op. 'We laten het u natuurlijk meteen weten als er nieuws is, meneer, maar u moet weten dat we er alles aan doen.'

'Oké,' zei Munro. 'Bedankt.' Toen schraapte hij zijn keel. 'Dus wat denkt u dat de kans is? Ik bedoel, denkt u dat...'

'Ik heb goede hoop,' zei Thorne.

Normaal gesproken zou hij niet zo'n optimistische uitspraak hebben gedaan. Je probeerde de familie natuurlijk altijd een hart onder de riem te steken, maar het was ook verstandig om een slag om de arm te houden. Over het algemeen was het net zomin raadzaam om te zeggen: 'Maakt u zich geen zorgen, ze is zeker nog in leven,' dan om een vinger langs je keel te halen en duister te mompelen: 'Zo dood als een pier, zo waar ik hier sta.'

Ik heb goede hoop...

Toch was dat zo. Thorne betrapte zich erop dat hij niet zo vaak aan Ellie Langford dacht als hij had verwacht, in aanmerking genomen dat er een achttienjarig meisje werd vermist, dat haar adoptieouders diepbedroefd waren en haar biologische moeder radeloos van verdriet. Eigenlijk dacht hij veel vaker aan Andrea Keane, een meisje van wie hij al heel lang dacht dat ze dood was.

En hij wist ook waarom.

Hij was tot de conclusie gekomen dat Donna Langford gelijk had en dat haar ex-man hun dochter inderdaad had meegenomen. Het was de enige logische verklaring voor haar plotselinge verdwijning en de eerste foto die een paar weken later was gestuurd. En als dat inderdaad het geval was, was het Langfords opzet geweest Donna te kwetsen, en niet Ellie. Hij was een man die koste wat kost wilde overleven en succes wilde hebben, die opdracht kon geven anderen te liquideren en bleef toekijken, zo begon Thorne nu te denken, terwijl iemand anders levend werd verbrand. Maar Thorne was er niet van overtuigd dat hij zijn eigen dochter opzettelijk kwaad zou doen.

Hij kon alleen maar hopen dat deze voor hem atypische vlaag van optimisme niet werd veroorzaakt doordat Anna Carpenters naïviteit besmettelijk bleek.

24

Het Londense hoofdkwartier van de SOCA lag aan de zuidkant van de rivier, vlak bij Vauxhall Bridge, op een steenworp afstand van MI6, in een uit crèmekleurige baksteen en glas opgetrokken gebouw dat over het water op Millbank uitkeek. In 2000 had de IRA er raketten op afgevuurd en er ging een gerucht over een geheim netwerk van tunnels dat onder de Theems door naar Whitehall liep.

Becke House was veel minder interessant, bedacht Thorne, maar waarschijnlijk een stuk veiliger.

Op weg vanaf het metrostation bij Vauxhall belde hij Gary Brand.

'Ken je Trevor Jesmond nog?'

'Godsamme, je gaat me toch niet vertellen dat je nog steeds met die rukker zit opgescheept?'

'Ik ben bang van wel.'

'Ik ben stomverbaasd dat hij nog niet verrot is geslagen of dat niemand hem een knuppel in z'n reet heeft gestoken.'

'Daar heb ik wel aan gedacht,' zei Thorne, voordat hij Brand het nieuwste staaltje van Jesmonds genuanceerde denken schetste, waarbij hij er behoorlijk wat opgekropte agressie uit gooide. Hoewel Brigstocke meestal aan Thornes kant stond als het om dit soort zaken ging, gaf het hem een prettig gevoel zich eens helemaal te laten gaan tegen iemand die niet diplomatiek hoefde te reageren.

'Ik heb het gehoord van die bewaarder,' zei Brand.

'Cook. Oké...'

'Ziet ernaar uit dat het hard tegen hard gaat.'

'Zoals je zei: "Er is echt een beerput opengetrokken."'

'Eerder een slangenkuil.'

'Daar begint het wel op te lijken.'

De lucht was grijs als slootwater maar hier en daar wist de zon er-doorheen te breken, en terwijl Thorne langs de Albert Embankment liep, kon hij even voorbij Lambeth Bridge de bovenste helft van de London Eye zien en aan de andere kant van de rivier nog net de toren-spitsen van Westminster. Hij bedacht dat de geheim agenten maar een mooi uitzicht hadden als ze het niet te druk hadden met de wereld vei-lig maken. Of wat dan ook.

'Waar ben je?' vroeg Brand. 'Zo te horen ben je op pad.'

Thorne vertelde hem over zijn afspraak met de SOCA. Brand zei dat hij hoopte dat Thorne zich erop voorbereid had dat hij neerbuigend behandeld zou worden en vroeg of de namen die hij Thorne had toege-speeld al iets hadden opgeleverd. Thorne antwoordde dat tot dusver geen enkele naam een connectie met Alan Langford had opgeleverd.

'Sorry, jongen,' zei Brand. 'Dat was alles waarmee ik zo gauw op de proppen kon komen. Wil je dat ik nog verder spit?'

'Doe geen moeite,' zei Thorne. 'Ik hoop dat die hoogvliegers van de SOCA iets op het spoor zijn.'

'Maar voordat ze je dat vertellen moet je wel eerst hun kont kussen.'

'Ik geloof dat mijn baas dat al voor me heeft gedaan.'

'Nou, ben je in voor een biertje, straks? Het ziet ernaar uit dat je er wel een kunt gebruiken.'

'Sorry, maar ik ben vanavond bij mijn vriendin.'

'Vriendin?'

'Waarom verbaast je dat?'

'Russisch postorderbruidje zeker?'

'Ze werkt ook bij de politie, als je 't weten wilt.'

Brand lachte en zei: 'Nou, daar wens ik je dan veel geluk mee.'

Vijf minuten later was Thorne de strenge veiligheidscontrole ge-passeerd en toonde hij zijn legitimatiekaart aan de verveeld kijkende vrouw achter een grote receptiebalie. Aan de muur achter haar hing een enorme afbeelding van een grote katachtige – een jaguar of een

poema – die met ontblote tanden en uitgeslagen klauwen over een ge-
stileerde, zilveren wereldbol sprong. Het logo van de soca moest
waarschijnlijk uitdrukken dat de dienst nietsontziend en almachtig
was, dat hij zijn tanden liet zien, maar de afbeelding deed Thorne altijd denken aan *Thundercats*, een tv-serie voor kinderen, die hij zich uit
de jaren tachtig herinnerde.

'Neemt u plaats,' zei de receptioniste.

Het kussen van de zwarte leren bank zakte zacht sissend ineen toen
Thorne zich installeerde in de lobby die niet zou hebben misstaan in
een vijfsterrenhotel. Het effect van de drie koppen koffie die hij die
ochtend had gedronken was al urenlang uitgewerkt en hij begon zich
weer slaperig te voelen en verlangde hevig naar een warme douche. Hij
zorgde ervoor dat de receptioniste hem op zijn horloge zag kijken, dat
ze wist dat er iemand te laat was en dat hij dat niet was. Hij draaide zich
om en bekeek de schilderijen aan de muur achter hem – bruine en beige vegen in lukrake patronen – en bladerde doelloos door een van de
tijdschriften die op de glazen salontafel lagen uitgestald.

Maar hij moest steeds denken aan iets wat Gary Brand had gezegd.
Het zinnetje stuiterde rond in zijn hoofd terwijl hij zat te wachten en
wakker probeerde te blijven.

Eerder een slangenkuil.

Ze pakte de trein vanaf Waterloo, ging vanaf het station te voet verder
tot ze bij de watermolen kwam. Daar ging ze op een van de banken zitten die elk een kleine plaquette droegen ter nagedachtenis aan iemand
die van de rivier of van het uitzicht had gehouden, at de sandwich die
ze van huis had meegenomen en keek naar het huis.

Het was geen gekke plek om de middag door te brengen.

Anna had haar aanvankelijk het adres niet willen geven, maar toen
Donna haar erop had gewezen dat ze nog steeds cliënt was van het
detectivebureau en dat ze voor die informatie betaalde, had de jonge vrouw haar gegeven wat ze wilde. Daarna had Donna gedaan wat
Thorne haar had gevraagd en had ze Anna's diensten opgezegd.

Dat was geen gemakkelijk gesprek geweest.

Het huis was niet zo oud als ze had verwacht, omdat ze zich in het
hoofd had gezet dat de Munro's in een monumentaal landhuis woon-

den. Maar groot was het wel, met een fikse voortuin en een portiek met pilaren. Rond het huis was veel ruimte en ze stelde zich aan de achterkant een groot gazon voor dat zich vanaf een zonovergoten patio in volmaakte strepen uitstrekte tot de velden daarachter, of dat daar in ieder geval op uitkeek.

Dat had ze ook altijd voor Ellie gewild, al die jaren dat ze had gezeten.

Er stond een auto op de oprit geparkeerd, een Volvo, maar Donna had geen idee of er iemand thuis was. Ze had haar sandwich op en bleef kijken, en een paar keer meende ze beweging te zien. Een schaduw, een gestalte die langs een raam op de bovenverdieping bewoog. Ze vermoedde dat de man en de vrouw allebei werkten. Als dat zo was, zou een van hen binnenkort wel thuiskomen, maar ze wist niet zeker of ze zo lang wilde wachten, of ze hen wel wilde zien.

Want wat zou ze daarmee opschieten?

Alles aan Maggie en Julian Munro riep sterke, tegenstrijdige emoties in haar op die haar dagenlang bleven kwellen. Dat maakte haar tot een verschrikkelijk mens om mee samen te wonen, daar was ze zeker van, en ze bleef zich er voortdurend over verbazen dat Kate haar niet allang als een hopeloos geval had opgegeven.

Ze was dankbaar dat deze mensen Ellie een thuis hadden geboden en tegelijk haatte ze hen erom. Ze was blij dat haar kleine meid hun het gezin had gegeven dat ze zo graag wilden, maar toch koesterde ze een bittere wrok over elk moment dat ze met haar hadden doorgebracht. Ze begreep hun verdriet maar schepte er ook een kwaadaardig genoegen in, omdat het nooit zo echt en legitiem was en kon zijn als haar eigen verdriet.

Donna staarde naar het huis van de Munro's, dat even mooi en sfeerloos was als dat waarin ze zelf ooit had gewoond, en zag in gedachten een stel voor zich, wakker liggend in de vroege uren en uiteengedreven door wanhoop. De een voorovergebogen boven een glimmende keukentafel en de ander boven, alleen, huilend in haar kussen terwijl de afstand tussen hen, Ellies afwezigheid, van dag tot dag groter en duisterder werd.

Ellie Langford, niet Munro. Haar naam.

Terwijl Donna zat te kijken, begonnen de pilaren aan weerszijden van de veranda te vervagen en te vervloeien, en vulden haar ogen zich met tranen.

Stom wijf. Hou daarmee op!

De foto's hadden geholpen, al was het maar een beetje. Ze wist nu tenminste hoe Ellie eruitzag en kon zien hoe het gezicht van haar kleine meid was veranderd en toch hetzelfde was gebleven. Maar er waren zoveel andere dingen die haar radeloos maakten.

Ze wist niet meer hoe haar dochter rook.

Niet voor de eerste keer vroeg Thorne zich af of er ooit een tijd zou aanbreken waarin mannen elkaar niet langer de maat namen als honden die om een teefje vochten. Meestal duurde het niet langer dan een seconde, maar het gebeurde bijna altijd bij een eerste ontmoeting. Behalve het inschatten van de oppervlakkige zaken – kleding, kapsel, geschatte waarde van horloge en schoenen – kwam het vaak aan op de manier waarop de ander je de hand schudde, die eerste ongemakkelijke momenten van oogcontact en de simpele, stomme, kinderachtige vraag of je de ander kon hebben als het tot een ouderwetse knokpartij kwam.

Hij was tot de conclusie gekomen dat de drang om zich op die manier te laten gelden waarschijnlijk pas zou verdwijnen als mannen ermee ophielden de vróúwen die ze tegenkwamen de maat te nemen, en zich andere, maar even stompzinnige vragen te stellen.

Het was ridicuul, erkende Thorne, maar het was ook even vanzelfsprekend als ademhalen en het kon meestal niet veel kwaad. Voor degenen die wisten waar ze de grens moesten trekken, tenminste. Op de briefing van die ochtend had hij net iets langer dan strikt noodzakelijk naar de nieuwe vrouwelijke rechercheur gekeken. Nu nam hij de twee SOCA-agenten de maat, die op hem af kwamen toen hij op de vierde verdieping uit de lift stapte en hem voorgingen door een gang naar een vergaderruimte die naar nieuw tapijt en boenwas rook.

'Er komt zo koffie aan,' zei een van hen.

'Met koekjes?'

'We zullen kijken wat we kunnen regelen...'

Ze namen alle drie plaats aan een grenenhouten vergadertafel waar een kan water en een stuk of vijf glazen op stonden, voor iedere stoel lag een blocnote klaar. De langste van de twee SOCA-agenten, die zich als Nick Mullenger had voorgesteld, begon een assortiment foto's, kaarten en uitvergrotingen van kaarten op de tafel uit te spreiden. Hij was begin dertig, had dik, donker haar en acnelittekens en een stem die geknipt was voor goedkope radiospotjes. Zijn collega had niet de moeite genomen zijn voornaam te zeggen, dus veronderstelde Thorne dat hij ofwel weinig tijd had of gewoon raadselachtiger probeerde over te komen dan hij was. Silcox was kleiner dan Thorne, maar qua leeftijd zaten ze in hetzelfde schuitje. Hij droeg net als Mullenger een pak en een stropdas, maar bij hem zat alles wat strakker dan bij zijn collega. Ook had hij minder haar dan Mullenger en had hij minder te zeggen, en als hij sprak was dat op een fluistertoon alsof er iets ernstig mis was met zijn keel. Het kon een zware verkoudheid zijn, maar ook kanker zodat Thorne er maar niet naar vroeg.

'Goed, Spanje dus,' zei Mullenger. Hij klonk vrolijk, alsof ze een gezin waren dat het na een lange discussie eindelijk eens was geworden over de vakantiebestemming.

'Daar hadden wij ons geld ook op gezet,' zei Thorne. 'Hoewel het wel enigszins voor de hand lag.'

'Daar is een goede reden voor.'

'Drugs?'

'Absoluut,' zei Silcox.

Mullenger wees naar een plek op een van de kaarten. 'De zuidkust van Spanje.' Hij verplaatste zijn vinger iets. 'De noordkust van Afrika...'

Thorne knikte en herinnerde zich dat Gary Brand had gezegd dat hij neerbuigend behandeld zou worden. Maar Mullenger leek best sympathiek, dus beet Thorne op zijn tong en vroeg zich af waar de SOCA-man hem nog meer op wilde wijzen. Blocnote. Potlood. Waterkan.

'Marokko ligt hier maar zestig kilometer vandaan,' zei Mullenger. Hij keerde zijn handpalmen naar boven alsof verdere uitleg overbodig was, maar gaf die vervolgens toch. 'Het is allemaal begonnen met hippies die hasj meesmokkelden op vissersbootjes en nu is het een miljoenenbusiness.'

'Miljarden,' zei Silcox.

'Lang geleden hielden ouderwetse boeven zoals die meneer Langford van je zich verre van de drugshandel, maar dat was voordat ze zagen hoeveel geld ermee te verdienen viel. Nu komt bijna elk ons cannabis via Spanje het Verenigd Koninkrijk binnen, dus is het de volmaakte plaats om een drugsimperium te vestigen. Ze gebruiken de jachthavens als dekmantel en de politie heeft niet de mankracht of de wil om alle jachten te doorzoeken.' Hij leunde achterover in zijn stoel. 'Het is een paradijs voor drugshandelaars.'

'Ze komen niet alleen voor de stranden en de sangria,' zei Silcox.

Thorne trok een van de foto's van Langford naar zich toe. 'Maar dat is wel leuk meegenomen.'

Mullenger lachte, en zei: 'Ja, wat je zegt.'

'Dus jullie denken dat Langford daar een behoorlijke handel op touw heeft gezet?'

'Vrijwel zeker,' zei Mullenger. 'En het komt niet echt als een verrassing dat hij op deze manier heeft gereageerd nu hij weet dat er inlichtingen worden ingewonnen. Dat het met zoveel geweld gepaard gaat, bedoel ik.'

'Zo pakt hij de dingen nu eenmaal aan,' zei Thorne.

'Zo pakken ze het allemáál aan.'

Silcox tikte met een potlood op de tafel. 'Het is daar het wilde Westen,' zei hij.

Mullenger knikte en pakte een lijst met feiten en cijfers. 'Je hebt er de Britten, de Ieren, de Russen, de Albanezen, noem maar op, en ze vechten allemaal om een groter marktaandeel zodat het praktisch een oorlogsgebied is geworden. Ze hebben eind jaren negentig een speciale eenheid opgezet om de boel in de hand te houden, en toen is het een tijdlang wat rustiger geweest.'

'"Marbella Vice",' zei Thorne. 'Dat weet ik nog. Ik ken een paar mensen die hebben geprobeerd daarheen overgeplaatst te worden.'

'Juist, en een jaar of twee lang bestond er een ongeschreven afspraak tussen de drugshandelaars om het wat kalmer aan te doen en zo minder aandacht te trekken. Ze rekenden elders wel met elkaar af. Maar toen de Colombianen daar drugsgeld gingen witwassen, begon het gedonder opnieuw, en nu is er om de andere week wel ergens een schietpartij.'

'*Costa del Plomo*,' zei Silcox.

Thorne keek Mullenger vragend aan.

'Dat is de nieuwe bijnaam voor het gebied,' zei Mullenger. 'Spaans voor "lood".' Hij bootste een pistool na met zijn hand. 'Vanwege de –'

'Ik snap het,' zei Thorne.

Mullenger had het fatsoen om enigszins beschaamd te kijken, maar Thorne betrapte Silcox op een zweem van een zelfgenoegzaam glimlachje. Thorne staarde hem over tafel aan en Silcox staarde terug, maar zijn pafferige gezicht was het toonbeeld van onschuld.

'We hebben de laatste jaren met de politie in Zuid-Spanje samengewerkt,' zei Mullenger, 'in een poging een paar van de criminele organisaties te ontwrichten en zoveel mogelijk mensen op te pakken. Maar het is lastig, want sommigen die worden geacht aan onze kant te staan, staan niet echt aan onze kant, als je begrijpt wat ik bedoel.'

'Corruptie op hoog niveau?'

Silcox staarde nog steeds. 'Op alle niveaus.'

'Vorig jaar zijn er drie burgemeesters en een paar hoge politiefunctionarissen van de Guardia Civil aangeklaagd voor het witwassen van drugsgeld.' Mullenger haalde zijn schouders op en pakte een ander blad op. 'We boeken vooruitgang, maar om je een idee te geven van de omvang van wat er daar gaande is...' Hij keek even omlaag en las van het papier. 'Het afgelopen jaar leidde de *Operación Captura* tot de arrestatie van eenenveertig mensen en de inbeslagname van vierhonderd miljoen euro aan kapitaal, meer dan twintig jachten en privévliegtuigen, tweeënveertig auto's en tweehonderdvijftig huizen.'

'Behoorlijk indrukwekkend,' zei Thorne.

Silcox glimlachte. 'Wij of zij?'

'En dat is alleen nog maar in Marbella.' Mullenger legde de lijst neer. 'Dus...'

Er werd geklopt en er kwam een man binnen met koffie: een thermoskan en drie kopjes op een blad. Mullenger nam de honneurs waar terwijl Thorne opstond en naar het raam liep. Hij voelde zich nog steeds humeurig en onrustig, en kwam tot de conclusie dat het zowel voor hem als voor het duo dat hem moest briefen een stuk gemakkelijker zou zijn als hij kon wegdommelen aan boord van een van de pleziervaartuigen die hij twee verdiepingen lager over de rivier zag varen.

'We hebben je koekjes weten te bemachtigen,' zei Mullenger.

Thorne liep terug naar de tafel en nam zijn koffie aan. 'Ik had op z'n minst koekjes met chocola verwacht,' zei hij. Hij zette zijn tanden in een volkorenkoekje en wees op een van de schrijfblokken. 'Jullie hebben zeker te veel uitgegeven aan dat fraaie logo.'

Mullenger liet een geforceerde nasale lach horen en zei iets over bezuinigen wat minder grappig klonk dan hij dacht. Thorne at zijn biscuitje op en deed alsof hij luisterde.

Mullenger wees een plaats aan op een kaart met een grotere schaal. 'Ik denk niet dat die foto's zijn genomen in de buurt van waar Langford opereert. Het is een klein plaatsje dat niet al te veel bezoekers trekt.' Hij knikte bedachtzaam. 'Maar ik denk ook niet dat hij erg ver weg zit.'

'Waarschijnlijk zit zijn handel in de buurt van een jachthaven,' zei Silcox. 'Maar een hoop van die grote jongens wonen ergens in de heuvels of in een van die golfresorts. Er wordt nog steeds flink gebouwd langs die kust.'

'Waarschijnlijk zit hij daar ook in,' zei Thorne. 'Zo heeft hij hier ook zijn geld verdiend.'

'Risicospreiding is altijd de moeite waard,' zei Silcox.

Mullenger schonk Thorne nog eens in en besprak met hem hoe ze het het beste aan konden pakken, in het geval dat Thorne zelf naar Spanje zou afreizen. Hij leek ervan overtuigd dat de man die vroeger Alan Langford heette een bekende was van de in Spanje gestationeerde SOCA-agenten en de plaatselijke narcoticabrigades. Het was Thornes taak om vast te stellen dat de bewuste crimineel inderdaad Alan Langford was en vervolgens iets te vinden op grond waarvan hij kon worden gearresteerd en naar Engeland kon worden overgebracht om daar te worden berecht.

'Nou, dat is dan kat in 't bakkie,' zei Thorne.

'We zullen je in contact brengen met een van onze agenten in Malaga of Marbella,' zei Mullenger. 'Het is waarschijnlijk makkelijker voor ze om je te briefen als je daar bent.'

Thorne beaamde dat, in de wetenschap dat zijn contact een politieman, een douanier of, God verhoede, iemand van de belastingdienst kon zijn. In een poging een soort Britse FBI in het leven te roepen was de SOCA een overkoepelende organisatie waarin de landelijke criminele inlichtingendienst en de nationale recherche waren samengegaan, maar ze hadden ook mensen van de belastingdienst, de douane en de immigratie- en naturalisatiedienst in hun gelederen opgenomen. Thorne wist dat het bureau in veel politiekorpsen agenten had gestationeerd, en omgekeerd werkten er mensen van de plaatselijke korpsen bij de soca. Hij wist ook dat ze veel meer bevoegdheden hadden dan gewone politiemensen zoals hijzelf, en niet onderworpen waren aan de wet op de vrijheid van informatie.

Ze hoefden niemand iets te vertellen.

'We hebben daar een paar eersteklas inlichtingenofficieren rondlopen,' zei Mullenger. 'Je zult daar samenwerken met uitstekende agenten.'

Thorne glimlachte. Dit bureau was inderdaad een inlichtingendienst, en strikt genomen waren de mensen die ervoor werkten inlichtingenofficieren, maar Thorne zag hoeveel genoegen Mullenger in het woord schepte en vermoedde dat de ander zich een echte FBI-agent voelde. Thorne werkte regelmatig samen met mensen die dat ook allemaal geweldig vonden. Een van de rechercheurs op zijn werk die in een ander team zat, was eens op dienstreis naar Quantico geweest en was er op een of andere manier in geslaagd een officieel FBI-sleutelkoord te bemachtigen, waaraan hij trots zijn toegangspasje van de Londense politie had hangen. Op het sleutelkoord stond te lezen: Loyaliteit, Moed en Rechtschapenheid.

Er had alleen op hoeven staan: *Eikel.*

'Ik wil onze mooie vriendschap niet bederven,' zei Thorne. 'Maar hoe groot is de kans dat die eersteklas agenten ook zijn bezweken voor die corruptie waar jullie het over hadden?'

Silcox en Mullenger keken elkaar aan.

'Ik weet het,' zei Thorne. 'Je doet moeite om die biscuitjes te regelen en dan bederf ik de stemming weer helemaal.' Hij glimlachte, maar hij dacht aan de snelheid waarmee de moorden op Monahan en Cook waren goedgekeurd en uitgevoerd; aan de snelle uitwisseling van informatie. De tamtam. 'Ik wil maar zeggen, als ik Langford was, of iemand zoals Langford, dan zouden dat de eersten zijn die ik zou proberen om te kopen, snap je?'

Mullenger verzamelde zijn foto's en kaarten. 'Het is een redelijke vraag.'

'In elke mand zit wel een rotte appel,' zei zijn partner.

'Absoluut. Wie zal het zeggen?'

'Als je je daar zorgen over gaat maken, kun je jezelf helemaal gek maken,' zei Silcox. Hij praatte harder dan hij de hele middag had gedaan. 'Ik zou me maar zorgen maken over de dingen die je wel in de hand hebt, zoals hoeveel korte broeken je meeneemt.'

Een paar minuten later brachten ze hem snel terug naar de lift en namen plichtmatig afscheid. Handen werden geschud, de een stevig en de ander wat minder. En toen de liftdeuren zich sloten, wierp Thorne nog een laatste blik op het stel.

Het voelde niet zo kinderachtig meer als het drie kwartier geleden had geleken.

Als het erop aankwam, wist Thorne dat hij Mullenger met één hand aankon. Van Silcox was hij minder zeker. De kleinere, oudere man had het soort ogen waar je voor op moest passen en hij was vast een straatvechter.

Buiten zette hij zijn mobieltje weer aan en zag dat hij alweer een sms'je van Anna Carpenter had gekregen: WE MOETEN HET NOG OVER DONNA HEBBEN!

Hij keek op zijn horloge. Het was amper de moeite om nog naar kantoor te gaan.

En Vauxhall was maar twee haltes van Victoria.

25

Met nog meer dan een halfuur op de klok voor ze naar huis kon, was Anna dolblij toen er zich via de intercom een potentiële klant meldde. Als Frank deed wat hij altijd deed en de man meenam naar de overkant om de zaken bij een glas te bespreken, was er alle kans dat hij Anna vroeger naar huis liet gaan. Maar in dit geval had de man bij de voordeur geen zin om op straat te wachten en stond hij erop Frank in het kantoor te spreken, zodat Anna ietwat teleurgesteld op het knopje drukte om de buitendeur voor hem te openen.

Frank, die haastig de ergste rotzooi van zijn bureau had geveegd, deed de deur open en bood de bezoeker een stoel aan. Hij verontschuldigde zich meteen voor de rommel en voor Anna's fiets die tegen een radiator stond, zei dat ze het zo druk hadden dat schoonmaken erbij inschoot.

Het scheen de man niets te kunnen schelen en hij wilde graag ter zake komen.

Frank reikte hem een map met aanbevelingen aan – waarvan hij het merendeel zelf geschreven had – en vertelde de man het een en ander over het bureau terwijl die de map doorbladerde. Pas toen stelde hij Anna voor als zijn compagnon. De man keek nu voor het eerst naar Anna en knikte even.

Anna glimlachte en zei: 'Prettig kennis te maken.'

'Ik heb begrepen dat u in huwelijksaangelegenheden bent gespecialiseerd,' zei de man, die zijn aandacht weer op Frank richtte.

'Dat is een van de terreinen –'

'Een vriend van me heeft van uw diensten gebruikgemaakt en die was zeer tevreden.'

'O... wie was dat?' vroeg Frank. 'Het is altijd fijn om te horen dat we alwéér een tevreden klant hebben.'

'Dat zeg ik liever niet.'

'Dat begrijp ik,' zei Frank. 'En u kunt ervan op aan dat discretie onverbrekelijk onderdeel van onze service uitmaakt.'

'Lokoperaties, klopt dat?'

'Sommigen noemen het zo,' zei Frank. 'Wij spreken liever van –'

'Ja of nee?'

'Ja,' zei Frank. 'Absoluut.' Hij keek naar Anna, die haar best deed niet te laten blijken hoezeer ze walgde van zijn overdreven enthousiasme. De klus waar hij het vrijdag met haar over had gehad was niet doorgegaan. De zoveelste in een lange rij klanten die ergens anders heen waren gegaan toen ze ontdekten dat andere bureaus efficiënter werkten. 'Dat behoort zeker tot de mogelijkheden.'

'Als er maar duidelijkheid is. Dus, wat kost dat?'

'Dat hangt helemaal van de omstandigheden af en dat soort dingen...' Frank leek intussen enigszins van de wijs gebracht. 'Maar er is me iets nog niet helemaal duidelijk.'

De man keek Frank aan en wachtte.

Frank schraapte zijn keel. 'Hebben we het over uw vrouw?'

'Vriendin.'

'Goed, vriendin. Maar dan hebben we wel een probleem.'

'En dat is?'

Frank probeerde zijn ongemakkelijkheid met een lachje te verdoezelen, maar het zag er onecht uit, en zo klonk het ook. 'Nou, normaal gesproken worden bureaus zoals het onze door vrôûwen benaderd, begrijpt u, omdat ze willen nagaan of hun man niet buiten de pot pist. We hebben eigenlijk geen enkele mannelijke privédetective. Ik bedoel, ík ben er natuurlijk, maar... het is niet waarschijnlijk dat ik iemand zal kunnen lokken, dus...'

'Dat is geen probleem,' zei de man.

'Ik volg u niet.'

'Ik veronderstel dat uw compagnon dit soort werk normaal gesproken doet.'

Frank zei hem dat dat klopte, en dat Anna's staat van dienst in dat soort zaken onberispelijk was.

De man draaide zich weer om en keek naar Anna, maar ze bloosde en keek een andere kant op. 'Nou, dat zit dan wel goed.' Hij trok een wenkbrauw op en keek Frank aan. 'Ze is precies het type voor mijn vriendin.'

Franks mond viel een stukje open en zijn wangen namen de kleur aan van een van zijn favoriete rosés. 'Goed, ik begrijp het. Dus... ze...'

'Ze houdt van kaas maar ook van jam,' zei de man. 'Dat, of ik heb een lesbienne van haar gemaakt, ik weet het niet zeker. Ik hoopte dat u dat zou kunnen uitzoeken.'

'Nou, ik zal er geen doekjes om winden, maar dit is nieuw voor me. Aan de andere kant zie ik ook geen reden om de opdracht niet aan te nemen.' Hij pakte pen en papier om de noodzakelijke gegevens te noteren, maar de man hield hem tegen.

'Ik moet eerst eens alleen met haar praten,' zei hij. 'Met... Anna, was het toch?'

'Ik weet niet zeker –'

'Sommige details zijn een tikkeltje... gênant, begrijpt u?'

'Oké?'

'Het zou makkelijker zijn als we dat met z'n tweeën bespraken.'

'Het is goed, Frank,' zei Anna. 'Ik neem hem wel mee naar de overkant.'

De man bedankte haar en beloofde haar dat het niet lang zou duren.

Frank stond snel op, kennelijk opgelucht dat hij verlost was van een ongemakkelijk gesprek. Hij zei de man dat ze de kosten en de diverse procedures voor dit soort operaties later wel konden bespreken. Er was geen haast bij, zei hij, maar dat weerhield hem er niet van Anna toe te blaffen dat ze moest opschieten toen ze bij de deur even bleef staan om in haar schoudertas naar lippenbalsem te zoeken.

De man keek Frank vernietigend aan.

'Nou, 't is anders allemaal declarabele tijd, hoor,' zei Frank. 'Zonde van uw geld, toch?'

Anna ging de nieuwe klant voor de trap af en pas toen ze veilig en wel op straat stonden en zij de deur achter hen had dichtgetrokken, bleef ze stilstaan om de lach die ze met de grootste moeite had kunnen inhouden de vrije loop te laten.

'Wat flik je me verdomme nou?'

'Wat?'

'Je bent niet goed bij je hoofd, weet je dat?'

'Ik had hem mijn legitimatiekaart natuurlijk kunnen laten zien,' zei Thorne. 'En tegen hem kunnen zeggen dat ik je wilde spreken.'

Anna lachte opnieuw. 'Dat gezicht van Frank...'

'Maar dan zou hij vroeg of laat hebben willen weten wat er aan de hand was, en ik heb zo het idee dat je hem nog niet over de zaak hebt verteld.'

'Welke zaak?' zei Anna, terwijl de lach op haar gezicht bevroor.

'Juist. Daar moeten we het over hebben.'

Het kostte haar duidelijk moeite om haar boosheid te uiten, dus staarde ze even naar het verkeer terwijl ze haar woede liet aanzwellen. 'Ik heb geen zaak meer, hè?'

'Nee.'

'Niet sinds jij tegen Donna hebt gezegd dat ze me moest ontslaan.'

'Kom, dan gaan we iets drinken,' zei Thorne.

Ze staken de straat over en liepen Franks favoriete bar binnen. Thorne bestelde een Diet Coke voor zichzelf en een glas wijn voor Anna, en ze gingen aan een tafeltje bij het raam zitten. Het was nog wat vroeg voor degenen die op weg naar huis zin hadden in een snelle slok, of na een zware dag rustig wilden bijkomen, zodat het er relatief rustig was. De gedempte, aarzelende conversatie tussen de twee mensen bij het raam veranderde daar weinig aan.

'En wat moet ik Frank vertellen?' vroeg Anna. 'Als ik straks terugga naar kantoor zonder zijn nieuwe klant?'

'Wat je maar wilt,' zei Thorne.

'Nou, daar schiet ik wat mee op.'

'Zeg hem dat ik je tijd verspilde. Dat ik een of andere freak was of zo.'

'Een controlfreak.'

'Luister nou eens –'

Ze boog zich naar hem toe. 'Waarom denkt iedereen verdomme dat hij het recht heeft mijn leven te bepalen?'

'Dat denk ik helemaal niet.'

'Dat ik niet in staat ben om te beslissen wat het beste voor me is?' Anna dronk snel, na twee slokken was haar glas rode wijn al half leeg. 'Eerst is het mijn godvergeten stomme moeder. En nu jij.'

'Het gaat er nu niet om wat het beste is voor jou,' zei Thorne. 'Het gaat erom waar mijn onderzoek het meest mee gediend is. Ik heb werk te doen en om eerlijk te zijn, heb ik niet veel aan je.'

Ze knipperde met haar ogen en nam nog een slok.

'Het spijt me, maar het is een feit... dat je een blok aan m'n been bent.' Omdat hij goed had ingeschat dat Anna boos zou reageren als ze het gevoel had dat ze als een onmondig kind behandeld werd, had Thorne voor een hardere aanpak gekozen, maar hij had er niet op gerekend dat ze zo bedremmeld zou kijken.

En dat hij zich daar zo rot over zou voelen.

'Nou, proost dan maar,' zei ze.

'Je hebt zelf gezegd dat je de kneepjes van het vak nog moet leren.'

'En?'

'En daar hoort bij dat je weet wanneer je een stapje terug moet doen en moet toegeven dat het je boven het hoofd groeit.'

'Wat heb je tegen Donna gezegd?'

'Ik heb helemaal niks gezegd.'

'Je bent een smerige leugenaar.' Ze dronk haar glas leeg, stond op, liep zonder iets tegen Thorne te zeggen naar de bar en bestelde nog een glas. Thorne keek toe en wenste heimelijk dat hij dit telefonisch had afgehandeld.

Anna begon te praten voordat ze weer in haar stoel zat. 'Donna zei dat ze me niet meer nodig had omdat de politie nu met man en macht bezig was haar ex op te sporen, of dat soort onzin. Maar ik wist verdomd goed dat jij haar had opgestookt.'

'Ik heb het haar gevraagd.'

'Omdat ik een "blok aan je been" ben.'

'Omdat het gevaarlijk is, verdomme!' Thorne haalde diep adem en ging zachter praten. 'Je bent niet stom, Anna. Je weet heel goed met wie we te maken hebben.'

'Ik heb je na de moord op Monahan gezegd dat ik niet bang was.'

'Juist, en toen zei ik nog tegen je dat je dat wel zou moeten zijn. En ik heb je gezegd dat je het los moest laten, omdat ik wist dat het daar niet bij zou blijven.'

Anna had meteen in de gaten wat dat betekende. 'Wie nog meer?'

Thorne vertelde haar over Howard Cook, waarbij hij niet vergat de bloedspetters op de weg voor zijn huis te noemen, en het hersenweefsel dat zat vastgekoekt aan de verbrijzelde voorruit van de uitgebrande auto. Hij beschreef minutieus hoe ontredderd en geschokt de weduwe van de man was.

'Dat is verschrikkelijk,' zei Anna uiteindelijk. 'Maar het maakt niet echt uit.'

'Hè?'

'De man achter wie je aan zit vermoordt alleen mensen die hem kwaad kunnen doen, getuigen en zo. Hij –'

'Je dicht hem toch geen redelijkheid toe, hoop ik?' Thornes stem klonk zacht, maar ijzig. 'Hij is allesbehalve redelijk.'

'Hij is toch een zakenman?'

'Hij heeft mensen laten vermoorden, Anna.'

'Maar er is geen reden waarom hij ooit –'

'Je mag er nooit van uitgaan dat je weet hoe ver types als Alan Langford bereid zijn te gaan,' zei Thorne. 'Regel één. Je mag nooit zomaar ergens van uitgaan.'

Anna lachte, maar het klonk agressief, als een klap in zijn gezicht. 'Jij doet verdomme niet anders!' Ze zette haar glas woest neer, waardoor de wijn over de tafel spatte. 'Je gaat ervan uit dat ik bang ben en dat het me boven het hoofd groeit en dat ik alles in het honderd laat lopen. Je hebt het lef om mijn werk af te pikken en dan zit je daar als een of andere... autoriteit, terwijl je net zo'n prutser bent als wie dan ook.' Ze stond hoofdschuddend op en boog zich toen voorover om de gemorste drank op te deppen met een servetje terwijl ze met de andere hand naar haar tas en jas tastte. 'En het ergste van alles, het stomste van alles is nog dat je ervan uitgaat dat ik je zo graag mag dat ik je er ongestraft mee weg laat komen.'

Thorne keek haar na terwijl ze wegliep, zich in de deuropening langs een stel wurmde, naar een opening in de verkeersstroom zocht en op een drafje naar de overkant van de straat liep. Haar haar wapperde om haar hoofd en haar tas sloeg onder het lopen tegen haar heup.

Hoe akelig dit gesprek ook was geweest, Thorne ging ervan uit dat hij had gedaan waarvoor hij gekomen was.

26

Louises kelderappartement in Pimlico was heel anders dan dat van Thorne in Kentish Town. Groter en moderner, strak ingericht met meubels die er minder aftands uitzagen en minder uitgewoond aanvoelden dan Thornes tien jaar oude verzameling Ikea-spullen. Het was ook veel minder opgeruimd dan dat van Thorne, wat niemand meer verbaasde dan Thorne zelf. Hij was veel netter geworden sinds Louise vaak bij hem was, maar dat kon van haar niet gezegd worden. Thorne kon de genadeloos efficiënte rechercheur van de eenheid Ontvoeringszaken nooit rijmen met de vrouw die er een grote kast op na hield die volgestouwd was met plastic zakken en wier badkamer – hoewel die prettiger rook dan die van hem – eruitzag als een explosie in een cosmeticafabriek.

Thorne had het gevoel dat ze altijd anders op elkaar reageerden als ze in Pimlico waren, dat de dynamiek tussen hen dan een subtiele verandering onderging. Misschien gold het in de omgekeerde situatie ook voor hem, maar sinds kort leek Louise zich veel meer op haar gemak te voelen in haar eigen huis; ze voelde zich daar in elk opzicht meer thuis.

Of misschien was hem dat nooit eerder opgevallen.

Aangezien ze zich nu allebei in hun eigen huis zo op hun gemak voelden, vroeg Thorne zich af of het plan om samen te gaan wonen ooit nog besproken zou worden – of moest worden. Ze hadden het erover gehad om een van de appartementen te verkopen en het andere te verhuren omdat Thorne nog geld overhad van de verkoop van het huis van zijn vader, en om dan verder naar het noorden een huis te kopen, in Hertfordshire misschien. Maar wellicht was het juiste moment daarvoor al vervlogen.

Louise kookte pasta en voegde een blikje tonijn en wat zwarte olijven toe aan een *arrabiata*-saus van Sainsbury. Ze aten aan de kleine tafel in de keuken.

'Ik wilde je nog zeggen dat Elvis vanochtend weer heeft overgegeven.'

'Shit,' zei Thorne.

'Je moet met haar naar de dierenarts.'

'Heb je haar genoeg voer gegeven?'

'Een paar bakjes van dat droge spul,' zei Louise. 'Voor vanavond en morgenochtend.'

'Waarschijnlijk heeft ze gewoon een virusje opgelopen of zo.'

Thorne had de poes jaren geleden geërfd van een vrouw die vermoord was, en die het beest een naam had gegeven zonder te weten dat het een vrouwtje was. Hij wist niet echt hoe oud Elvis was, maar ze moest nu toch wel een jaar of twaalf zijn, en hoewel het nooit een grote poes was geweest, had Thorne een paar dagen geleden gemerkt dat ze magerder aanvoelde dan anders toen hij haar optilde.

'Als het op het werk rustig blijft, ga ik in het weekend wel even met haar,' zei hij.

Ze aten verder. Louise zei tegen Thorne dat ze de vuilnis buiten had gezet voordat ze die ochtend zijn huis uit was gegaan en dat hij bijna geen melk meer had. Thorne zei dat hij het eten lekker vond en bedacht dat dit dus de gespreksstof was van stellen die al een paar jaar bij elkaar waren: vuilniszakken en kattenkots.

Hij probeerde zichzelf ervan te overtuigen dat het heel wat erger zou kunnen zijn.

Nadat ze de tafel hadden afgeruimd, namen ze een glas wijn mee naar de woonkamer. Er was een Champions League-wedstrijd die Thorne graag wilde zien, maar hij zei niets toen Louise gebruikmaakte van het feit dat ze een thuiswedstrijd speelde en een cd opzette: een of andere vrouw uit het zuidwesten van Engeland die dacht dat ze Dusty Springfield was. Thorne installeerde zich op de bank, maar toen Louise tegenover hem op een voetenbankje ging zitten, was het duidelijk dat ze wat meer wilde bespreken dan het naar buiten brengen van de vuilnis.

'Hypothetisch gesproken,' zei ze, 'wat zou je ervan zeggen als ik bij de politie wegga?'

Thorne leunde achterover en blies zijn wangen leeg. 'Godsamme,' zei hij.

'Ik zei: "hypothetisch gesproken".'

'Hoe kom je daar zo bij?'

'Ik denk dat we iets moeten doen.'

'Wé?'

'Dat er iets moet veranderen, bedoel ik.'

'Maar je houdt van je werk,' zei Thorne. 'Meer dan ik, in elk geval. Je zou het dit jaar tot hoofdinspecteur kunnen schoppen.'

'Ik denk dat het werk misschien iets met de miskraam te maken heeft gehad.'

'Dat weet je niet.'

'Maar ik weet wel zeker dat het niet geholpen heeft. Kom op, je weet zelf hoeveel stress het geeft...'

Thorne hoorde iets in haar stem: boosheid, vasthoudendheid. Hij knikte alleen maar en nam een slok.

'En het komt ook door het werk dat het sindsdien niet meer is gelukt.'

'Nou, het zou wel helpen als we eens wat vaker seks hadden.'

'Precies, als dat klotewerk ons allebei niet zo zou afmatten, en als we door onze roosters niet het grootste deel van de tijd als vreemden langs elkaar heen leefden.'

Hier kon Thorne niet veel tegen inbrengen. Hij leunde achterover. De zogenaamde Dusty uit het zuidwesten ging helemaal uit haar dak en jammerde dat haar minnaar een ontrouwe dronkenlap was.

'Het lijkt me alleen nogal... radicaal,' zei Thorne.

'We moeten iets doen, Tom. Als we met elkaar verder willen –'

'Verder willen?'

'Misschien moeten we allebei wel weg bij de politie.'

'Hè?'

Ze hadden het er al eerder over gehad, over hun gedroomde toekomst. Maar toen was er een baby op komst geweest.

'Of ga je me nou werkelijk vertellen dat alles rozengeur en maneschijn is?'

'Jij bent degene die overal een oordeel over heeft.'

'Dat is een deel van het probleem.'

'Iedereen heeft ups en downs, weet ik veel, maar als ik jou hoor, lijkt het of het allemaal waardeloos is.'

'Ik probeer realistisch te zijn.'

'Je doet bespottelijk,' zei Thorne. 'En melodramatisch.'

Louise schudde haar hoofd en lachte even, geërgerd. 'Dat is dus zó typisch.'

'Wat?' Thorne had ervoor gewaakt alles te zeggen wat nodig was, op de manier die nodig was, om te voorkomen dat Louise in woede ontstak. Nu dreigde hij zelf te ontploffen.

Ze nam een grote slok wijn, en bleef met haar hoofd schudden. 'Als het om het werk gaat, heb je er alles voor over om de uitkomst te krijgen die je wilt. Je doet net dat stapje extra en neemt idiote risico's. Dan douw je door. Bij anderen en andermans problemen doe je wat nodig is zonder er ook maar bij na te denken. Maar in je eigen leven, óns leven, is het een ander verhaal.'

'Dat is niet eerlijk, Lou...'

'Als het om ons gaat, kies je altijd de weg van de minste weerstand, doe je zo min mogelijk. Het is alsof het werk alle vechtlust uit je heeft gezogen of zoiets, en als het om persoonlijke dingen gaat, om dít soort dingen, dan klooi je maar wat aan en neem je genoegen met een rustig leventje, hoe slecht het ook gaat.' Ze zat op het puntje van de voetenbank, met haar knieën tegen zijn schenen. 'Nou, ik denk dat je het compleet verkeerd aanpakt. Volgens mij liggen je prioriteiten verkeerd, en als het je echt wat kan schelen hoe het tussen ons gaat, dan moet je eens nadenken over wat je belangrijker vindt. En beslissen wat je wilt.' Ze dronk haar glas leeg en keek hem aan. 'Nou?'

Thorne staarde naar het kleed en wilde op dat moment alleen maar de muziek afzetten. De eentonige cd van die pseudo-Dusty uit de speler trekken en hem tegen de muur smijten.

De deurbel bespaarde hem die moeite.

Louise vloekte, stond op, liep naar de cd-speler en zette die uit. 'Als dat dat stomme wijf van hierboven is, dan kan ze de pest krijgen. Het kan onmogelijk zo hard hebben geklonken dat ze daar last van kan hebben gehad.' Ze keek naar Thorne alsof ze wachtte tot hij de deur opendeed.

'Ik peins er niet over,' zei hij. 'Het is verdomme jouw buurvrouw...'

Hij zette de film af en liet met dezelfde afstandsbediening het licht opkomen. Dat gaf hem altijd een kick. Toen de thuisbioscoop werd geïnstalleerd, had hij ervoor gezorgd dat alle toeters en bellen erop zaten, en het was elke cent waard geweest. Hij had alle grote schotelantennes zodat hij Premier League-voetbal kon kijken wanneer hij wilde, het nieuws op de BBC en al dat soort zaken. Maar meestal keek hij films. Hij had nu een behoorlijke cinematheek: oorlogsfilms, westerns, een volledige Laurel en Hardy-collectie en een niet onaardige verzameling pornofilms waar Candela en hij zo nu en dan naar keken.

Gewoon om de boel spannend te houden.

Hij had de filmzaal in de kelder laten bouwen, de koelste plaats van het hele huis. Als hij niet uitging of gasten ontving, zat hij 's avonds meestal hier in een korte broek en T-shirt, met het geluid goed hard, tot zijn ogen dichtvielen. Over het algemeen hield hij het dan voor gezien, maar soms viel hij in slaap en werd hij om een uur of vier 's ochtends zwetend wakker bij het fel verlichte scherm en zacht knetterende speakers. Dan kon hij zich soms een paar seconden niet herinneren waar hij was.

Hoe laat het was en in welk land hij was.

Als hij dan weer bij zinnen was, slofte hij langzaam naar de keuken, pakte hij een fles water uit de ijskast en ging naar bed. Al met al redelijk tevreden met de manier waarop alles had uitgepakt.

Tot nu toe...

Dit gezanik kon hij gewoonweg niet gebruiken, nog daargelaten dat het een hoop geld kostte dat hij liever in zijn zak had gehouden. De voorzorgsmaatregelen die hij had genomen om de schade te beperken waren niet goedkoop geweest. De mensen die hij had ingezet moesten goed worden betaald, naast het geld dat hij sowieso elk jaar uitgaf om zijn informanten tevreden te houden.

Maar het ging niet alleen om het geld. Hij had het leven dat hij zich hier had verworven verdiend, en afgezien van een paar probleempjes was het tot voor kort redelijk zorgeloos geweest. Hij werd er niet jonger op en hij had erop gerekend dat het leven zo zou blijven tot hij de geest gaf. Golf spelen, varen en wat uitgaan. Feesten en beesten tot hij hem niet meer omhoog kon krijgen en zo nu en dan wat zaken doen, gewoon voor de lol.

Wie zou dat nou niet willen? Wie zou niet alles doen om dat veilig te stellen?

Hij pakte de afstandsbediening weer, dimde het licht en startte de film opnieuw.

Maar hij bleef maar aan die smeris denken. Degene die eruitzag of hij niet vies was van een potje spitten...

Hij keek op zijn horloge. Op het scherm lagen Stan en Ollie in bed te slapen en bliezen een veertje tussen hen heen en weer met hun beurtelingse gesnurk.

In Engeland was het een uur vroeger. Binnenkort stond er van alles te gebeuren.

En met een beetje geluk zou het dan zijn afgelopen.

27

Thorne hoorde de stemmen en was al opgestaan toen Louise de woonkamer in kwam lopen met Anna Carpenter. Louise glimlachte en vroeg of ze iets wilde drinken, maar zodra ze Thornes blik ving, keek ze hem doordringend aan. 'Bezoek,' zei ze.

'Juist,' zei Thorne.

'Ik zet wel even water op.'

Ze liep naar de keuken, haar mond stond strak en haar kaakspieren waren gespannen. Thorne legde zijn hand op haar arm toen ze langs hem heen liep, en hoopte dat haar irritatie alleen betrekking had op het feit dat er een belangrijk gesprek was onderbroken.

'Dit is duidelijk geen geweldig moment om binnen te vallen,' zei Anna, die probeerde te glimlachen. Ze stond midden in de kamer en verplaatste haar gewicht van de ene voet op de andere. Ze had haar jas niet uitgedaan en haar tas niet neergelegd.

'Hoe ben je aan dit adres gekomen?' Thorne deed een stap naar haar toe.

'Luister, het spijt me –'

'En kom nou niet aanzetten met die vriendin bij bureau kentekenregistratie...'

'Je recherchechef,' zei Anna.

'Wát?'

'Hij heeft me verleden week zijn nummer gegeven en gezegd dat ik hem altijd kon bellen als ik iets nodig had, dus –'

Thorne had zich al omgedraaid en liep naar de keuken. Hij stak zijn hoofd naar binnen en zei tegen Louise dat ze de koffie kon laten zitten. Toen ze haar mond opendeed om iets te antwoorden, zei hij dat het hem speet en dat hij niet lang weg zou blijven. Op gedempte toon voegde hij eraan toe dat ze het gesprek zouden voortzetten wanneer hij terug was.

Hij liep de woonkamer weer in en pakte zijn leren jack van de armleuning van een stoel.

Anna verstelde de schouderband van haar tas.

'We gaan een eindje lopen,' zei hij.

Anna moest behoorlijk doorstappen om Thorne in te halen, hield gelijke tred met hem en deed haar best om hem bij te houden. 'Waar gaan we naartoe?'

Daar had Thorne geen antwoord op, omdat hij zelf totaal geen idee had.

'Oké, maar waarom wilde je dan naar buiten?' Ze draaide zich naar hem toe en keek hem aan. 'Ik denk dat je niet tegen me tekeer wilde gaan waar je vriendin bij was.'

Weer zei Thorne niets, omdat hij niet al te lang wilde nadenken over zijn redenen om het appartement uit te gaan – om Anna het appartement uit te willen hebben.

'Sorry, ik weet niet hoe ze heet,' zei Anna.

'Vertel me eens hoe het met Jesmond zit.'

Onder het lopen vertelde Anna dat de recherchechef haar had opgebeld de dag nadat ze Thorne in Becke House had opgezocht. Jesmond was bijzonder vriendelijk geweest, zei ze en had haar op het hart gedrukt dat hij en zijn team er alles aan zouden doen om haar te helpen.

'Ja, ik geloof graag dat hij het je naar de zin wilde maken,' zei Thorne.

Anna had te horen gekregen dat ze niet moest aarzelen om contact met Jesmond op te nemen als ze vragen had of ergens hulp bij nodig had. Ze vertelde dat ze eerder op de avond al bij Thornes appartement in Kentish Town langs was geweest, en omdat ze geen idee had waar ze Thorne kon vinden had ze Jesmond maar gebeld. Jesmond had even later teruggebeld en haar het adres genoemd dat Thorne bij het afmelden op het bureau had opgegeven. Anna zei dat hij heel bereidwillig was geweest.

Thorne vloekte en versnelde zijn pas.

'Ik wist niet wat ik anders moest doen.'

'Waarom heb je me niet gewoon gebeld?'

'Ik wilde je persoonlijk spreken,' zei ze. 'Ik wil je een paar dingen zeggen...'

Thorne keek haar voor het eerst eens goed aan sinds ze de flat uit waren gegaan. Hij zag de kleur op haar wangen toen ze onder een straatlantaarn door liepen en keek hoe ze de schouderband van haar tas omhoogsjorde om te voorkomen dat die weggleed. Hij ging iets langzamer lopen.

Ze blies lucht uit haar wangen en knikte dankbaar.

'Nou, vooruit dan,' zei Thorne.

Ze nam even de tijd, haalde haar schouders op, wachtte nog even en zei toen: 'Nou, eigenlijk wil ik gewoon sorry zeggen. Daar in die bar heb ik een paar dingen gezegd die waarschijnlijk te ver gingen. Ik bedoel, ik was natuurlijk razend, maar dat is geen excuus. Dat ik zei dat je een prutser was... Ik weet niet waar ik het over heb, dus...'

Thorne staarde voor zich uit.

'En voor het grootste deel ben je geweldig geweest, en dat maakt het alleen maar erger. Je had me niet mee hoeven nemen naar Monahan, of naar Donna, en ik weet dat ik een lastpak ben geweest.' Ze wachtte. Ze liepen nu in een heel rustig tempo. 'Je mág me tegenspreken, hoor.'

'Dat kan ik wel, maar ik doe het niet.'

'Hoe dan ook... sorry. En...'

Thorne knikte. 'Ik heb ook een paar dingen gezegd die ik misschien niet meende, dus...'

'Het is goed, ik weet waarom je dat deed,' zei ze.

'Goed.'

'Maar dat is het hem nou net. Want wat me nog het meest spijt is dat ik niet naar je zal luisteren.'

Thorne bleef staan. 'Wát?'

'Ik heb erover nagedacht en ik heb besloten de rit uit te zitten.' Ze zag dat Thorne wilde losbarsten, dus gaf ze alvast antwoord op de vraag waarvan ze wist dat hij die wilde stellen. 'Omdat ik hiermee door moet gaan. Als ik gewoon wegloop wanneer het moeilijk wordt, is het net of ik aan al die mensen die me voor gek versleten toen ik hieraan begon, toegeef dat ik een sufferd ben. Dus sorry, en bedankt voor je bezorgdheid, maar ik stop niet. Ik heb het al met Donna besproken.'

'Ach jezus...' Thorne liep weer verder.

Ze kwamen langs het Chelsea College of Art and Design en sloegen toen links af naar de rivier. Ze passeerden een paar appartementen die leken op dat van Louise. Thorne keek bij een paar souterrainwoningen naar binnen en ving een glimp op van mensen die aan het eten waren of tv-keken.

'Dat doe ik ook altijd,' zei Anna. 'Je weet maar nooit of je iemand in zijn blootje ziet zitten.'

Bij Millbank staken ze de weg over en liepen verder naar de Riverside Walk Gardens. De verlichting van de grote sculptuur scheen over de terrasvormige gazons met hun granieten stootborden en werd weerspiegeld in een rij metalen banken vlak voor de kademuur. Thorne liep op een van de banken af, waarvan de zittingen nog nat waren van de plensbui van een uur geleden. Anna gaf hem een stapeltje tissues aan. Thorne glimlachte en begon het vocht weg te vegen.

'Wat?'

'Ik moest denken aan die dag in het park,' zei Thorne. 'Toen je die vent papieren zakdoekjes gaf.'

'Ik ga nooit ruzies uit de weg.' Anna haalde haar schouders op. 'Dat is altijd mijn probleem geweest.'

Thorne knikte, en zei: 'Alan Langford is niet een vent die zijn hond alleen maar op een stoep laat schijten.'

'Dat weet ik.'

Er kwam een vrouw langsjoggen, rood hoofd, hijgend, met een iPod aan haar riem.

'Voor wie slooft die zich uit?' vroeg Anna.

'Jesmond probeert je alleen maar tevreden te houden.' Thorne keerde zich naar haar toe en keek haar aan. 'Dat moet je wel weten. Hij is als de dood dat je naar de pers loopt en daar vertelt hoe we het oorspronkelijke onderzoek verknald hebben.'

'Waarom zou ik dat doen?'

'Hij heeft de neiging zijn gezonde verstand uit te schakelen. Net als iemand anders die ik ken.'

'Krijg ik nou weer een preek te horen?'

Thorne zweeg even en liet de vlaag van boosheid en ongeduld weg-ebben. 'Gaat het erom dat je je moeder iets wil bewijzen? Weiger je daarom te doen wat het verstandigst is?'

'Nee.' Anna keek de andere kant op, naar de jogger die even op de plaats liep voordat ze omkeerde en dezelfde weg terug nam. 'Nou ja, niet alleen dat.'

'Je hoeft niks te bewijzen.'

'Dat weet ik.'

'Niet aan jezelf, aan je moeder of aan mij.'

'Het gaat erom dat ik het gevoel heb dat ik iets belangrijks doe. God, waarom zit ik toch altijd zo stom te zeveren als ik met jou praat?'

'Luister, ik ga je niet vertellen dat het verkeerd of stom is om dat te willen. Dat is waarschijnlijk wat ikzelf ook ooit heb gewild.'

Ze keek hem aan. 'Je hebt me gezegd dat je niet... gevoelloos bent ge-raakt. Laatst, toen –'

'Dat ben ik ook niet,' zei Thorne, 'maar dat bedoel ik niet.'

Anna wachtte.

Thorne besloot een andere koers te varen. 'Goed, vergeet hoe ge-vaarlijk dit allemaal is. Vergeet dat Langford al drie mensen heeft laten vermoorden. Minstens drie. Vergeet dat hij bereid is tot het uiterste te gaan om het leven veilig te stellen dat hij heeft opgebouwd. Dat heb ik je nou al vaak genoeg verteld, en dat helpt blijkbaar niet.'

Anna glimlachte. 'Mooi. Ik ben het nu al vergeten.'

Thorne keek haar doordringend aan om er zeker van te zijn dat ze begreep dat hij het meende. 'Luister, of je nou kerels probeert te pak-ken die hun vrouw belazeren of dat je Donna Langfords dochter pro-beert terug te vinden, je staat tot je enkels in andermans ellende, en dat spoel je niet zomaar af. Begrijp je dat?'

Ze knikte.

'Als er een moord is gepleegd, als ik de dader moet zien te vinden, dan móét ik mijn gevoelens uitschakelen. Ik walg van wat er is ge-beurd, maar ik kan het me niet permitteren om gevoelens te koeste-ren tegenover degene die ik wil pakken. Ik kan het me niet permitteren om degene achter wie ik aan zit te haten. Ik bedoel, ik hoef ook niet van hem te houden, maar ik moet op z'n minst proberen hem te begrijpen.'

Zodat ik hem bij de kladden kan grijpen. Daarna wordt het een ander verhaal...' Hij was zachter gaan praten en zag dat Anna zich moest inspannen om hem te verstaan boven de wind uit die over het water blies. Hij schraapte zijn keel. 'Naderhand, in de verhoorkamer, in de rechtszaal of waar dan ook, ben ik... haatdragend.' Hij zag de verwarring op Anna's gezicht en hij schudde zijn hoofd. 'Dat is niet het goede woord. Ik weet niet of er wel een woord voor is. Dan zit ik... vol haat...'

Hij sloot zijn vingers om de rand van de bank, maar haalde ze snel weer weg toen hij de stukjes opgedroogde kauwgom aan de onderkant voelde.

'De zaak waar ik hiervóór aan werkte, draaide om een man die Adam Chambers heet.'

'Dat weet ik,' zei Anna. 'Ik heb erover gelezen.'

Thorne knikte. 'Goed. Ik word al razend bij de gedachte dat hij vrij rondloopt, of Langford, of een stuk of tien anderen die op vrije voeten zijn omdat ze mazzel hebben gehad of omdat er iemand heeft geblunderd. Ik stel me voor dat ze in de pub zitten, tv zitten te kijken zoals de mensen in die appartementen waar we net langsliepen, of dat ze slapen. Ik denk aan wat ze hebben gedaan en dan zit het me tot híér. Barstensvol met haat.' Hij probeerde een glimlach op zijn gezicht te leggen en liet die vergezeld gaan van een weinig overtuigend lachje. 'En daar walg ik van.'

Ze staarden allebei een tijdje voor zich uit, met hun benen gestrekt, handen in de zakken. Het werd kouder en het zag ernaar uit dat het ging regenen.

'Hoor eens, ik zeg niet dat ik de hele tijd aan je wil klitten of zo,' zei Anna.

'Dat is een hele opluchting.'

Ze schoof wat dichter naar hem toe. 'Nee, echt. Ik verwacht heus niet dat ik een pasje krijg waarmee ik overal naar binnen kan en een toezegging dat ik erbij mag zijn als je iemand arresteert.'

'Mooi, want die krijg je niet.'

'Hou me gewoon op de hoogte, goed?'

Thorne keek haar van opzij aan. Hij zag dat dit de grootste concessie was die ze bereid was te doen.

'Ik hoor liever van jou wat er aan de hand is dan van Jesmond.'

'Oké dan,' zei Thorne.

'Ik heb het idee dat ik van je baas niet het hele verhaal te horen zou krijgen. Hij lijkt me een beetje slijmerig.'

Thorne zei: 'Meer dan een beetje,' en keek uit over de rivier. Ze had in ieder geval in één opzicht blijk gegeven van een opmerkelijk goed beoordelingsvermogen. Maar hij voelde zich nog steeds ongemakkelijk onder de situatie.

Misschien was hij het niet gewend zich zo bloot te geven.

Hij staarde naar het snel bewegende zwarte water, naar de lichtjes die zich langzaam in beide richtingen onder Vauxhall Bridge voortbewogen, en voor de tweede keer die dag vroeg hij zich af of het leven aan boord van zo'n schip eenvoudiger zou zijn. Als hij zijn hoofd naar de wind zou kunnen draaien en zijn gedachten zou kunnen bevrijden van dit alles. Het idee kwam hem net zo dwaas voor als toen hij vanuit de vergaderruimte van SOCA naar beneden had gestaard, en vooral omdat Thorne zich niet echt thuis voelde in en op het water. Dat had hij voor het eerst gemerkt toen hij als achtjarige met zijn vader op makreel ging vissen en hij al had overgegeven toen ze pas tien minuten de haven van Brixham uit waren. Sindsdien raakten zijn ingewanden van streek bij alles wat woeliger was dan een molenboezem, en deed dat hem smachten naar vaste grond onder zijn voeten. Toch sprak het idee van boten hem aan, de gedachte dat je erin weg kon dobberen, hoe teleurstellend de realiteit ook altijd bleek te zijn.

Zoals zoveel dingen in het leven was het op papier een goed idee.

Hij liet zijn hoofd achterovervallen en voelde de eerste spetters motregen op zijn gezicht, maar het was niet onaangenaam.

'We moeten maar eens opstappen,' zei Anna.

'Precies.'

'Dan kun jij tenminste teruggaan naar... Sorry, nou weet ik nog niet hoe ze heet.'

Zoals je zoveel andere dingen niet weet...

'Louise,' zei Thorne.

Op de terugweg liepen ze ongedwongen met elkaar te praten en hadden totaal geen haast terwijl de straten steeds nauwer en stiller werden. Ze kregen het met elkaar aan de stok over voetbal toen bleek dat Anna stiekem naar *Match of the Day* keek. Zoals veel te veel Londenaren was ze fan van Manchester United, maar Thorne deed zijn best daar niet al te zwaar aan te tillen.

''t Had nog erger kunnen zijn,' zei hij tegen haar. 'Je had ook voor Chelsea kunnen zijn.'

Ze vertraagden hun pas toen ze Louises straat bereikten en liepen nu heel langzaam terug naar haar flat.

'Sorry dat ik zo'n ramp ben geweest,' zei ze.

'Daar kom ik wel overheen,' zei Thorne.

Halverwege de straat scheurde er een pizzabezorger langs op een scooter met een motor die klonk als een zwerm razende wespen.

'Godvergeten föhn op wielen.' Thorne zei het zonder nadenken. Het was iets wat zijn vader vroeger altijd zei.

Anna lachte. 'Maar pizza klinkt wel goed. Ik verga van de honger.'

Het regende nu veel harder en ze waren vlak bij Louises appartement. Thorne overwoog even om haar binnen te vragen en iets te eten voor haar klaar te maken. 'Wil je dat ik een taxi voor je bel?' vroeg hij.

'Hoeft niet. Ik pak de tube wel.'

Thorne zag dat de scooter aan het eind van de straat was aangekomen, omkeerde en dezelfde weg terugreed. Hij pakte Anna instinctief beet. 'Weet je het zeker?' Hij hield de scooter met één oog in de gaten. Hij dacht eerst dat de bezorger het adres niet kon vinden, maar de bestuurder deed geen poging de huisnummers te lezen.

'Echt, het is geen probleem.'

Thorne voelde een tinteling opkomen die zich over zijn nek verspreidde. 'Kom, dan gaan we naar binnen.'

De scooter remde af en wiebelde een beetje terwijl hij op de stoep af reed; terwijl Thorne zijn hand tegen Anna's rug legde en haar een duw gaf.

'Wát?' zei ze.

De man op de scooter, wiens gezicht schuilging achter het getinte vizier stuurde nu met één hand en zonder dat hij hoefde te zien wat er in de andere hand zat die achter de brandstoftank verborgen zat, duwde Thorne Anna naar voren. 'Wegwezen!'

De bestuurder hief het pistool en Anna gilde, pakte Thornes arm en schreeuwde dat hij moest uitkijken. Half duwend half trekkend wist

Thorne haar een meter of wat mee te sleuren tot ze bij het lage hek waren dat langs de voorkant van het gebouw liep; het was nog drie meter naar Louises deur toen het eerste schot werd afgevuurd.

Gewoon een droge knal, alsof de motor van de scooter terugsloeg.

Anna zei: 'Jézus,' en toen zei ze Thornes naam terwijl de scooter accelereerde, weer dat hoge snerpende wespachtige geluid, tot hij op gelijke hoogte met hen was. Er was geen tijd meer om die laatste meter af te leggen naar het trappetje dat van het trottoir af naar Louises deur liep en uiteindelijk kon Thorne zich alleen maar tegen haar aan duwen; haar tegen het hek duwen terwijl hij voelde hoe zijn armen en benen begonnen te trillen en de regen in zijn nek drupte.

Hij hoorde opnieuw zijn eigen naam schreeuwen toen hij zich omkeerde en het pistool voor de tweede keer omhoog zag komen.

III

COSTA DEL PLOMO

28

Een paar minuten voor het inzetten van de landing bij Malaga, kwam het vliegtuig terecht in turbulentie bij heldere hemel, waardoor het plotseling in een luchtzak viel. Thorne schoot overeind en deed zijn ogen open; de blik op het gezicht van de vrouw naast hem maakte hem duidelijk dat hij hoorbaar naar adem moest hebben gehapt. Hij schaamde zich omdat hij wist – dat had hij ergens gelezen – dat je in die fractie van een seconde maar een meter naar beneden viel en dat dat in het grote geheel der dingen weinig voorstelde.

Hij mimede 'sorry' en glimlachte naar de vrouw. Ze knikte en richtte zich weer op haar tijdschrift.

Thorne sloot zijn ogen weer en wachtte tot de turbulentie wat minder werd, hoewel hij wist dat de misselijkheid, de klamme, venijnige knoop in zijn maag, daar niets mee te maken had. Hij had niet geslapen, maar de beelden die hij voor zich zag en de flarden van gesprekken die hij zich herinnerde, hadden heel goed fragmenten van een nachtmerrie kunnen zijn geweest.

Acht weken na de schietpartij.

Voordat de man op de scooter nog een keer had kunnen schieten, waren Thorne en Anna samen over het ijzeren hek gevallen en keihard op de stenen traptreden terechtgekomen. Hij voelde een verzengende pijn door zijn schouder schieten, en toen hij zich probeerde te bewegen vermoedde hij dat zijn sleutelbeen was gebroken. Hij was zich vaag bewust van het lawaai van de motor, van het hoge snerpende geluid toen de scooter wegscheurde. Hij was zich ook vaag bewust van Anna die naast hem lag te kreunen, van de koude, natte traptrede tegen zijn gezicht, van Louise die de deur opendeed en gilde toen ze het bloed zag.

Acht weken...

Twee sinds de begrafenis.

Thorne had het gevoel dat hij werd aangestaard; gadegeslagen, op zijn minst. In de kerk, buiten op de begraafplaats, en vooral daarna, in het huis van de Carpenters in Wimbledon. Waarschijnlijk verbeeldde hij het zich alleen maar, en in elk geval had niemand iets gezegd. Niemand van degenen die alle recht hadden om heel wat meer te doen dan alleen maar te staren naar de smeris die twee weken met zijn arm in een mitella had gelopen, terwijl de jonge vrouw die hen vanaf het programma van de dienst stralend aankeek, achter in een ambulance was doodgebloed.

Ik ga nooit ruzies uit de weg. Dat is altijd mijn probleem geweest.

Iemand die wel staarde was Frank Anderson, die Thorne herkende als de man die zijn kantoor binnen was gelopen met een kletsverhaal over een rokkenjagende vriendin. Maar zelfs Anderson weerstond de verleiding iets te zeggen, en Thorne onderdrukte op zijn beurt het verlangen om Anderson een paar dingen onder de neus te wrijven die híj had opgekropt. Maar dat deed hij wel in gedachten terwijl hij in de kerk naar de roos op de kraag van Frank Anderson staarde. In gedachten pakte hij de man bij zijn haar, ramde zijn gezicht tegen de kerkbank en eiste hij een verklaring voor de manier waarop hij Anna had behandeld. Voor de dingen die hij haar had laten doen.

Weet je wel hoe ze er de pest aan had, lamzak? Hoe ze zich eronder voelde? Heb je daar ook maar enig benul van?

In plaats daarvan zong Thorne 'How Great Thou Art' en luisterde naar een ontroerende lofrede van een oudere zus van wier bestaan hij niet had geweten. Hij sprak na afloop met haar in het ouderlijk huis en hoorde dat ze een succesvol advocate was. Thorne vroeg zich af of Anna, door die gehate baan bij de bank aan te nemen, zich niet net zo goed met haar had willen meten of zich van haar had willen onderscheiden, als dat ze haar moeder had willen plezieren. Hij riep zichzelf in stilte tot de orde. Welk recht had hij om een oordeel te vellen, om overhaaste conclusies te trekken over wat er in Anna omging?

Toen hij langzaam de kerk uit liep, had hij Donna voor zich uit zien lopen. Buiten, waar de mensen zachtjes stonden te praten en een sigaret opstaken, knikten ze elkaar toe, maar ze scheen haast te hebben om weg te komen en Thorne was allang blij dat het niet tot een gesprek kwam. Die stuntelige dans rond schuldgevoel en blaam.

Thuis bij de Carpenters had hij een glas bier gedronken en daarna nog een. Hij was hier tenslotte niet in een officiële hoedanigheid. Hij had absoluut alle reden om meer dan een paar drankjes achterover te slaan en zich volslagen belachelijk te maken.

Het was een mooie dag en buiten in de tuin sprak Thorne met Anna's vrienden, Rob en Angie. Ze zaten op een muurtje met een bord koude ham en salade op schoot.

'Ze heeft het over jullie allebei gehad,' zei Thorne. 'Ze zei dat ze altijd zo'n lol met jullie had.'

Rob knikte en schoof zijn koolsla heen en weer.

'Ze heeft het ook over jou gehad,' zei Angie.

Daarna viel er niet veel meer te zeggen. Als er een ouder iemand gestorven was, iemand wiens dood niet totaal onverwacht kwam, had een van hen kunnen zeggen: 'Het was een mooie dienst, vonden jullie ook niet?' of misschien een grappig verhaal kunnen vertellen. Maar daar was het allemaal te pijnlijk voor, om met kleine leugentjes aan te komen, en in plaats daarvan probeerden ze zich uit alle macht groot te houden.

Thorne had de vader en de moeder de hele dag in de gaten gehouden. Steeds als Thorne naar hen keek rustte de hand van de man op de arm van de vrouw: toen ze uit de glimmende Daimler stapten, toen ze de kerk in liepen, toen ze in de keuken en de woonkamer onzeker van het ene groepje vrienden of familie naar het volgende liepen, glazig voor zich uit kijkend, alsof ze nauwelijks konden geloven dat ze de ene voet voor de andere konden zetten.

Dat ze overeind bleven en mee konden praten. Dat ze iets konden zeggen zonder in huilen uit te barsten.

Ze hadden elkaar in de kerk vluchtig begroet, maar na afloop thuis, pendelend tussen het buffet en de deur van de woonkamer, had Thorne eindelijk de kans gehad om even met ze te praten. Omdat hij zelf in het ziekenhuis lag, hadden andere politiemensen zich in de dagen na het schietincident over Robert en Sylvia Carpenter ontfermd. Dus hoewel hij er zeker van was dat ze heel goed wisten wie hij was, kon hij zich nu pas voor het eerst aan hen voorstellen.

'U was degene die erbij was,' zei Sylvia. 'Die zijn sleutelbeen heeft gebroken.'

Thorne slikte. En beaamde het.

Degene die mijn dochter niet heeft weten te beschermen.

Degene die ze eigenlijk moesten hebben.

Degene die in die kist had moeten liggen.

'Hoe gaat het nou?' vroeg Sylvia. Ze stak een hand naar hem uit. 'Soms zijn die heel moeilijk te zetten. Een neef van me heeft er veel gedonder mee gehad.'

Thorne staarde haar aan. Als het haar bedoeling was om hatelijk of sarcastisch te zijn, verrieden haar stem of haar ogen dat niet. Integendeel, op haar gezicht lag een uitdrukking van bijna manische bezorgdheid.

'Claviculum.' Ze sprak het woord langzaam uit en legde op elke lettergreep een klemtoon. Ze hield haar hand nog steeds uitgestoken, en maakte met haar vingers fladderende bewegingen vlak voor Thornes borst. 'Zo heet het in het Latijn.'

'Sylvia...' Robert Carpenter legde zachtjes een hand op de arm van zijn vrouw. Ze draaide langzaam haar hoofd opzij om hem aan te kijken en liep toen plotseling weg, aandachtig starend naar de schalen met kaas en koud vlees terwijl ze langs de buffettafel liep.

De twee mannen keken haar na en toen draaide Robert Carpenter zich weer naar Thorne toe. Hij staarde even omlaag naar zijn schoenen voordat hij zijn ogen weer opsloeg. 'Het heeft haar enorm aangegrepen,' zei hij.

'Natuurlijk,' zei Thorne.

'Ik bedoel dat het ons natuurlijk allemaal heeft aangegrepen.'

Thorne wist niets uit te brengen omdat hij zich ervan bewust was hoe ontoereikend de geijkte platitudes klonken. Platitudes die hij overigens in talloze vergelijkbare situaties ten beste had gegeven. Kijkend naar Anna's vader bedacht hij dat de invloed van Amerikaanse tv-series zich de laatste jaren op allerlei terreinen deed gevoelen maar nu ook al zijn tentakels had gezet in het taalgebruik van de condoleanceformuleringen.

I'm sorry for your loss.

Thorne ergerde zich wild aan het woordje *loss*. Dat suggereerde toch zeker de mogelijkheid dat op een dag degene die je had verloren, teruggevonden kon worden? Je kon sleutels verliezen en mobieltjes. Honden, portemonnees en telefoonnummers. Maar degenen die aan hun familie waren ontrukt door een gewelddadige dood, waren wég – en dat was in één woord verschrikkelijk, maar die waren echt niet verloren geraakt.

Thorne en al die andere mensen waren in het huis van de Carpenters samengekomen om te rouwen om Anna's afwezigheid.

'Heeft ze u verteld dat ze niet het lievelingetje van haar moeder was?' vroeg Robert plotseling.

'Nee,' zei Thorne.

'Dat dacht ze altijd. Het stomme is dat ze dat wel was.' Hij schudde zijn hoofd en ging nog zachter praten. 'Dat was ze echt...'

Thorne vroeg zich af wat Anna hem nog meer zou hebben verteld als ze tijd had gehad.

'Er is nog geen nieuws, neem ik aan?'

'Sorry, maar wat bedoelt u?' zei Thorne.

'Uw collega's zijn allemaal erg vriendelijk geweest en hebben ons op de hoogte gehouden en zo. Maar ik heb al meer dan een week niets meer gehoord, dus...'

'We doen alles wat we kunnen.'

'Natuurlijk, dat begrijp ik.'

Thorne was na de schietpartij twee weken thuisgebleven – verplicht verlof als gevolg van een incident met een vuurwapen, hoewel hij daar gezien de ernst van zijn verwonding sowieso recht op had gehad. Later zouden er nog sessies met hulpverleners volgen, die Thorne nu al met afschuw vervulden. Die hem op het idee brachten dat je nog een paar andere dingen kon verliezen.

Je agenda.

De weg naar het kantoor van de hulpverlener.

De wil om te leven.

In de twee weken dat hij niet op kantoor was geweest, was hij wel op de hoogte gebleven van het onderzoek: hij sprak een paar keer per dag met Brigstocke, Holland en Kitson, en hij had Gary Brand gebeld om te horen of diens contacten misschien geruchten hadden opgevangen. Hij was erbovenop blijven zitten. Dus hij wist maar al te goed dat zich geen getuigen hadden gemeld, dat het oorverdovend stil was gebleven ondanks de talloze oproepen, en dat de gedumpte scooter geen enkel forensisch bewijsmateriaal had opgeleverd. En dat ze in hun zoektocht naar de schutter op een doodlopend spoor zaten.

'Ze heeft me verteld over de zaak waaraan ze werkte,' zei Robert. 'Over die vent van wie iedereen dacht dat hij dood was.'

'Klopt.'

'Ze vond het heel spannend. Ik heb tegen haar gezegd hoe blij ik was dat ze er zo van genoot.' Hij zweeg even en de glimlach verdween van zijn gezicht. 'Hij zit hierachter, veronderstel ik?'

Hij wilde jou uit de weg ruimen en heeft in plaats daarvan mijn dochter vermoord.

Hij had wat effectievers moeten verzinnen dan een nachtelijke aanslag met een vuurwapen vanaf een rijdende scooter.

'Dat denken we,' zei Thorne. 'Hij heeft er op z'n minst voor betaald.'

Anna's vader bestudeerde zijn schoenen weer en keek om de paar seconden weer op naar de anderen in de kamer. 'Nou ik ga maar weer eens...'

'Dank u wel,' zei Thorne.

Hij wist niet zeker waar hij de man voor bedankte. Voor zijn gastvrijheid? Voor het feit dat die hem niet tegen de muur had geduwd en vervuld van verdriet en woede in zijn gezicht had staan schreeuwen?

Voor Anna?

Thorne bleef nog een halfuurtje heen en weer lopen tussen de keuken, de woonkamer en de tuin. Hij zag dat Rob en Angie naar hem keken en deed zijn best om te glimlachen. Hij keek naar de verzameling familiefoto's op een dressoir: Anna en haar zus op vakantie in een warm land; het hele gezin tijdens de diploma-uitreiking van Anna; Anna en haar moeder, met vrijwel dezelfde lichaamshouding en gezichtsuitdrukking. Toen hij over de buffettafel reikte om nog wat eten te pakken waar hij eigenlijk geen trek in had, voelde hij de pijn in zijn sleutelbeen. Hij voelde hoe die naar zijn schouder uitstraalde en voelde haar gewicht weer toen ze allebei onder aan de stenen trap lagen.

Haar reutelende adem zwakjes tegen zijn borst en haar bloed dat tussen zijn vingers door liep.

Hij sprak die dag nog één keer met Robert Carpenter toen hij bij de voordeur afscheid van hem nam. Anna's vader bedankte de mensen bij het weggaan, zette zich schrap voor de laatste litanie van medeleven en omvatte handen met de zijne. Thorne zocht naar de juiste woorden. Hij zei dat hij blij was dat hij was gekomen, mompelde iets van dat het eten zo lekker was geweest, en hoorde zichzelf er toen uitflappen: 'Ze heeft me verteld dat u van bluegrass hield.'

Robert Carpenter glimlachte en knikte, en reikte Thorne een zakdoek aan.

'De gezagvoerder heeft het lampje van de veiligheidsgordels aangedaan, dus...'

Thorne propte zijn krant in het vak en duwde zijn knieën hard in de rugleuning van de stoel voor hem, om die egoïstische klootzak die daar zat eraan te herinneren dat hij die rechtop moest zetten. De vrouw naast hem zei iets, omdat ze het nu, met nog maar een paar minuten voor de landing, blijkbaar voldoende veilig achtte om een gesprekje te beginnen.

'Sorry?'

'Vakantie?'

'Niet echt,' zei Thorne.

De vrouw knikte en zei: 'U ziet er anders uit of u daaraan toe bent.'

Thorne sloot zijn ogen weer en deed ze pas open toen hij de wielen van het vliegtuig op de landingsbaan hoorde krijsen.

Bij de bagageband voelde hij zijn sleutelbeen weer kloppen en haalde zich een man met ontbloot bovenlijf voor de geest die een glas bier omhooghield. Glimlachend en met zijn ogen tot spleetjes geknepen tegen de zon. Zou die glimlach nu nog net zo makkelijk doorbreken, vroeg Thorne zich af, na alles wat die man had moeten doen om zijn plaatsje onder de zon te behouden?

Waarschijnlijk wel.

Vanaf het moment dat Thorne weer aan het werk was gegaan, had hij Brigstocke aan zijn kop gezeurd en was hij zelfs nederig naar Jesmond toegestapt, had hem gesmeekt om hem het groene licht te geven voor een reis naar Spanje. Aanvankelijk was er terughoudend op gereageerd omdat ze over niet veel meer harde bewijzen beschikten dan op die avond dat Anna was vermoord. Drie doden tot nu toe. Vier, als je dat ongeïdentificeerde lijk van tien jaar geleden meerekende. Maar nog steeds niets wat de man van wie ze allemaal wisten dat hij erachter zat, met de liquidaties in verband bracht.

Uiteindelijk had Thorne toestemming gekregen; meer uit medelijden dan om andere redenen vermoedde hij, maar dat kon hem niet schelen. Hij zou elk aanbod hebben aangenomen om dicht in de buurt van Alan Langford te kunnen verkeren en oog in oog met hem te kunnen staan. Hij had er alles voor over. Hij zou Langford vinden en wachten, erop vertrouwend dat anderen in Londen hem gaven wat nodig was om die smeerlap geboeid af te voeren naar huis.

'Ik lijk niet graag op die commandant in *Starsky en Hutch*,' had Brigstocke gezegd, 'maar ik kan je niet meer dan een paar weken geven.'

Holland had Thorne naar Luton Airport gebracht. 'We zullen ons drie slagen in de rondte werken,' had hij gezegd. 'Maar dat weet je.'

Toen ze voor de terminal stopten, had Thorne gezegd: 'Zoek uit wie er in die Jaguar heeft gezeten, Dave. Hij is de sleutel tot dit hele gedoe.'

Thornes koffer kwam al snel naar buiten. Hij zag het maar al te graag als een gunstig voorteken.

Hij pakte zijn koffer van de lopende band en rolde hem snel door de automatische deuren heen, pakte zijn zonnebril uit zijn handbagage en liep toen de Spaanse voorjaarszon in.

Vervuld van haat.

29

Niet zozeer 'eersteklas', vond Thorne, maar eerder 'derderangs'.

Binnen een paar minuten na de ontmoeting met inspecteur Peter – 'zeg maar Pete' – Fraser was Thorne ervan overtuigd dat de agent die hem door Silcox en Mullenger was toegewezen als gids en verbindingsman voor het Spaanse deel van het onderzoek, niet een van de beste SOCA-mensen was.

'Welkom in het gekkenhuis,' zei Fraser toen ze naar de parkeerplaats van het vliegveld liepen. Hij grinnikte, boog zijn hoofd en keek Thorne over zijn halfronde zonnebril aan. 'Afgaand op wat ik over je heb gehoord, ben je hier wel op je plaats.'

Hij was niet veel langer dan Thorne maar zag er veel fitter uit. Zijn haar had het soort blonde strepen dat Louise 'coupe vogelpoep' noemde, terwijl de driekwartbroek, de kralenketting en het zalmroze shirt hem eerder het voorkomen van een kleine drugsdealer gaven dan van een vooraanstaand lid van de criminele inlichtingendienst. Misschien was dat juist de bedoeling, dacht Thorne. Hij dacht aan zijn eigen, meer behoudende verzameling korte broeken en poloshirts die hij een paar dagen geleden had aangeschaft met zijn 'warmweertoelage' in de vorm van tegoedbonnen van M&S. Hij vermoedde dat iedereen die oog had voor dat soort dingen, hem onmiddellijk zou ontmaskeren.

Hij besloot dat het hem niets kon schelen.

'Goeie vlucht gehad?' vroeg Fraser.

'EasyJet,' zei Thorne.

Ze zaten even in de Punto van Fraser te wachten tot de airco zijn werk deed voordat ze wegreden. Luisterend naar de gemakkelijke babbel van de SOCA-agent vroeg Thorne zich af of hij zijn eerste indruk moest opschorten en de man het voordeel van de twijfel moest gunnen. Had hij ook niet meteen een hekel gehad aan Andy Boyle? Had hij Anna Carpenter niet onuitstaanbaar gevonden toen hij net met haar zat opgescheept?

Misschien zou Fraser hem ook weten te verrassen.

De SOCA-man keek hoe Thorne zijn plakkerige handpalmen bij de ventilatieroosters hield. 'Dit is nog kóél, vriend,' zei hij. 'Je moet hier maar eens in augustus komen. Ik verzeker je dat je dan zit te zweten als een verkrachter in een verhoorkamer.'

Of misschien ook niet...

Het verkeer op de weg vanaf het vliegveld zat helemaal vast door werkzaamheden die om de vijfhonderd meter voor wegversmallingen zorgden waar de auto's zich langs persten. De weghelften werden gescheiden door een schier eindeloze rij palmen, en de eerste twintig minuten, terwijl ze door de volgebouwde buitenwijken van Malaga kronkelden, werden ze aan beide kanten ingesloten door sombere woonkazernes en rijen winkels. Meubelboulevards, bouwmarkten en restaurants met net zoveel Engelse als Spaanse uithangborden.

Fraser nam een telefoontje aan en zei met een Londens accent dat steeds geaffecteerder begon te klinken, tegen de beller dat Thorne bij hem in de auto zat. Hij zei dat zijn passagier duidelijk last had van de hitte en lachte om het antwoord. Hij bromde een paar keer instemmend en beloofde later terug te bellen. Nadat hij had opgehangen zette hij de radio aan en stemde af op een Engels station; iemand die bij Radio Essex de zak had gekregen kondigde trots een programma met non-stop gouwe ouwe uit de jaren tachtig aan.

Spandau Ballet werd gevolgd door Kajagoogoo.

'Waarschijnlijk moeten we je een dag of twee geven om je draai te vinden.'

'Ik heb geen twee dagen nodig,' zei Thorne.

Fraser haalde zijn schouders op. 'Ik bedoel alleen maar dat je je misschien rustig wilt oriënteren. Vandaag is er trouwens toch niet veel te doen.'

'Heb je nog wat meer voor me te lezen?'

'O ja, vanavond nemen we alles door onder het eten. Maar kalmpjes aan, dan breekt het lijntje niet, weet je wel?'

'Dat stadium heb ik met Alan Langford allang achter de rug,' zei Thorne.

Fraser keek hem aan en legde een vinger tegen zijn lippen. 'Als hij is wie we denken dat hij is, moet je die naam vooral niet hardop zeggen, want de muren hebben hier oren.'

Thorne knikte. Zoals Brigstocke al had gedacht, vermoedde de SOCA dat Alan Langford de man was die ze al een tijdje observeerden, en in de weken na het schietincident waren er stukje bij beetje gegevens over hem via de fax binnengedruppeld. Details van het nieuwe leven dat Langford in Spanje had opgebouwd. Sommigen van zijn fijne nieuwe vrienden en niet zo fijne zakenrelaties.

Zijn nieuwe naam.

Het verkeer was tot rust gekomen en ondanks de hoogbouw van Torremolinos in de verte was hun onbelemmerde uitzicht op de kust – die in zuidwestelijke richting naar Gibraltar afboog – spectaculair. De zee glinsterde links van hen en beukte op de stranden met golven die veel groter waren dan Thorne had verwacht.

'Mooi, hè?' zei Fraser.

'Ziet er in ieder geval mooi uit,' antwoordde Thorne.

Vijf minuten later ging Fraser op de rechterbaan rijden en kreeg Thorne het bord bij de afslag in de gaten.

Benalmádena.

'Waar de foto's zijn genomen,' zei Thorne.

Fraser knikte en zei: 'We kunnen hier net zo goed even gaan lunchen. Heb je honger?'

Het had Thorne geen moeite gekost de verleidingen van de catering aan boord te weerstaan. Maar zelfs al had hij in het vliegtuig iets willen bestellen, dan nog had hij nooit kunnen rechtvaardigen dat hij een onkostenvergoeding voor twee weken aan een kop koffie en een broodje had gespendeerd.

'Ja, ik lust wel wat,' zei hij.

Ze vonden een restaurantje te midden van een hele rij winkels en bars vlak bij het strand, waar mensen aan rechtopstaande wijnvaten tapas deelden. Fraser zei tegen Thorne dat hij de honneurs zou waarnemen, en nadat ze een glas bier ophadden en hij om een tweede had gevraagd, bestelde hij in vloeiend Spaans eten voor hen beiden. Thorne liet hem begaan. Hij vond het best om de SOCA-agent zijn spelletje te laten spelen en was ook opgelucht dat hem een demonstratie van zijn eigen onkunde op dat vlak werd bespaard.

Wachtend op het eten keek Thorne naar een oude man die een paar meter van hen vandaan een grote inktvis uit een pan kokend water trok. Hij knipte er met een grote schaar stukken af, legde die op een houten bord naast schijfjes glazig uitziende aardappelen, bestrooide het geheel rijkelijk met zout en paprika, waarna hij de schotel met olijfolie besprenkelde.

Pulpo a feira.

De reden waarom de boot op de foto in Benalmádena had gelegen. De enige aanwijzing die hen op het spoor van Alan Langford had gezet. Als ze hem hadden gevonden, tenminste.

Thorne knikte in de richting van de oude man. 'Kunnen we daar ook iets van proeven?'

'We krijgen er straks meer dan genoeg van op ons bord, geloof me.' Fraser zag dat Thorne hem aankeek terwijl hij zijn tweede glas pils leegdronk en zei: 'Dit is nog geen derde van een pint.' Hij knipoogde. 'Alles draait erom dat je je aanpast, toch? Dat je meedoet.'

Thorne haalde zijn schouders op en nam nog een slok mineraalwater.

'Hoor eens, je moet niet denken dat we hier een luizenleven leiden,' zei Fraser. 'Geloof me, jongen, ik zou liever in Tottenham zitten.'

'Vast.'

'Zonder meer. Het is hier een gekkenhuis, zeg ik je.' Hij tikte met een vinger op de bovenkant van het wijnvat en somde een voorspelbare lijst van criminele genootschappen op. 'We hebben de Albanezen, de Russen, de Ieren, de Britten... en de Spanjaarden zijn ook niet bepaald padvinders. Wapensmokkel, prostitutie die zijn weerga niet kent en in elke badplaats wel een vastgoedzwendel die in de miljoenen loopt. Van die roofovervallers hier kunnen de jongens in Engeland nog wat leren, en over de drugs hoef ik je niks te vertellen.'

Dat was inderdaad niet nodig, maar hij stak toch van wal. Thorne kreeg min of meer dezelfde les die hij al van Silcox en Mullenger had gehad, maar hij bleef braaf zitten luisteren. Hij had allang uitgemaakt dat 'naïeveling in het buitenland' wellicht een handig imago was om zich achter te verschuilen.

Fraser wees naar de zee. 'Honderdveertig kilometer verderop kun je vanuit Afrika bijna hiernaartoe zwemmen, zo dichtbij is het. Meestal verdrinken ze, dus wat kan het schelen, maar we hebben er wel een paar opgepakt met reddingsvesten die vol zaten met van alles.'

'Jézus.'

'Ik zweer het je.'

Thorne geloofde het onmiddellijk. Hij wist hoe ver mensen gingen om geld te verdienen met drugssmokkel en hij vroeg zich onwillekeurig af of er onder degenen die hun leven op zo'n manier in de waagschaal stelden ook een paar waren die voor Alan Langford werkten. Hij wist dat degenen die lager in de pikorde stonden hun loopjongens en dealers op straat rekruteerden: losers uit Nottingham of Sheffield die buiten derderangsnachtclubs pakjes coke verkochten en die de kans op een gratis vliegticket en een paar maanden in de zon met beide handen aangrepen. Die het niet raar zouden vinden als hun werd gevraagd of ze goed konden zwemmen.

Het eten kwam en ze vielen er allebei op aan. Dunne, knapperige garnalentortilla's en scherp smakende Padrón-pepers. Gefrituurde ansjovis en enorme strandgapers die je zo uit de schelp at met citroen en zout.

Honderd meter verder zag Thorne op de hoek van een straat een wegwijzer naar een Burger King. Hij zoog nog een schelp leeg en knikte naar het bord. 'Waarom zou iemand daar nou heen gaan als je dit kunt krijgen?'

'Eerlijk gezegd komt dat Spaanse eten je af en toe wel de neus uit,' zei Fraser. 'Soms heb je weleens trek in gewone, eerlijke kost.'

'Ja, een lekkere kebab in Tottenham, bijvoorbeeld.'

Fraser zette zijn zonnebril af en keek hem strak aan. Hij was er duidelijk niet zeker van of Thorne hem in de zeik nam of niet, en ondanks de glimlach die uiteindelijk doorbrak, zag Thorne dat wat 'zeg maar

Pete' verder ook mocht zijn, hij in ieder geval niet derderangs was. Zodra de zonnebril weer op ging, keek Thorne een andere kant op, en Fraser volgde zijn blik naar twee vrouwen die topless op het strand stonden.

Fraser grijnsde breed. 'Oké, vergeet maar wat ik over Tottenham zei...'

Nadat ze allebei de helft van de rekening hadden betaald en Thorne de kwitantie van zijn deel in zijn portemonnee had gestopt, liepen ze langzaam terug naar de auto. Fraser, die al indruk had gemaakt met zijn beheersing van het Spaans, wilde nu graag de alwetende gids uithangen. Hij wees Thorne de veertiende-eeuwse toren aan en de overblijfselen van de oude vestingwerken tegen aanvallen vanuit zee. Als een volleerd acteur veinsde Thorne belangstelling, maar hij was veel meer geïnteresseerd in de bekende rij heuvels die naar de kust afliep en die hij herkende van de foto's die aan Donna Langford waren opgestuurd.

Fraser wees op een bar die Hemingway's heette. 'Je weet wel, die schrijver? Hij was dol op al dit Spaanse gedoe – fruits de mer en stierengevechten en dat werk. Heb je ooit een stierengevecht gezien, Tom?'

Thorne zei van niet.

'Je moet naar Ronda,' verkondigde Fraser. 'Echt waar.'

'In Wales?'

Weer aarzelde Fraser omdat hij niet zeker wist of Thorne hem in de maling nam. 'Het is een oud stadje in de heuvels. Iedereen is er weg van.'

'Ben je er zelf dan niet geweest?'

'Nog geen tijd gehad, jongen, maar het moet geweldig zijn. De oudste arena van Spanje, zoiets. Orson Welles was er helemaal wild van en volgens de verhalen heeft hij daar zijn as laten uitstrooien. Je weet wel, die dikke gast van de sherry-reclame.'

'Ja, dat weet ik.'

'Je moet er echt heen.'

'Ik ben hier niet om bezienswaardigheden af te lopen,' zei Thorne.

Fraser haalde zijn schouders op ten teken dat Thorne dat helemaal zelf moest weten. 'Luister, het is zoals ik al eerder in de auto zei, snap je? Dat het echt niet allemaal zo snel zal gaan. Dat is hier nooit zo. Ik bedoel gewoon dat je niet raar moet opkijken als je wat tijd overhebt.'

Thorne keek hem doordringend aan. 'Ik hoop echt dat dat niet gebeurt.'

Als Fraser de boodschap al had begrepen, liet hij dat niet merken. 'Trouwens, je zit toch te wachten op informatie uit Engeland? Zelfs als hij degene is die je zoekt, kun je hem tot die tijd niks maken, dus... Hé, waar ga je...?'

Thorne was de stoep af gestapt en liep terug naar het strand.

Fraser liep achter hem aan, wijzend naar de straat waar ze de Punto hadden geparkeerd. 'We staan dáár, man.'

'Ik wil de plek zien waar die foto's zijn gemaakt.'

'Wat heeft dat nou weer voor zin?'

Thorne had daar niet echt een antwoord op, maar hij liep toch door. Achter hem hoorde hij Fraser zeggen: 'Ik wacht in de auto.'

Tien minuten later had Thorne zonder succes het hele strand afgelopen. De rij heuvels bleef recht voor hem liggen, maar het viel onmogelijk vast te stellen waar de plek lag die hij zocht. Langford kon in elk van het rijtje bars en restaurant op het strand voor de foto's hebben ge poseerd.

Thorne bleef staan, snoof de zeelucht op en staarde over de kleine baai naar de heuvels. Hoewel hij uit noodzaak in ballingschap was gegaan en niet uit vrije wil, begreep je meteen waarom het Langford hier beviel. De gemene glimlach die hij voor de camera had opgezet en het glas dat hij hief om te toosten op zijn nieuwe leven, spraken boekdelen.

Geniet er maar van zolang het nog kan, dacht Thorne.

Zwetend liep hij terug naar de weg en klopte tegen de stoeprand het zand van zijn schoenen. Hij kocht een ijsje in een café dicht bij de plaats waar ze hadden gegeten en slenterde toen langs de toren naar de parkeerplaats. Fraser zat met lopende motor te wachten, ongeduldig trommelend op het stuur.

Thorne stapte in. 'Sorry dat ik je heb laten wachten, Peter.'

Fraser duwde de versnellingspook geagiteerd in z'n achteruit. 'Pete,' zei hij.

Kate was in de stad gaan lunchen met een vriendin, en dat kwam Donna heel goed uit. Hun verstandhouding was een stuk beter dan hij in weken was geweest, maar ze gingen elkaar nog steeds zoveel mogelijk uit de weg, aten vaker wel dan niet apart en soms gingen er wel twee dagen voorbij zonder dat ze een woord tegen elkaar zeiden.

Ze hadden elkaar al bijna twee maanden niet aangeraakt.

Donna zat thee te drinken in de keuken en bladerde een tijdschrift door zonder een woord in zich op te nemen. Om de paar minuten keek ze naar de gang. Ze zette de radio aan en deed hem een minuut later weer uit, omdat ze bang was dat ze de telefoon anders niet zou horen.

Het was zonder meer beter dat Kate er niet was, dacht ze. Ze zouden geheid ruzie krijgen als ze het gesprek zou opvangen, of op z'n minst haar afkeuring laten blijken.

Maar Kate moest nodig iets over geheimen zeggen! Die had geen recht van spreken...

Ze waren gewoon allebei stomme, koppige rotwijven, dat was het probleem. Dat en het feit dat een van de dingen die ze in de bak hadden geleerd, die ze sámen hadden geleerd, was dat je nooit een duimbreed toegaf.

Ze hadden nog nauwelijks woorden gehad sinds die knallende ruzie, toen Thorne als God zelf binnen was komen lopen en zijn onthulling had gedaan. Toen bleek dat Kate Ellie had gesproken toen ze net uit de gevangenis was. Donna was toen een dag of twee helemaal buiten zichzelf geweest, ziedend van woede zoals ze in lange tijd niet geweest was. Misschien wel niet sinds Alan. Maar daarna had ze gezien hoe Kate eronder leed en was haar woede langzaam weggeëbd. Donna had niet langer het gevoel dat ze Kate wel kon vermoorden toen ze zag hoe diep gekwetst haar partner was.

Thorne had Kate met haar verleden geconfronteerd alsof hij haar een pan kokend suikerwater in het gezicht had gegooid. In de gevangenis noemden ze dat een warme douche, en de bedoeling ervan was dat die vreselijke brandwonden achterliet. Hij had hatelijke opmerkingen gemaakt, beschuldigingen geuit, en sindsdien was Kate op haar hoede en teruggetrokken. En dat had Donna nog niet eerder met haar meegemaakt. Een van de dingen waar ze op viel toen ze Kate voor het eerst ontmoette, was haar onverschrokkenheid, haar houding van 'kom maar op', waar ze geen weerstand aan kon bieden.

Dat miste ze. Ze miste de oude Kate. En ze hoopte dat de dag zou komen dat ze haar dat kon vertellen en dat ze haar kon vergeven dat ze over Ellie had gelogen. Op dit moment had haar boosheid plaatsgemaakt voor bittere wrok, gecombineerd met iets wat dicht in de buurt kwam van medelijden.

Maar de woede zat er ook nog steeds. Een paar dagen geleden in de supermarkt had een vrouw bij de kassa voorgedrongen alsof Donna niet bestond. Dat verwaande kreng had haar dochter bij zich van een jaar of acht, negen, en die kleine rotmeid had naar Donna opgekeken met dezelfde nuffige blik in haar ogen als haar moeder. En toen had ze geglimlacht, alsof ze wilde weten wat Donna eraan dacht te doen.

Dat had niet geholpen.

Donna had zichzelf gedwongen een andere kant op te kijken en had diep in- en uitgeademd tot ze zeker wist dat ze niet zou gaan schreeuwen en het perfect opgemaakte gezicht van de vrouw niet tegen de lopende band zou rammen.

Soms moest je een klein beetje toegeven om je tegen jezelf te beschermen.

Ze bedacht dat ze bereid was om alles te geven om Ellie te redden, om haar dochter terug te krijgen, toen de telefoon ging. Ze zette haar mok te snel neer waardoor ze thee op het werkblad morste en liep toen de gang in, biddend dat dit het verwachte telefoontje uit Spanje was.

30

Een kwartiertje rijden ten westen van Benalmádena sloeg Fraser van de hoofdweg af en reden ze de heuvels in.

'Ik breng je eerst naar je hotel,' zei Fraser. 'Dan spreken we later af en zetten de boel in gang.'

'Waar logeer ik?' vroeg Thorne.

'Het is een prima hotel. Ze hebben daar geen restaurant, dus je zult ergens anders moeten ontbijten, maar verder –'

'Wáár?'

'Mijas,' zei Fraser. 'Mijas Pueblo, in tegenstelling tot Mijas Costa. Het is een fantastisch mooi plaatsje. Een echt oud Spaans dorp, je kent het wel.'

'Hoe ver?'

'Een kwartiertje rijden. Het is een leuk ritje.'

'Ik dacht dat ik in Malaga zou logeren.'

Fraser keek hem van opzij even aan.

'Daar hebben jullie toch je kantoor?'

'We dachten dat je liever wat rustiger zou zitten. Ergens waar je wat minder opvalt...'

''t Zou wel prettig zijn geweest als jullie dat even hadden overlegd.'

'Luister, je zit niet meer dan een halfuur van de plaatsen waar we moeten zijn. Puerto Banus, Torremolinos, Malaga, en minstens twee van de golfresorts waarin onze man een zakelijk belang heeft. Geloof me nou maar, dit is een prima locatie, dus je hoeft je niet buitengesloten te voelen.'

'Wie zegt dat ik me buitengesloten voel?'

'Hoe dan ook, misschien zit je toch liever op een plek waar je niet alleen maar English breakfasts kunt krijgen en live Premier League-voetbal ziet.'

'Daar is anders niks mis mee,' zei Thorne.

'Jij bent fan van de Spurs, hè?'

Thorne hield Frasers blik een seconde langer vast dan hij anders zou hebben gedaan, waarmee hij erkende dat de agent zijn huiswerk had gedaan. Maar niet lang genoeg om hem het gevoel te geven dat hij daarmee gescoord had.

'En jij?'

'Man U, jongen, wat dacht je?'

'Je bent Londenaar.'

Fraser knikte, alsof dat volstrekt aanvaardbaar was. 'Blijft toch de beste club,' zei hij.

Thorne knipperde even met zijn ogen en herinnerde zich hoe hard het regende toen Anna en hij vanaf de rivier waren teruggewandeld. Toen ze had verteld voor welke club ze was en Wayne Rooney de hemel in had geprezen, en moest lachen toen Thorne steeds kwader werd.

'Je bent gewoon jaloers omdat jouw cluppie nooit wint.'

'De mensen die voor "mijn cluppie" zijn, wonen in ieder geval in de stad waar ze spelen.'

'Precies. Wij gaan absoluut naar de volgende Man United-Spurs-wedstrijd kijken. Ik wed om tien pond dat we jullie helemaal gaan inmaken.'

'Nog vijf minuten,' zei Fraser.

Hij had niet het gevoel gehad dat ze erg aan het klimmen waren, maar toen hij bij een bocht naar rechts keek, zag hij de zee ver onder zich liggen. Het landschap liep aan weerszijden zacht golvend naar beneden, bezaaid met rotsen en hier en daar een boom, en werd dichter bij de kust steeds groener. Ze passeerden een paar verkeersborden die voor loslopende stieren waarschuwden en uiteindelijk zag Thorne ze ergens in een veld staan. Een stuk of negen grote, zwarte beesten die eruitzagen alsof ze moeiteloos door een omheining konden breken en een Punto op de hoorns konden nemen.

'Zo, en wiens as hebben ze over Mijas uitgestrooid?' vroeg Thorne.

'Ik vat het even niet.'

'Dat van de Milk Tray Man? Of dat van die kerel uit de Mr. Muscle-reclame?'

'Grappig,' zei Fraser. Hij lachte, maar het klonk gemaakt.

Thornes eigen onderdrukte gegrinnik daarentegen was oprecht gemeend, toen hij zich voorstelde dat Fraser achteloos de lucht in werd geslingerd door een van die stieren waar ze zojuist langs waren gereden. Dat zijn halfronde zonnebril op de grond werd geplet en de kralen van zijn pooierketting alle kanten op vlogen.

Olé...

Vlak voor Mijas bleek de hoofdweg afgesloten en een politieagent op een motorfiets gebaarde hen een omweg te nemen die om de heuvel heen naar beneden liep, naar het nieuwere gedeelte van het plaatsje. Thorne vroeg wat er aan de hand was en Fraser antwoordde dat hij geen flauw idee had. Omdat alle beschikbare parkeerplaatsen door een vloot toeristenbussen waren ingenomen, zagen ze zich gedwongen de auto in een sombere parkeergarage achter te laten. Daarna liep Thorne achter Fraser aan terug naar het groepje witte huizen dat hoog tegen de heuvel was gelegen. Hij zeulde zijn koffer over een lange, steile trap omhoog en door een doolhof van nauwe straatjes met kinderhoofdjes, tot ze uiteindelijk op het centrale plein uitkwamen.

'Mooi, hè?' zei Fraser.

Thorne knikte alleen maar, blij dat hij even kon blijven staan en de omgeving in zich op kon nemen. Hij zweette weer en had tijd nodig om op adem te komen. Het grootste deel van het plein werd ingenomen door een grote overdekte markthal waar de mensen zich verdrongen bij de stalletjes die groente, fruit, vis, gedroogd vlees en allerlei soorten kaas verkochten. De ene kant van de hal werd in beslag genomen door een grote en al net zo druk beklante bar, en degenen die geen boodschappen deden, stonden daar op hun gemak te praten en te drinken. Een paar mensen waren spontaan aan het dansen op wat als livemuziek klonk, hoewel Thorne nergens muzikanten zag.

'Marktdag,' zei Fraser, alsof Thorne nog een uitleg behoefde. 'Daar bof je mee.'

Thorne keek hem aan.

'Nou ja, misschien wil je wat fruit kopen voor op je kamer of zo...'

Ondanks het grote aantal bussen dat ze op de parkeerplaats hadden zien staan, hoorde Thorne alleen maar Spaans om zich heen. Een paar mensen waren bezig foto's te nemen, maar ze waren niet langs prullerige souvenirwinkels gekomen en hij had niet het gevoel dat het hier platgelopen werd door toeristen die alleen maar werden afgezet. Hij zag ook geen voetbalshirtjes, dus vermoedde hij dat er niet veel Engelsen rondliepen, en ondanks zijn opmerking tegen Fraser op weg hiernaartoe, was hij daar niet rouwig om.

De mensen in wie hij geïnteresseerd was waren niet naar Spanje gekomen om castagnetten te kopen en te verbranden in de zon.

'We zullen je eens even installeren, jongen.'

Hoewel Thorne vond dat hij er een tikkeltje te laat mee kwam, aanvaardde hij toch Frasers aanbod om de koffer van hem over te nemen en liep achter hem aan. De wieltjes ratelden over de kasseien terwijl ze door de menigte wandelden, om het plein heen liepen en aan de andere kant weer een korte trap op moesten. Ze sloegen nog drie keer een scherpe hoek om en vijftig meter verder bleef Fraser staan voor een donkere houten deur die schuilging achter een latwerk met klimop en bougainvillea. Hij duwde tegen de deur en schudde zijn hoofd. 'Niks aan de hand,' zei hij.

Thorne zag hoe Fraser een knop op de intercom indrukte en zich toen vooroverboog en in het Spaans begon te praten tegen een vrouw aan de andere kant. Hij hoorde zijn eigen naam een paar keer noemen.

Toen Fraser was uitgepraat, keek hij op. 'Siëstatijd,' knipoogde hij. 'Spaanse yoga. Niks aan de hand.' De intercom zoemde en Fraser duwde de deur open.

Thorne liep achter hem aan naar een krappe en schaars verlichte balie waarachter een trap zichtbaar was. Er was helemaal niemand en Thorne hoorde hoe zijn stem weerkaatst werd toen hij begon te spreken. 'Waar zitten ze allemaal?' vroeg hij.

'Geen flauw idee, maar het komt goed. Alsjeblieft...'

Op de balie lag een envelop met Thornes naam en een kamernummer erop geschreven. Thorne schudde de envelop en voelde een sleutel heen en weer schuiven. Hij knikte en liep naar de trap. Er floepte een licht aan.

'Je moet maar doen wat ze hier allemaal doen,' zei Fraser. 'Probeer een paar uur te gaan liggen.'

'Wat ga jij doen?'

'O, ik moet terug naar kantoor. Om ze te vertellen dat ik je heelhuids heb afgeleverd.'

'Verwachtte je soms sluipschutters?'

Fraser keek op zijn horloge. 'Over drie uur, oké?' Zonder Thornes antwoord af te wachten draaide hij zich om en liep terug naar de voordeur. 'Dus ik pik je rond halfzeven weer op.'

Thorne nam een paar treden, zette toen zijn koffer neer en draaide zich om. 'En hoe zit het met de slechteriken?' vroeg hij. 'Houden die zich ook aan de siësta? Doen die mee met de lokale gewoonten?'

'Dat denk ik wel, ja,' zei Fraser. 'Maar ze slapen waarschijnlijk met één oog open.'

Zijn kamer lag op de derde verdieping en naarmate hij hoger kwam floepte er steeds een licht aan. De kamer was eenvoudig ingericht: twee eenpersoonsbedden die tegen elkaar aan waren gezet, een kleine badkamer, een tv, metalen rolluiken voor de hoge ramen en een balkonnetje dat net te klein was om op te staan. Thorne vond het wel best of was in elk geval niet in de stemming om zich er druk om te maken.

Hij deed de luiken open, pakte snel zijn koffer uit en trof tot zijn verrassing in het kastje onder de tv een minibar aan. Zijn humeur ging er iets op vooruit toen het bier maar drie euro per flesje bleek te kosten. Hij maakte een flesje open en keek op zijn mobiel of hij berichten had ontvangen.

Niets.

Hij stelde de wekker van zijn mobiel in op kwart over zes en ging douchen. Het was het gebruikelijke hotelstraaltje, maar het water was warm en het deed hem goed om het opgedroogde zweet van zich af te kunnen spoelen. Daarna wikkelde hij een handdoek om zijn middel, zette de airco hoger en ging op bed liggen. Hij rolde zich op zijn zij en staarde naar de grijze vitrage die zacht heen en weer bewoog voor het raam.

Het volgende moment schoot hij over het bed om zijn telefoon te pakken.

'Hallo? Hallo?'

Thorne keek naar het schermpje en probeerde zijn blik te focussen. Er was niet gebeld. Het was kwart over zes en hij had alleen de wekker maar afgezet.

31

Twintig minuten later dan afgesproken arriveerde Fraser om Thorne op te halen, met in zijn kielzog een Guardia Civil-agent in burger die Samarez heette. De Spanjaard mompelde een begroeting en bleef iets achter hen lopen toen ze van het hotel weg liepen. Hij bleef neutraal voor zich uit kijken terwijl Fraser vertelde dat hij de afgelopen maanden met hem had samengewerkt en dat Samarez een 'topgozer' was en een 'uitstekende agent', maar dat je vooral 'ontzettend met hem kon lachen als je hem eenmaal wat beter kende'.

'Nou, dat is dan iets om naar uit te kijken,' zei Thorne.

Aan zijn reactie te oordelen was Samarez niet zo'n talenwonder als Fraser, en toen Thorne zich omdraaide om hem aan te kijken knikte hij alleen maar. Hij was langer dan Thorne en Fraser, en had heel kortgeknipt haar en een *five o'clock shadow* die Thorne deed vermoeden dat hij zich een paar keer per dag moest scheren. Hij zag er niet uit alsof hij vaak glimlachte, maar misschien kwam dat doordat hij met Fraser moest samenwerken. Of misschien had hij gewoon een slecht gebit, bedacht Thorne.

'Straks moeten we even wat zakelijke dingetjes bespreken,' zei Fraser. 'Maar we moeten elkaar toch ook leren kennen, nietwaar?'

Thorne en Samarez haalden tegelijkertijd hun schouders op.

'Het lijkt me een goed idee om samen een paar biertjes te pakken, als we met elkaar moeten samenwerken. De drie musketiers, zal ik maar zeggen.'

Ze vonden een restaurant op een pleintje op een paar minuten lopen van het marktplein. Thorne bestelde dit keer voor zichzelf of wist in ieder geval duidelijk te maken wat hij wilde, en leunde toen achterover terwijl Fraser het woord deed. Hij vroeg zich af of de ober zich net zo ergerde aan Frasers overdreven kameraadschappelijke manier van doen als hijzelf, en of er in het Spaans van de SOCA-man ook een nep-Cockney-accent doorklonk.

Ze zaten dicht bij grote openslaande deuren en Thorne was blij dat hij een jasje had meegenomen. Hij trok het aan en keek de eetzaal rond. 'Het is hier nou niet wat je noemt druk,' zei hij.

Het was al kwart over acht en de tent was vrijwel leeg. Op een man die een paar tafeltjes verder achter een krant zat en een ouder stel dat op gedempte toon aan een tafeltje vlak bij de keuken zat te praten na, hadden ze het restaurant voor zichzelf.

'De mensen hier eten pas heel laat,' zei Fraser. 'Stom, als je het mij vraagt. De meesten hebben vanmiddag natuurlijk een dutje gedaan, maar dan nog. Slecht voor de spijsvertering en je wordt er ook dik van.' Hij grinnikte en porde in het vetrolletje dat over zijn eigen broekriem puilde. 'Geen zorgen, jongen, dit zijn maar een paar San Miguels te veel. Die krijg ik er weer snel genoeg af.'

Ze dronken een paar biertjes en zaten te praten, dat wil zeggen, Fraser praatte vooral; over het werk en zijn gezin. Over de voor- en nadelen van het ver van huis werken. Het grootste deel van de tijd sprak Fraser in het Spaans tegen Samarez en Samarez zat te luisteren en te knikken, met zijn ogen op Thorne gericht, tot hij voorover leunde en zelf iets tegen Fraser zei.

Nog steeds was er geen spoor van de man zijn gebit te zien.

Thorne had honger, maar hij stond ook te popelen om tot zaken te komen, dus toen zijn gerecht eraan kwam begon hij onmiddellijk te eten. *Huevos estrellados con morcilla, chorizo y patatas*. Thorne had twee van de vier ingrediënten herkend en de Engelse vertaling op de menukaart had hem de rest verteld.

'Allemaal traditionele Spaanse ingrediënten,' zei Samarez. 'Maar in wezen hetzelfde als dat uitgebreide Engelse ontbijt waar jullie allemaal zo dol op schijnen te zijn.'

Thorne keek op en stopte even met kauwen. Tot op dat moment had hij aangenomen dat Samarez nauwelijks een woord Engels sprak. Hij glimlachte in een poging zijn verrassing te verhullen en slikte zijn hap door. Hij antwoordde iets van dat ze dan vast hadden geweten dat hij daar vanavond zou komen eten, maar vroeg zich tegelijkertijd af waar Fraser en Samarez het dan eerder over hadden gehad.

'Smaakt het?'

Thorne zei dat het lekker was.

'Jezus nogantoe,' zei Fraser. 'Hoeveel Spanjaarden bestellen er in Londen nou een paella?'

'Ik, bijvoorbeeld,' zei Samarez. 'Sorry hoor, maar het valt soms niet mee om daar een goed restaurant te vinden.'

Ondanks het feit dat hij eerst had gedaan alsof hij geen Engels sprak, wat waarschijnlijk als een geintje was bedoeld, begon Thorne sympathie op te vatten voor zijn collega van de Guardia Civil. Hij had het soort droge humor waar Thorne van hield. En misschien verbeeldde hij het zich, maar Thorne had de indruk dat Samarez Fraser al net zo'n eikel vond als hijzelf.

Toen de koffie werd geserveerd, schoven ze hun stoel alle drie wat dichter naar de tafel en gingen zachter praten. Samarez haalde een grote envelop uit zijn aktetas en spreidde, nadat ze ruimte hadden gemaakt, een reeks foto's voor Thorne op tafel uit.

Een verzameling portretten van Alan Langford.

'Dus onze belangstelling gaat uit naar een man die zich David Mackenzie noemt.' Samarez wees op een paar foto's. 'Hoewel we nu weten dat hij vroeger Alan Langford heette.'

Thorne staarde naar het tiental foto's: Langford/Mackenzie over straat lopend met een andere man; buiten voor een restaurant een sigaret rokend; aan de telefoon achter het stuur van een zilverkleurige Range Rover. De meeste foto's leken met een telelens te zijn genomen, en sommige zelfs vanuit de lucht, boven het terrein van een luxe villa. De organisatie in Spanje had kennelijk geld genoeg om helikopters in te zetten.

'Het is een mooi huis.' Samarez wees op een foto van Langford bij zijn zwembad. Hij lag op een ligstoel en stak lui twee vingers omhoog naar de fotograaf hoog boven hem. 'Hoog in de heuvels boven Puerto Banus. Op een dag hoop ik het vanbinnen te kunnen zien.'

Fraser lachte. 'We hebben nog geen uitnodiging gekregen.'

'Je weet al hoe het hier aan toegaat?' vroeg Samarez aan Thorne.

Thorne had geen behoefte aan nog een inleiding in de Costa del Crime, waarvan hij al twee versies had gehoord. Hij knikte en zei: 'Ik kan wel raden waar hij mee bezig is.'

'Er is niet veel waar meneer Mackenzie géén vinger in de pap heeft,' zei Samarez. 'De afgelopen jaren heeft hij bijzonder goed geboerd. Hij heeft een hoop invloedrijke vrienden gekregen, en áls hij al vijanden heeft gemaakt, dan schijnen die vrij snel van het toneel te zijn verdwenen.'

Thorne trok zijn wenkbrauwen op, maar Samarez schudde zijn hoofd.

'We kunnen niets bewijzen,' zei hij. 'De afgelopen paar jaar hebben we hem min of meer constant in de peiling gehouden. We hebben zijn mobiel afgeluisterd, maar hij weet dat we achter hem aan zitten en handelt al zijn zaakjes af op een beveiligde lijn die we niet kunnen aftappen.'

'Hij moet een keer een uitglijer maken,' zei Thorne.

Samarez nam een slok koffie en leunde wat verder naar voren, naar Thorne toe. 'Hij steekt met kop en schouders boven de anderen in de business uit, snap je wat ik bedoel?' Er verscheen plotseling een glimlach op zijn gezicht, maar het was een kille, wolfachtige glimlach. 'Deze man is ongelooflijk voorzichtig.'

Nog iets wat Thorne allang wist.

'Die klootzak heeft nog nooit een fout gemaakt,' zei Fraser, 'en hij treedt nooit op de voorgrond. Hij blijft altijd de stille vennoot, in alles. Drugs, een stuk of zes clubs en restaurants tussen Marbella en Malaga, en hij heeft zijn klauwen in een paar grote golfresorts en bewaakte woonwijken gezet, waarvan sommige nog in aanbouw zijn.'

'Het is allemaal heel geheimzinnig.' Samarez zette sarcastisch grote ogen op. 'Ik weet niet hoe hij het flikt, maar de bouwbedrijven die de contracten binnenslepen zijn nooit de bedrijven met de beste offertes.'

'Misschien heeft hij gewoon geluk,' zei Thorne op dezelfde schertsende toon.

Samarez schudde zijn hoofd. 'Mackenzie heeft niks met geluk, want daar gelooft hij niet in. Hij gaat pas met iets of iemand in zee als hij alle voors en tegens heel zorgvuldig heeft afgewogen. Het doet er niet toe hoeveel winst hij kan maken, als hij te veel risico loopt, doet hij het gewoon niet.'

Fraser knikte. 'Ik weet bijvoorbeeld dat hij "nee" heeft gezegd tegen financiële steun aan een paar bendes die hier langs de kust gewapende overvallen plegen, omdat hij wist dat ze niet zorgvuldig genoeg te werk gingen. Hij denkt heel lang vooruit, onze meneer Mackenzie. Hij mikt op de lange termijn omdat hij heel wat mensen die voor het makkelijke, snelle geld gingen in de loop der jaren kapot heeft zien gaan.' Hij riep een serveerster, zei dat ze nog een kop koffie wilden en wachtte tot ze weer weg was. 'Kijk, hij weet verdomd goed hoe hij iemand de duimschroeven aan moet zetten als het moet, en heel wat mensen zijn doodsbang voor hem, maar het komt erop neer dat we hem feitelijk helemaal niks kunnen maken.'

'Dit is dus het probleem waarvoor u zich gesteld ziet, meneer Thorne,' zei Samarez.

'Een van de problemen.'

'Ja, natuurlijk. U moet zien te bewijzen dat Mackenzie en Langford een en dezelfde man zijn.'

'Dat kan toch niet moeilijk zijn?'

Samarez veegde de foto's bij elkaar en haalde een tweede reeks uit zijn tas tevoorschijn. Een stuk of vijf vrouwen, sommige alleen en andere samen met Langford, buiten voor een club of gezellig bij het zwembad. 'Hij gaat met een aantal vrouwen om, maar er zit één min of meer vaste vriendin bij.' Hij wees op een foto van een lange blonde vrouw in een rode bikini. 'Zij is degene van wie we denk ik gebruik kunnen maken.'

Thorne trok drie foto's naar zich toe en staarde ernaar. Langford in een auto met een ander meisje; jong, met donker haar. Hetzelfde meisje dat uit de auto stapte. Langford die zijn hand tegen haar rug had gelegd en haar naar de voordeur van de villa loodste.

'Lekker mokkel,' zei Fraser.

'Dit is zijn dochter,' zei Thorne. 'Dit is Ellie.'

Fraser haalde zijn schouders op, waarmee hij duidelijk maakte dat dat wat hem betrof niets uitmaakte voor zijn oordeel.

Samarez knikte. 'De moeder heeft een privédetective ingehuurd om haar te zoeken, toch? Iemand die... Carpenter heet?'

'Anna,' zei Thorne. Hij keek op en ving een begripvolle blik op van Samarez, waaruit medeleven sprak. De Spanjaard was blijkbaar uitgebreid over hem gebrieft.

Fraser bleef met een meer dan professionele belangstelling naar de foto's staren, tot Samarez ze weer opborg. Toen vroeg hij om de rekening. 'Gaan we nog ergens anders heen?'

'Ik moet morgen vroeg op,' zei Samarez.

'Tom?'

Thorne schudde zijn hoofd zonder echt op te kijken. Hij dacht aan het telefoontje dat hij morgenochtend met Donna zou plegen. Als het allemaal anders was gelopen, zou hij dat graag aan Anna hebben overgelaten. Maar ondanks het verkrampte gevoel in zijn buik bij de gedachte aan Anna, keek hij ernaar uit om Donna het nieuws te kunnen vertellen, en dat hij haar vermoeden dat Ellie door Langford was meegenomen, kon bevestigen. Veel minder aangenaam was het vooruitzicht dat hij een antwoord moest zien te bedenken op de eerste vraag die ze dan zou stellen.

Wat moest hij zeggen als ze hem vroeg, en dat zou ze zeker doen, wat hij daaraan ging doen?

'Dan ziet het ernaar uit dat ik in mijn eentje ga zitten drinken,' zei Fraser.

Thorne vermoedde dat hij daar wel aan gewend was.

In het hotel belde Thorne met Louise. Ze klonk alsof ze net wakker was. Thorne keek op zijn horloge, zag dat het nog niet eens kwart over tien was – kwart over negen in Engeland – maar zei toch sorry, dat hij zich niet gerealiseerd had dat het al zo laat was.

'Het is goed, ik zat te wachten op je telefoontje.'

'Nog nieuws?'

'Ik moest met Elvis naar de dierenarts.'

'Wat heeft ze dan?'

'Ik weet het niet, maar het is niet goed. Ze kwam niet eens overeind toen ik binnenkwam en ze heeft weer alles onder gekotst. Er zat ook bloed rond haar bek, dus...'

'Shit.'

'Ik heb haar vannacht daar gelaten, maar de dierenarts keek niet erg hoopvol.' Na een paar seconden van stilte, zei ze: 'Ben je daar nog?'

'Sorry dat jij hiermee opgescheept zit.'

'Maakt niet uit. Hoe is het daar?'

'Je kent het wel. Een lange dag gehad. Vliegen is nooit een pretje.'

'Nou, dan laat ik je maar,' zei ze. 'De kosten rijzen sowieso de pan uit.'

Ze wisten allebei dat privételefoontjes niet door het werk vergoed werden, dus dat was een prima uitvlucht als ze elkaar niet zoveel te vertellen hadden. Thorne zei dat hij de volgende dag zou bellen om te horen hoe het met de kat ging. Louise antwoordde dat ze het wel zou regelen, en wenste hem welterusten.

Thorne ging op bed liggen en keek of er iets op tv was, maar het enige Engelstalige programma was een financieel journaal op BBC World. Vervolgens vond hij een pornokanaal waarbij het scherm in vier vakken was verdeeld waarop een aantal filmfragmenten waren te zien, met een snel ratelende voice-over en een nummer voor als je een van die films wilde huren, hoewel Thorne zich met de beste wil van de wereld niet kon voorstellen waarom je voor zoiets zou moeten betalen.

Hij was te moe om hoe dan ook gebruik te maken van deze vorm van entertainment. Maar nadat hij het licht had uitgedaan, had hij veel meer moeite om in slaap te komen dan een paar uur geleden.

32

Bijna veertig jaar lang, sinds de daverende opening, waren de superrijken, mensen met connecties en bekende showbizz-figuren, in groten getale op de jachthaven van Puerto Banus afgekomen. Maar tegenwoordig waren de straten eromheen vaker gevuld met stomdronken vrijgezelle mannen en vrouwen dan filmsterren, en het aantal hoeren overtrof het aantal miljonairs... op een haar na. Maar de jachthaven zelf was nog steeds een uitstalkast van protserige rijkdom zoals Thorne nog nooit had gezien.

Er lagen meer dan vijfhonderd jachten aangemeerd. Rijen verblindend witte Sunseekers, vaak met een kleiner bootje of een stel jetski's eraan vastgemaakt, en een paar kleine cruiseschepen, compleet met heliplatform, fitnessruimten en zwembaden.

'Zo leeft de andere helft dus,' zei Fraser.

'De andere hélft?'

Ze wandelden de hele jachthaven langs en weer terug. Fraser wees op een jacht dat eigendom was van de koning van Saudi-Arabië. 'Maar dat is wel een beetje over de top.'

Thorne vroeg zich af hoe helemaal over de top er dan uitzag. Een met diamanten bezette toiletrolhouder? Kussens van pandabont?

De auto's die er geparkeerd stonden waren al net zo chic als de winkels in de omliggende straten. Hoewel je nergens zoiets simpels als een onderdeel voor je boot scheen te kunnen kopen, was er geen gebrek aan designerwinkels waar klanten die ene handtas die ze zo dringend nodig hadden voor een bedrag met drie nullen konden kopen, of die ene stereo-installatie voor een bedrag met vier nullen. Of een zonnebril die meer kostte dan Thorne iedere maand aan de hypotheek kwijt was.

De in SuperSmart Homes afgebeelde villa's en appartementen weerspiegelden de levensstijl van hen die zich niet druk hoefden te maken over een hypotheek. Degenen die waarschijnlijk contant konden betalen en het zeer zeker op prijs zouden stellen rondgeleid te worden door een schitterend geklede en volmaakte schoonheid als Candela Bernal.

'Het kan mij eigenlijk helemaal niks schelen als een vrouw iets aan haar tieten heeft laten doen,' zei Fraser. 'Daar zit ik niet mee.'

'Fijn dat je mij daar deelgenoot van maakt,' zei Thorne.

Ze zaten in een auto tegenover het makelaarskantoor waar Candela werkte te wachten tot Langfords vriendin eraan kwam. Fraser hield de foto van een in bikini gehulde Candela Bernal omhoog en bestudeerde hem aandachtig. 'Ik bedoel, mensen zeiken altijd maar over plastische chirurgie, maar goed beschouwd verschilt het niet veel van een bril dragen.'

Thorne dacht daarover na.

'Ik snap het niet.' Samarez leunde naar voren vanaf de achterbank. 'Wil je daarmee zeggen dat als een vrouw haar borsten laat vergroten, ze dan ook beter kan zien?'

'Nee, man, natuurlijk niet. Ik bedoel...' Fraser ving de blik op Thornes gezicht op en realiseerde zich dat Samarez een loopje met hem nam. 'Ach, sodemieter op.'

'Jij hebt straks anders echt een bril nodig als je niet oppast.' Thorne trok de foto uit zijn handen, draaide zich om en keek de straat nog eens af. SuperSmart Homes zat tussen Tod's en Versace ingeklemd. De etalage stond vol advertenties voor het type huizen waar David Mackenzie in woonde, het type huis waarin hij ook in een ander leven had gewoond, toen hij nog Alan Langford heette.

Dat hij ooit gedeeld had met de vrouw die hem had willen vermoorden.

Thorne dacht terug aan het telefoongesprek dat hij eerder op de ochtend met Donna Langford had gevoerd. Hij had haar verteld dat hij Ellie had gezien, of althans foto's van haar, en dat het voor zover hij kon zien goed met haar ging. Het nieuws had nou niet bepaald de reactie opgeroepen die hij had verwacht. Ze had wel iets van opluchting getoond maar had verrassend onderkoeld geklonken, en er was geen stortvloed van vragen en eisen gevolgd.

'Het gaat goed met haar, Donna,' had Thorne nog eens gezegd.

Een paar seconden stilte. Toen zei ze: 'Maar dat is niet aan jullie te danken...'

'Nou ja, ik heb geen enkel probleem met plastische chirurgie,' zei Fraser. 'Dat is alles. Ik wil maar zeggen, ikzelf heb dringend behoefte aan een penisverkleining, maar als het nodig is, moet je –'

'Daar is ze,' zei Thorne.

'Halfelf,' zei Fraser terwijl hij op zijn horloge keek. 'Prettige baan heeft ze.'

Ze zagen hoe Candela Bernal uit een witte Mini stapte, en op het trottoir haar blonde haar in een paardenstaart bijeenbond. Ze was begin twintig en heel even had Thorne met haar te doen. Vanwege het soort leven waarin ze was beland. Vanwege de problemen die ze straks zou krijgen.

Samarez had eerder op de ochtend uitgelegd hoe ze David Mackenzies vriendin wilden gebruiken om zijn ware identiteit te achterhalen. Dat ze er een slechte gewoonte op na hield die hun hopelijk voldoende in handen gaf om haar medewerking af te dwingen. 'Ik weet zeker dat we haar kunnen overhalen,' had hij gezegd.

'Ze gaat zeven kleuren schijten.'

Samarez beaamde dat, maar verzekerde Thorne dat ze hoe dan ook heel veel te verliezen had. 'We hebben voor morgen een afspraak met het makelaarskantoor geregeld,' had hij gezegd.

Candela stond nu voor Tod's met een vrouw te praten. Haar glimlach deed Thorne aan iemand anders denken en hij herinnerde zich weer waarom hij hier was.

Zijn sympathie voor haar verdween als sneeuw voor de zon.

Toen ze was uitgepraat, liep Candela naar de deur van SuperSmart Homes. In de etalage onder het bordje van de makelaar hing een spandoek: *Paraiso de los sentidos.*

Paradijs voor de zintuigen.

'Allemachtig,' zei Fraser. 'Geen wonder dat Langford op de meeste foto's breed glimlacht.'

Samarez knikte en kon daar niets tegen inbrengen.

'Nog een reden om die klootzak te haten.'

Thorne zei niets en keek alleen maar hoe het meisje naar binnen verdween.

Hij had al redenen genoeg.

'Ontspannen, Dave.'

Langford keek op en glimlachte naar de man die zo dadelijk negentig pond armer zou zijn. 'Rukker.'

Je denkt toch zeker niet dat ik nu onder druk sta?

Hij snoof en boog zich weer over de bal. Hij kon nog drie keer putten om de wedstrijd op de zestiende hole te beslissen.

Hij had er maar twee nodig.

'Ik heb je ingemaakt, jongen...'

Langford schudde zijn golfvriend de hand en stak de honderd euro dankbaar in zijn zak. Daar zou hij later op de club een behoorlijke fles van bestellen. En tegelijkertijd een beetje rondvragen als hij er toch was.

Horen hoe de vlag erbij hing.

De belangrijke stap die hij een paar maanden geleden noodgedwongen had moeten zetten was compleet uit de hand gelopen, en nu waren de problemen dichter bij huis komen te liggen. Nu lagen ze zo ongeveer bij hem op de stoep. Niet dat het zover zou komen, natuurlijk, maar om ze in de kiem te smoren, om de situatie weer onder controle te krijgen, zou het op zijn minst helpen als hij wat meer hoogte kreeg van de man die hem het leven zo zuur maakte.

Een man die er genoegen in leek te scheppen in oude zaken te spitten en die nu een bijzonder goede reden had om het zich allemaal persoonlijk aan te trekken.

'Zullen we er nog eentje doen?'

Zijn vriend – een dikke projectontwikkelaar die op het golfterrein minder bedreven was in het afsnijden van bochten dan in zijn werk – gooide zijn golfclubs achter in zijn buggy en ging erin zitten.

Langford klom in zijn eigen buggy. 'Ik kan niet,' zei hij. 'Heb een lunchafspraak.'

Ze reden terug naar het clubhuis.

Via de gebruikelijke kanalen had hij de gebeurtenissen in Engeland op de voet gevolgd, dus wist hij al een week lang dat Thorne deze kant op zou komen. Het leek hem niet zo slim om nog een poging te wagen vlak nadat de vorige poging mislukt was, dus had hij niets kunnen doen om hem tegen te houden. Je liquideerde een politieagent niet zonder dat je daar een heel goede reden voor had, tenzij je niet goed bij je hoofd was, en zeker niet als de smeris in kwestie eenmaal wist dat je het op hem had voorzien. Zoiets deed je überhaupt niet, tenzij je alle mogelijke shit over je heen wilde krijgen, dus had Langford heel lang zitten wikken en wegen voordat hij het groene licht had gegeven. Hij had het één keer eerder gedaan, toen hem dat de best mogelijke optie leek. Maar voor een zakenman als hij, die er prat op ging dat hij zeer zorgvuldig te werk ging en altijd ver vooruitkeek, was dat werkelijk het allerlaatste redmiddel.

En dankzij een zakkenwasser die niet fatsoenlijk kon schieten, moest hij nu een nieuw plan uitdenken. De situatie opnieuw evalueren; de boel reorganiseren. Maar hij moest vooral zijn kalmte bewaren.

'Die honderd euro,' zei de aannemer. 'Quitte of dubbel. Wie het eerst bij het clubhuis is.'

'We weten al dat je geen Tiger Woods bent,' zei Langford. 'En nou denk je dat je Lewis Hamilton bent?'

'Wat je wilt, jongen.'

Langford trapte het gaspedaal in.

Ze hielden het makelaarskantoor een uurtje in de gaten tot Candela Bernal weer naar buiten kwam. Fraser startte de auto en wilde achter haar aan rijden, maar in plaats van in haar Mini te stappen, kwam het meisje hun richting op en wandelde naar de andere kant van de jachthaven, stak daar de weg over en liep naar het strand.

'Zo gaat dat voor sommige mensen,' zei Fraser. 'Een kop koffie, een uurtje met de meiden roddelen, en dan voor de lunch even een snelle duik nemen.' Ze stapten alle drie uit de Punto. 'Ik geloof dat ik in de verkeerde branche werk.'

Thorne keek Samarez even aan en zei toen dat hij het daar alleen maar mee eens kon zijn.

Omdat Samarez de volgende dag samen met Thorne naar de bezichtiging zou gaan, reed die in zijn eigen auto terug naar Malaga om de boel voor te bereiden. Thorne en Fraser volgden Candela naar het strand en namen plaats in een bar op zo'n dertig meter van de zee. Fraser bestelde een fles water. 'Want anders zit je me weer zo vuil aan te kijken,' zei hij.

Eerder op de ochtend was het bewolkt geweest, maar de wolken waren al snel opgelost en Thorne zat alweer te zweten. Fraser droeg vandaag een andere korte broek met een fel gekleurd overhemd erop, terwijl Thorne – die zijn jasje nog wel in de auto had laten liggen – zich nog steeds opgeprikt voelde in zijn polohemd en kakibroek. Toen hij zijn koffer aan het inpakken was, had Louise nog gezegd dat hij waarschijnlijk maar één lange broek mee hoefde te nemen, maar hij had niet geluisterd.

Als hij zichzelf in gedachten voor Alan Langford zag staan, droeg hij geen korte broek.

'Zo, je hebt gisteravond niet veel losgelaten,' zei Fraser. 'Over je thuissituatie.'

Zeg-maar-Pete daarentegen had onder het eten constant over zijn vrouw en drie kinderen zitten babbelen; over het huis in Estepona dat ze misschien gingen kopen als zij het daarvóór tenminste niet allemaal uitgaf in TK Maxx. 'Misschien kan die Spaanse dame die we morgen gaan bezoeken me een paar goeie huizentips geven,' had hij gezegd.

Samarez had geglimlacht en gezegd: 'Dan zul je toch iets vaker moeten overwerken.'

De bars langs het strand waren al net zo chic ingericht als alle andere voorzieningen in Puerto Banus, en nadat ze haar dunne jurk had uitgetrokken en haar sandalen had uitgeschopt, ging Candela op een rotan ligstoel met dikke kussens liggen. Ze maakte de top van haar bikini los en draaide zich op haar buik, met een tijdschrift voor zich. Thorne kreeg al slaap als hij naar haar keek.

Hij deed zijn ogen een paar seconden dicht en genoot van de zon op zijn huid, van de zacht ruisende zee. Hij herinnerde zich wat de vrouw in het vliegtuig tegen hem had gezegd, dat hij toe was aan vakantie, en bedacht dat ze waarschijnlijk gelijk had. De laatste keer dat Louise en hij in het buitenland waren geweest, was vorig jaar in Griekenland. De baby die ze na acht weken zwangerschap had verloren, was daar verwekt.

Sindsdien hadden ze het niet meer over vakantie gehad.

'Ik meende het wat ik zei over neptieten.' Fraser poetste de glazen van zijn zonnebril schoon, zette hem op en wierp weer een waarderende blik op Candela. 'Daar kan ik nou echt helemaal niet mee zitten.'

'Daar zal ze wel blij om zijn,' zei Thorne, die niet eens de moeite nam om zijn ogen open te doen.

Fraser keek hem van opzij aan. 'Kom op zeg, doe nou niet net alsof het je geen bal interesseert. Ik zie geen trouwring om je vinger zitten, dus ik neem aan dat die nachtmerrie jou bespaard is gebleven.'

'Er is een rechercheur aan je verloren gegaan.'

'Vriendin? Vríénd?'

'Een van die twee,' zei Thorne.

Een kwartiertje later liep een ober op de ligstoel af met een glas wijn en een salade. Candela ging rechtop zitten en hield haar ene arm voor haar borsten terwijl hij het dienblad op een laag tafeltje zette. Ze pakte wat geld uit haar tas en hij knikte glimlachend, duidelijk dankbaar dat hij het wisselgeld mocht houden.

'Jij hebt natuurlijk zwaar de pest aan onze vriend David Mackenzie,' zei Fraser.

Thorne keek hem aan.

'Dat verbaast me niks, hoor.'

'Nee?'

'Als iemand lukraak op mij gaat schieten, zou ik ook niet zo blij zijn.'

'Lukraak?'

'Nou ja, ik wil maar zeggen...'

'Er is een vrouw bij om het leven gekomen,' zei Thorne.

'Ja, da's waar.' Fraser knikte en liet een naar hij dacht beleefde stilte vallen. 'Dus je kende haar best wel goed?'

Thorne herinnerde zich de blos op Sylvia Carpenters gezicht toen ze het over zijn ontwrichte schouder had, en de trilling in haar hand toen ze zijn borst even aanraakte.

'Ja, ik kende haar, ja.'

Thorne draaide zich om en keek naar Candela die in haar eten zat te prikken. Toen ze klaar was zette ze het bord weer op het dienblad en zwaaide naar de ober die onmiddellijk kwam aanzetten met een tweede glas wijn. Na nog eens tien minuten in de zon gelegen te hebben, stond ze op, deed haar topje weer om en liep toen voorzichtig over het hete zand naar het water waar ze tot haar middel in ging. Ze stond met haar gezicht naar het strand en staarde Thorne bijna recht in de ogen en spreidde haar armen uit. Telkens als ze een grote golf tegen haar rug kreeg, slaakte ze een opgewonden kreetje en sprong omhoog.

Ze zag eruit alsof ze zich nergens zorgen over hoefde te maken.

Maar binnenkort wordt dat anders, dacht Thorne.

33

De wegen naar Mijas Pueblo waren nog steeds geblokkeerd, dus zette Fraser Thorne om iets na halfzes af bij de parkeerplaats. Zelf woonde hij, zoals de meest SOCA-agenten, in een appartement in Malaga, maar, zei hij tegen Thorne, als het allemaal ging zoals hij hoopte, zou hij binnenkort iets veel beters kunnen krijgen.

'Als ik hier een vaste aanstelling kan krijgen, dan kunnen mijn vrouw en kinderen hier definitief naartoe komen. Dan krijg je een mooi huis, privéonderwijs voor de kinderen, een uitstekende ziektekostenverzekering, alles. Daarbij vergeleken zijn ze bij de Met een stelletje armoedzaaiers, zeker weten.'

Hij zei dat hij Thorne de volgende dag om negen uur op zou pikken.

'Ik wil een auto huren,' zei Thorne.

'Dat hoeft niet, jongen. Ik ben graag bereid je overal naartoe te rijden.'

'Ik wil graag zelf kunnen rijden.'

Fraser keek wat ongemakkelijk.

'Is dat een probleem?'

'Nou, ik word eigenlijk geacht om...'

'Een oogje op mij te houden?'

'Nou ja, het is een gezamenlijke operatie. Ik bedoel, strikt genomen heeft de Met hier geen jurisdictie.'

'En wat moet ik dan met al die vrije tijd die ik hier heb? Als ik al die geweldige plaatsen wil bezoeken waar jij het steeds maar over hebt, dan kan ik niet van jou verwachten dat jij me overal naartoe rijdt.'

'Oké, ik zal kijken wat ik kan regelen.'

'Ik kan het zelf ook wel regelen, Peter,' zei Thorne. 'Ik ben een grote jongen.'

Fraser greep onbewust naar het mobieltje dat aan zijn riem zat geklikt. Voor hij wegreed zei hij nog dat het misschien een goed idee was als Thorne de volgende dag iets netters aantrok. Er uitzag alsof hij poen had.

Thorne wandelde naar het nieuwere gedeelte van het stadje en zag meteen waarom het verkeer was omgeleid. Er was een feest aan de gang, langs de hoofdstraat stonden overal stalletjes en in het park was een enorme draaimolen neergezet. Op het eerste gezicht leek het op het soort pretpark dat Thorne uit zijn jeugd kende. Dezelfde kakelbonte verzameling ouderwetse attracties en gammele kraampjes die hij als kind in Finsbury Park bezocht; waar hij met zijn maten goedkope cider dronk en nooit met meisjes wist aan te pappen. Daarna zag hij dat ze behalve suikerspinnen en toffeeappels ook eng uitziende Mexicaanse worstelmaskers en kleine gitaren verkochten, en dat de mensen zich werkelijk schenen te amuseren. En zeker niet onbelangrijk: ondanks het feit dat iedere winkel waar hij langskwam een verbijsterende collectie messen leek te verkopen, scheen je hier een niet meer dan gemiddelde kans te lopen te worden neergestoken.

Hij zag hoe drie verschillende fanfares in schitterend versierde uniformen zich aan de rand van het park opstelden. Tientallen mannen, vrouwen en kinderen vormden een rij, en de zon weerkaatste op de randen van hun trommels en blinkend gepoetste koperen instrumenten. Thorne kocht een fles water en bleef een tijdje zitten kijken. Toen de muziek begon en de fanfare in beweging kwam, sloot hij achter in de rij aan en volgde het eerste fanfarekorps naar het marktplein.

Op de Plaza de la Constitución was het nog drukker dan de vorige dag. Honderden mensen dansten in de schaduw van de enorme luifel die over het plein was gespannen en voor de bar stond het vijf rijen dik. De groep op het podium stopte met spelen toen de stoet het plein op kwam lopen, en hun snelle meezinger maakte plaats voor de drums en het schetterende koper van de fanfares, die met een daverend applaus werden begroet.

Thorne ging in de rij staan voor een biertje en vond toen een zit-plaats voor een bar, op een meter of tien van het plein. Hij moest boven het lawaai uit schreeuwen om de man naast hem te kunnen vragen wat voor feest het was.

De man had eerst moeite om hem te verstaan en vervolgens om hem te begrijpen. 'Feria,' zei hij uiteindelijk. Hij wees naar een poster in het raam van de bar en Thorne liep erheen om te kijken.

Feria Virgen de la Peña.

Hij vermoedde dat *feria* feest of festival betekende. Zou *peña* soms 'pijn' betekenen?

Er stond een beeltenis van de maagd Maria op en verder nog wat de-tails over de feestelijkheden waar Thorne niets van begreep. Maar de datum zei genoeg. Thorne was in Mijas aangekomen op het moment dat het stadje het grootste feest van het jaar vierde. Vier dagen lang.

Hij bestelde nog een pils en nam die mee naar zijn tafeltje. Op weg naar buiten zag hij een man die een Spaanse krant zat te lezen; dezelfde man die hij de avond daarvoor in het restaurant had zien zitten, toen hij met Samarez en Fraser de zaak-Langford zat te bespreken. Mijas was bepaald geen wereldstad, maar toch vroeg Thorne zich af of dit toeval was. Toen de man hem een blik toewierp, hief Thorne zijn glas naar hem op.

Doe de groeten aan Alan...

Toen hij zich vijf minuten later omdraaide om nog eens te kijken, was de man verdwenen.

Thorne zat te kijken en te luisteren en bleef er een uur lang hangen. De fanfares speelden voornamelijk traditionele Spaanse liedjes, hoe-wel een van de bands, om voor Thorne ondoorgrondelijke redenen, heel even een paar noten van de herkenningsmelodie van de Flint-stones ten gehore bracht, en een opzwepende vertolking van 'Y viva España' kon helemaal op een daverend applaus rekenen. De menigte, die blijkbaar niet op de hoogte was van de stompzinnige Engelstalige vertolking van dat lied, zong vrolijk mee met de pakkende melodie en telkens als het refrein voorbijkwam vielen de mannen elkaar schaam-teloos in de armen. Vrouwen bewogen zich door het publiek heen in genopte flamencojurken in felroze en paarse tinten die pasten bij de bloemen in hun haar. Ze droegen hoge naaldhakken van dezelfde kleur en Thorne stond er versteld van hoe moeiteloos ze zich over de grote kasseien bewogen, en anjers uitdeelden uit manden die ze tegen hun heup droegen.

'Wilt u iets eten, meneer?'

Thorne keek op naar de ober, zich afvragend of hij er echt zo over-duidelijk uitzag als een Engelsman. Waarschijnlijk wel, en hij besloot dat het wellicht geen slecht idee was om vroeg te eten en vroeg zijn bed in te duiken.

Donna stond in de keuken toen ze de sleutel in de voordeur hoorde. Ze rende de gang in en begon al te praten nog voordat Kate zelfs maar haar jas had opengeknoopt.

'Ellie zit in Spanje,' zei ze. 'Alan heeft haar.'

'Weet je het zeker?'

Donna knikte, met een gelukzalige glimlach. 'Het gaat goed met haar.'

'Goddank,' zei Kate. Ze kwam op Donna af en omhelsde haar. 'Dat hebben we toch ook steeds gedacht?'

Donna drukte haar tegen zich aan en deed toen een stap achteruit. De glimlach was er nog steeds, maar een beetje bibberig. 'Dat is wat ík in ieder geval dacht, maar ik heb een tijdlang niet zo goed geweten wat er in jouw hoofd omging.'

'Ik heb nooit gedacht dat ze dood was,' zei Kate. 'Ik zweer het je.'

Donna nam Kates jas aan en hing die zorgvuldig aan de kapstok. 'Ik wist niet zeker of ik je wel moest geloven.' Ze plukte een paar losse ha-ren van de mouwen. 'Dat kun je me toch amper kwalijk nemen.'

'Nee.'

Een paar seconden later, toen Kate haar ogen weer opsloeg had Don-na zich al omgedraaid en liep ze terug naar de keuken. Kate kwam ach-ter haar aan en ging zitten. Donna zette water op voor de thee.

'En, wat ga je nu doen?'

'Hoe bedoel je?' snauwde Donna.

'Niks... Jezus, Don.'

'Wat kan ik in godsnaam doen?'

Kate haalde haar schouders op. 'Wachten tot er meer nieuws komt, denk ik.'

'Ja, dat denk ik ook.'

Toen de thee getrokken was, droeg Donna de bekers naar de tafel en ging zitten. De glimlach was terug en ze was weer helemaal opgemonterd. Kate daarentegen reageerde veel behoedzamer.

'Als Ellie terugkomt, komt het helemaal goed, weet je.' Donna zat te knikken in de damp die uit haar mok opsteeg. 'Dan zijn we met z'n drieën en dat gaat geweldig worden. Dat weet ik zeker. We blijven hier wonen of we gaan verhuizen, maakt niet uit. Zie jij dat ook zitten?'

'Wat jij wilt.'

'Ik wil weten of ik op je kan rekenen,' zei Donna. 'Ik wil je weer kunnen vertrouwen. Omdat –'

'Zullen we uitgaan?' zei Kate, en ze klonk plotseling enthousiast. Wanhopig. 'We kunnen het ergens gaan vieren.'

'Ik ben moe.'

'Even ergens iets gaan drinken. Kom op...'

'Wat heb je tegen Ellie gezegd?'

Kate slaakte een lange zucht. 'Toe, laten we het daar niet meer over hebben. Niet nu.'

'Die dag in het café.' Donna zat roerloos en blies in haar thee. 'Zeg het me nou maar.'

'Ik heb niets verkeerds gezegd, echt niet.' Kate leunde naar voren en stak haar hand uit, maar Donna's handen bleven om haar beker gevouwen. 'Ik zweer het, Don. Bij alles wat me heilig is.'

Er viel genoeg te zien, maar toch voelde het een beetje vreemd om in je eentje te zitten eten, en Thorne wenste dat hij iets te lezen had gehad. Deed er niet toe wat, om een beetje minder... sneu over te komen. Voor hij het vliegtuig had genomen, was hij nog teruggegaan naar de seksshop waar hij met Dennis Bethell had afgesproken en had daar de thriller gekocht waar hij even in had staan bladeren. Hij had nog geen letter gelezen, maar was toch niet teruggegaan naar het hotel om het boek te halen.

Tegen de tijd dat hij klaar was met eten voelde hij zich iets minder opgelaten.

Na het eten ging hij ergens halverwege de trap zitten met het laatste restje bier. Nu pas vielen hem de rijen veelkleurige lichtjes op die boven iedere straat glinsterden en tussen de balkons waren opgehangen waarop gezinnen naar de mensenmenigte onder hen stonden te kijken.

Met een daverende slag op de bekkens barstte een van de fanfares los in 'La Bamba'.

De ober had Thorne voor het eten een bakje olijven gebracht en hij had aan Anna moeten denken die in die bar in Victoria een heel schaaltje had verorberd. Ze zou het hier geweldig hebben gevonden. Helemaal door het dolle heen bij de gedachte dat ze samen aan de zaak zouden werken. In het vliegtuig zou ze non-stop hebben zitten kwekken en grapjes hebben gemaakt over aparte hotelkamers.

Ze zou hebben gedanst en ze zou er een stuk minder Engels hebben uitgezien dan hij.

Ze zou Zeg-maar-Pete een lul hebben gevonden.

Hij voelde eerder dan dat hij het hoorde, dat zijn mobieltje overging, en toen hij op het schermpje keek, hield hij zijn adem in. Hij was vergeten Louise terug te bellen.

'God, sorry, Lou. Het is hier ontzettend druk geweest.'

'Maakt niet uit,' zei ze.

Thorne zweeg maar vroeg zich af waarom mensen 'maakt niet uit' zeiden als het wel degelijk iets uitmaakte. Hoe het toch kwam dat Louise en hij dat de laatste tijd zo vaak tegen elkaar zeiden.

'Het klinkt lawaaierig daar.'

'Er is hier een of ander feest aan de gang,' zei hij.

'Elvis had een tumor in haar maag.'

'O, shit. Wat zei de dierenarts?'

Louise zei iets, maar Thorne had moeite om haar te verstaan. Hij hield zijn hand tegen zijn andere oor en herhaalde de vraag.

'De dierenarts heeft haar vanmiddag laten inslapen.' Ze begon harder te praten, waardoor ze plotseling zowel boos als overstuur klonk. 'Hij zei dat dat het beste was.'

Thorne haalde diep adem. Een meter van hem vandaan begon een meisje te gillen van plezier toen een man haar optilde en rondzwierde.

'Wat was dat?'

'Sorry, er zijn overal mensen, het is...'

'Dit heeft geen zin,' zei Louise. 'Kun je me ergens terugbellen waar het rustiger is?'

Nadat hij had opgehangen bleef Thorne nog een tijdje zitten. Hij had het plotseling koud en terwijl hij daar zo zat voelde hij een eenzaamheid over zich heen spoelen waar geen spannend boek, geen enkel gezelschap, tegenop kon. Hij bracht zijn glas omhoog maar liet het weer snel zakken toen hij een snik in zijn keel omhoog voelde rijzen en naar buiten voelde komen. En nog een. Hij boog het hoofd en liet de tranen komen, nauwelijks hoorbaar, zelfs voor hem, boven het geluid van de drums en schetterende trompetten uit.

'Gaat het wel goed?'

Hij keek op en zag een forsgebouwde vrouw in een rode gestippelde jurk voor hem staan. Ze glimlachte en vroeg het weer.

Hij knikte.

De vrouw pakte een anjer en gaf die aan Thorne. Daarna boog ze zich voorover en kuste hem op zijn wang.

Om iets na tweeën schoot hij wakker van een enorm lawaai, alsof er buiten een oorlog aan de gang was.

De explosies deden het glas in de ramen rinkelen en heel even verkeerde Thorne echt in paniek, tot hij door een spleet in de rolluiken de rode en groene lichtflitsen zag en de gierende fluittoon hoorde waarmee de vuurpijlen weer op de grond vielen. Tussen iedere *Krak!* en *Zoef!* hoorde hij ook het lawaai van de trompetten vlakbij, maar de vrolijke muziek van eerder op de avond had nu plaatsgemaakt voor een veel langzamer en daardoor onheilspellender ritme. Een zachtere, somber klinkende muziek die vanaf de straat omhoogrees en zijn huid deed tintelen.

Het klonk als verdriet.

Thorne sloot zijn ogen en lag daar, trillend en zwetend, met de lakens tegen zijn borst geplakt, en iedere explosie kwam onverwacht en klonk gruwelijk, alsof hij een harde klap op zijn borst kreeg.

Gewoon een droge knal, alsof de motor van de scooter terugsloeg.

34

Candela had al vaak genoeg mensen in huizen rondgeleid om te weten dat je je niet al te nieuwsgierig mocht tonen. Veel van haar klanten noemden zichzelf 'zakenman', en als deze Engelsman zich zo wenste te noemen, was zij wel zo slim om verder geen vragen meer te stellen.

Veel slimmer dan waar de meeste mensen haar voor aanzagen.

Hij zag er onguurder uit dan zijn vriend, vond ze. Het type man dat er geen problemen mee zou hebben om iemand van voren en van achteren te naaien om te krijgen wat hij wilde. Hij leek haar ook iemand die heel snel kwaad werd. Ze vroeg zich af of de lange Spanjaard zijn bodyguard was. Hij glimlachte niet en zei vrijwel geen woord, maar ze wist dat dat soort mensen zelden om hun persoonlijkheid of intelligentie in dienst werd genomen.

Niet dat ze de illusie had dat dat voor haarzelf niet gold. Ze wist maar al te goed waarom David met haar bleef omgaan.

Eigenlijk kon het Candela geen ene moer schelen wat dat soort mannen deed. Wat al die mannen deden. Als ze haar commissie maar kreeg, en hoewel er bijzonder goed voor haar gezorgd werd, vond ze het prettig haar eigen brood te verdienen. Met deze klant kon ze weer een hele tijd bij D&G winkelen.

'Dit is de grootste slaapkamer,' zei ze. Ze wachtte tot beide mannen haar door de deur naar binnen waren gevolgd. 'Heel mooi, zoals u ziet. Met een schitterend uitzicht, net als in de andere kamers.' Ze glimlachte en verbeterde zichzelf. '*Vanuit* de andere kamers.'

De Spanjaard knikte.

'Mooi,' zei de Engelsman.

Het gebouw was net af en het penthouse was het meest in het oog springende en duurste appartement van het hele gebouw. Drie slaapkamers, drie badkamers en een enorme zitkamer, inclusief beveiliging en het gebruik van de fitnessruimte en het zwembad.

'Het is een prachtige plek.'

Candela glimlachte, ingenomen met de gang van zaken tot nu toe. 'Als u wilt, kunt u het meubilair houden wat er nu staat, maar dat kost natuurlijk wel iets extra.'

'Dat spreekt vanzelf.'

'Of u kunt het leeg aanvaarden en zelf de meubels uitkiezen. Misschien doet uw vrouw dat liever...'

'Ik zal het haar vragen.'

'Vrouwen kiezen graag zelf hun spullen uit.' Ze speelde met een knoopje op haar ivoorkleurige bloes. 'Dat zou ik tenminste liever doen.'

De Engelsman bladerde de brochure die ze hem gegeven had nog eens door, en liep toen naar het immense raam. 'Maar we moeten het nog wel over de prijs hebben.'

'Daar kan over gepraat worden,' zei Candela. 'Maar we kunnen niet te veel omlaag. Er is al een wachtlijst en er is al drie keer een bod gedaan en afgewezen.' Ze liep naar hem toe en kwam dicht bij hem staan. 'Bij helder weer kun je de kust van Afrika bijna zien en daar betaal je voor. Vanuit dit appartement zit je zo overal langs de kust, en het ligt ook vlak bij de snelweg en bij de luchthaven. Hoe zeggen ze dat in Engeland? Locatie, locatie, locatie?'

'Zoiets.'

'Er is toch ook een tv-programma dat zo heet? Dat heb ik gezien toen ik in Londen was.'

'Bent u in Londen geweest?'

'Natuurlijk. Ik ben er verleden jaar met een vriend heen geweest.'

'Heette die vriend toevallig David Mackenzie?'

Candela voelde het bloed uit haar wangen trekken en deed snel een stap terug van het raam. 'Nee.' Ze schudde haar hoofd. 'Niet... Waarom vraagt u dat?'

'Ik denk dat ik hem ken,' zei de Engelsman.

Op dat moment deed de Spanjaard een stap in haar richting terwijl hij een hand in zijn zak stak, en ze voelde de paniek groter worden en bezit van haar nemen. In de twee jaar dat ze hier werkte, had ze al een paar gruwelverhalen gehoord. De meeste makelaars hadden wel een paar meisjes als zij in dienst; meisjes die een woning charmant wisten te presenteren en tegelijkertijd iets extra's in de aanbieding leken te hebben... op voorwaarde dat er snel een bod werd uitgebracht. Het maakte hen tot zeer gewaardeerde werkneemsters, maar ook een makkelijk doelwit voor de gekken met wie je af en toe te maken kreeg.

Ze probeerde zich te beheersen, wist een glimlach tevoorschijn te toveren. En raakte nog meer in paniek toen ze zag wat de Spanjaard in zijn hand had.

Russell Brigstocke stak zijn hoofd om de hoek van de deur van het kleine kamertje dat Holland en Kitson in Thornes afwezigheid deelden.

'Hij heeft weer gebeld,' zei Brigstocke. 'Vanmorgen vroeg.'

Holland keek Kitson aan en stak wanhopig zijn handen in de lucht. 'Jezus, alsof we hier uit onze neus zitten te vreten.'

'Ik weet het.'

'We doen wat we kunnen,' zei Kitson.

Holland zuchtte. 'We hebben gedáán wat we kunnen.'

'Ik wilde het jullie alleen maar even laten weten,' zei Brigstocke en liep weer weg.

Ze hadden zich allebei te pletter gewerkt sinds Thorne vertrokken was, hadden keer op keer dezelfde vermiste-personenrapporten van tien jaar geleden geverifieerd die ze in februari ook al gecontroleerd hadden. Ze hadden lange dagen gemaakt, alle dossiers van vermiste personen doorgeplozen en ze vergeleken met het post mortem verslag over het lijk in de Jaguar; velen uitgesloten maar iedereen die er ook maar enigszins op leek gecheckt, waaronder ook enkelen die tijdens het eerste onderzoek buiten beschouwing waren gelaten.

De dag daarvoor hadden ze wel een soort van resultaat geboekt, maar niet iets wat Thorne zou interesseren.

Ze waren natuurlijk niet op zoek geweest naar lichamen, maar ze waren wel op een simpele administratieve fout gestuit en hadden daardoor een match kunnen maken tussen een junk – die een week na de Epping Forest Barbecue als vermist was opgegeven – en een tot dusver niet-geïdentificeerd lijk dat in een park in Kingston was aangetroffen. De 'Keltische ring' die op de lijst van persoonlijke bezittingen stond genoteerd, bleek in werkelijkheid een tatoeage te zijn, die in het oorspronkelijke vermiste-personendossier in de lijst Opvallende Kenmerken was opgenomen. En zo hadden ze het Kingston-lijk een naam kunnen geven en konden ze nu de familie op de hoogte stellen, hoewel Holland nog steeds niet gebeld had met de moeder van de dode man.

'Kom op, Dave, ze weet heus wel dat hij allang dood is,' had Kitson gezegd.

'Ja, maar goed, er is geen graf dat ze kan bezoeken, hè?' Ondanks het feit dat ze het betreffende mortuarium en het kantoor van de patholoog-anatoom al verschillende keren hadden aangeschreven, was Holland er tot nu toe nog niet in geslaagd te achterhalen wat er met het lijk was gebeurd. 'Dat is nou niet wat je noemt goed nieuws.'

'Het betekent dat ze het kan afsluiten.'

'Het betekent de hel voor haar.'

Niettemin begon Holland zo langzamerhand te geloven dat er voor de moeder van de dode junk in ieder geval meer viel 'af te sluiten' dan voor Robert en Sylvia Carpenter. En dat Thorne terug zou keren uit Spanje met slechts een paar belastingvrije flessen drank onder zijn arm.

Een paar minuten later, zei Kitson: 'Je hoeft echt niet het gevoel te hebben dat je hem in de steek laat.'

Holland keek op.

'Thorne.'

'Dat denk ik ook helemaal niet.'

Er had een scherpere klank in zijn stem gelegen dan de bedoeling was, maar het scheen Kitson niet te deren. 'Jawel, dat dacht je wel...'

Holland besefte dat ontkennen geen zin had. Kitson kende hem langer dan vandaag. Hij had al aan heel wat zaken gewerkt die ondanks het gedegen uitgevoerde opsporingswerk niet het gewenste resultaat hadden opgeleverd. Het hoorde bij het werk en het was nu eenmaal frustrerend. Maar als het om een zaak van Thorne ging, werd de druk om te presteren nog groter. En als het dan niet naar wens ging, voelde

Holland zich onveranderlijk een schooljongen die in de laatste minuut van een beslissende voetbalwedstrijd een penalty had gemist.

'Maak je niet te sappel, dat gevoel geeft hij iedereen vroeg of laat,' zei Kitson.

'Nou, dat helpt.'

'Maar voor jou is het moeilijker.'

'Waarom?'

Ze glimlachte. 'Nou, jullie hebben duidelijk een vader-zoonverhouding.'

'Gelul,' zei Holland en draaide zich weer om naar zijn computer.

Klaar om de bal hoog over te schieten.

Ze waren natuurlijk allemaal onmisbaar voor Thorne, en iedereen had er begrip voor dat de uitspraak in de zaak tegen Adam Chambers hem diep geraakt had. Misschien was dat de reden waarom deze zaak hem zo na aan het hart lag. Maar los daarvan besefte Holland dat Thorne iets concreets nodig had om Alan Langford op vast te pinnen. Dat de rest er niet toe deed.

Sinds Anna Carpenters dood was het iets persoonlijks geworden.

'Je moet echt dat telefoontje even plegen, Dave.'

Holland keek op en zag Kitson wuiven met het dossier over de junk die niet langer vermist werd. Hij knikte en realiseerde zich dat hij het al veel te lang voor zich uit had geschoven. Misschien heeft ze wel gelijk, dacht hij. Per slot van rekening was het zo mogelijk nog erger als iemand van wie je hield, vermist raakte, en je niet wist of je hoop moest koesteren of moest rouwen. De waarheid werd dan in feite goed nieuws.

Holland pakte de telefoon op.

Hij wenste dat hij Thorne iets te melden zou hebben.

35

Candela Bernal deed er bijna een minuut over om de legitimatiebewijzen te bestuderen die Thorne en Samarez tevoorschijn hadden getrokken. Ze nam net lang genoeg de tijd, dacht Thorne, om haar gedachten op een rijtje te zetten en te kalmeren.

Ze ging in een chocoladebruine Barcelona-stoel zitten. 'Ontzettend stom van me,' zei ze. 'Ik had kunnen weten wie jullie waren, omdat agenten en criminelen sprekend op elkaar lijken.'

Thorne ging tegenover haar zitten. 'Vind je?'

'We willen het over David Mackenzie hebben,' zei Samarez.

Thorne had de indruk dat gedurende de paar seconden die het meisje nam om iets te zeggen, ze overwoog of het zin had om te beweren dat ze niemand met die naam kende. Maar het was duidelijk dat de blik in zijn ogen die beslissing voor haar vergemakkelijkte. Dat ze zich realiseerde dat ze haar tijd alleen maar verspilde als ze met leugens kwam aanzetten.

'Goed, ik wil wel praten, maar ik weet helemaal niets, dus...'

'Jij weet helemaal niets?' vroeg Samarez. Hij knikte langzaam en liep achter haar stoel langs. Hij ging op de rand van een bijzettafeltje zitten zodat Candela tussen hem en Thorne in zat. 'Je weet dus bijvoorbeeld niet dat David Mackenzie niet zijn echte naam is?'

Ze schudde haar hoofd. 'Ik snap het niet.'

'Je weet dus niet waar al dat geld vandaan komt dat hij aan jou spendeert?'

Deze keer schudde ze nog heftiger met haar hoofd, maar met veel minder overtuiging.

'Het maakt niet uit,' zei Thorne. 'Het kan me eigenlijk niet schelen of je wel of niet liegt, want we hebben geen informatie van je nodig.'

Eerst stond er opluchting op Candela's gezicht te lezen, en vervolgens paniek. 'Maar wat dan wel?'

Wat ze van haar nodig hadden was simpel genoeg, maar het bracht zeer zeker risico's met zich mee. En het feit dat Langford en zij elkaar altijd bij hem thuis zagen en nooit in haar appartement, maakte het alleen maar lastiger. Misschien was hij voorzichtig of wilde hij alles in de hand houden, of wellicht gaf Langford de voorkeur aan een grote slaapkamer als hij lag te rollebollen. Maar in de acht maanden dat hij nu met Candela omging had hij geen voet in haar appartement gezet, ondanks het feit dat hij wel de huur betaalde.

'We willen dat jij iets voor ons bemachtigt,' zei Samarez. 'En maak je geen zorgen, het gaat niet om geheime dossiers of zo. Je hoeft zijn kluis niet open te breken.' Hij glimlachte en boog zich voorover. 'Alleen... een kopje, misschien?' Hij haalde zijn schouders op alsof het weinig voorstelde. 'Of zoiets dergelijks; dat kan niet moeilijk zijn. Een glas of een lepeltje, iets wat hij heeft aangeraakt.'

'Iets waar een vingerafdruk op zit,' zei Thorne.

'Tegenwoordig kunnen we ook vingerafdrukken van een menselijke huid nemen,' zei Samarez. 'Maar dat willen we je niet aandoen.'

Candela siste hem in het Spaans iets toe. Samarez zoog zijn adem naar binnen en keek zogenaamd gegriefd, en Thorne had geen woordenboek nodig om te snappen dat ze iets heel giftigs had gezegd.

'Wil je dat doen?' vroeg Thorne.

Ze draaide zich naar hem om en schoof haar haar over haar schouders naar achteren. 'En waarom zou ik dat doen?'

'Omdat we het je heel vriendelijk vragen?'

Ze stond op en zei dat Thorne niet grappig was, dat ze nu wegging en dat ze haar niet tegen konden houden. Maar op dat moment zag ze dat Samarez een stapeltje foto's uit zijn aktetas haalde en die op het salontafeltje uitspreidde, en ze ging weer langzaam zitten.

'Deze foto's zijn drie avonden geleden in de Shades in Puerto Banus genomen.' Samarez wees naar een foto waarop Candela aan de rand van de dansvloer met een man stond te praten. 'Leuke jurk, mevrouw Bernal.'

Candela staarde naar de grond.

'Heb je een leuke avond gehad?' Hij wachtte even maar kreeg geen reactie. 'Nou, het is in ieder geval een avond die je nog lang zal heugen, want later heb je deze man tweehonderd euro overhandigd in ruil voor twee gram cocaïne. Dat weet ik allemaal omdat deze man een under-cover-agent is.'

Ze mompelde nog wat woorden in het Spaans.

'We hebben nog meer foto's en ook een bandopname van de trans-actie.'

'We boffen maar dat agenten en criminelen zo op elkaar lijken,' zei Thorne.

Toen Candela uiteindelijk omhoogkeek probeerde ze te glimla-chen, maar de gespannen trek om haar mond en de blik in haar ogen verrieden duidelijk haar paniek, terwijl ze snel van Thorne naar Sama-rez keek. Uiteindelijk knikte ze langzaam.

Samarez knikte ook. 'Mooi zo.'

'Jullie moeten me wel in bescherming nemen.'

'Dat spreekt vanzelf,' zei Samarez.

Thorne en hij waren graag bereid Candela tot op zekere hoogte de bescherming te bieden waarvan ze hadden geweten dat ze die van hen zou eisen. Het kwam niet echt als een verrassing dat ze bang was voor Langford. En het deed hun genoegen te zien dat ze geen enkele loyali-teit toonde jegens de man die ze moest verraden.

Eerder in het gesprek had Thorne Samarez een snelle blik toege-worpen toen Candela het over haar tripje naar Londen had. De Guardia Civil zou het geweten hebben als Langford naar Groot-Brittannië was gereisd. En nog veelzeggender was het feit dat Candela het over 'een vriend' had gehad. Het was duidelijk dat Langford niet de enige was die er verschillende partners op na hield, en dat zij net als hij zoveel uit de relatie haalde als ze nodig had.

Als ze verliefd op hem was geweest, hadden ze een groter probleem gehad.

'Wanneer zie je David Mackenzie weer?' vroeg Samarez.

Ze leunde voorover en begon zacht in het Spaans te praten. Samarez schudde zijn hoofd – eerder had hij met Thorne afgesproken dat het hele gesprek in het Engels zou plaatsvinden – maar Candela trok zich daar niets van aan, praatte snel verder en klonk steeds wanhopiger tot hij gebaarde dat ze haar mond moest houden.

'Engels praten,' zei hij kordaat. 'Goed, wanneer zie je hem weer?'

Ze pakte haar tas en haalde er een pakje sigaretten uit. Het was tegen de regels om in een pand van het makelaarskantoor te roken, maar Thorne begreep dat haar baan op dit moment wel het laatste was waar Candela Bernal zich zorgen om maakte.

'Vanavond,' zei ze.

In de lift op weg naar beneden vroeg Thorne wat het meisje tegen Samarez had gezegd.

'Ze bood me geld aan,' zei Samarez.

'En daarna,' zei Thorne. 'Ze zei nog iets anders nadat je je hoofd schudde.'

'Ze bood me van alles aan...'

In de namiddag was Thorne weer terug in Mijas, waar het nog even druk was maar godzijdank iets minder lawaaierig dan de avond daarvoor. Er liepen nog steeds mensen rond in de meest bizarre kostuums, sommige droegen ingewikkelde maskers of waren uitgedost als reus met een hoofd van papier-maché en bovenmaatse laarzen. Op het grote marktplein was een soort wedstrijd aan de gang. Een enthousiaste en rumoerige menigte had zich voor een podium verzameld en moest daar kiezen uit een stuk of zes in traditionele klederdracht gehulde paren.

Thorne bleek naast een al wat oudere man met een Liverpoolaccent te staan. 'Is dit zoiets als *Mr. and Mrs.* bij ons?' vroeg hij.

De man lachte en begon zo'n gedetailleerde beschrijving te geven van de kroning van de koning en de koningin van de *feria*, dat Thorne na een paar minuten al wenste dat hij die vraag nooit had gesteld. De man, die daar niet alleen bleek te wonen maar ook prat ging op zijn uitgebreide kennis van de lokale gebruiken, deed hem vervolgens de geschiedenis van de *feria* zelf uit de doeken: over de eerste keer dat de maagd door twee herdersjongens was gezien en de kapel die in 1548 door monniken in de rotsen boven het dorp was uitgehakt.

'Daar komt de naam vandaan,' zei hij. '"Maagd van de Rots". Eigenlijk wel grappig, want de meeste mensen slaan de plank mis. Die denken dat *peña* "pijn" betekent, maar het betekent eigenlijk "rots". Of "klip", als je het echt goed wilt zeggen.'

'Je kunt het maar beter goed zeggen,' zei Thorne.

De man wees hem de weg naar de kapel en Thorne greep die kans aan om te ontsnappen en volgde een groepje Japanse toeristen over een kronkelend pad omhoog tot hij de grot bereikte. Die was zoals te verwachten viel, klein en propvol. De ingang werd geblokkeerd door mensen die foto's namen, maar Thorne kon net de kaarsen zien die schaduwen op de rotswanden wierpen en op het beeld van de Maagd, dat – had Thorne van zijn alwetende Liverpoolse reisleider vernomen – de avond daarop door het dorp zou worden gedragen.

Thorne voelde niet de behoefte om naar binnen te gaan, en liep naar een kleine houten balustrade vanwaar een paar mensen met een videocamera het dal filmden. Hij wurmde zich naast een jong stel met twee luidruchtige kinderen en keek de vallei in.

'Luke, ophouden!'

'Hannah, daar mag je niet op klimmen, dat is heel oud...'

Hij dacht aan het verleden, zowel aan het recente als aan het verre verleden; aan de dingen die je in ere hield en de dingen die je probeerde te vergeten. Hij vroeg zich af of Alan Langford net zo vaak aan zijn verleden dacht als aan zijn toekomst. Thorne wist dat Alan Langford iedere stap die hij zette zorgvuldig plande, dat hij altijd probeerde te anticiperen op de gebeurtenissen. Maar als die dingen eenmaal gebeurd waren, als ze eenmaal deel uitmaakten van zijn geschiedenis, zouden ze hem dan net zo blijven achtervolgen als degenen wier levens hij daarbij kapot had gemaakt?

Naast hem rukte de moeder een van haar kinderen van de onderste reling van de balustrade en gaf hem een tik tegen zijn been.

Dat Langford iedere stap zorgvuldig plande...

Wat hadden Donna en Fraser ook alweer tegen hem gezegd?

Alan deed nooit iets half. Hij plande alles, dacht overal grondig over na...

Hij denkt heel lang vooruit, onze meneer Mackenzie. Denkt op de lange termijn...

Thorne liep weg van het echtpaar en hun kinderen, haalde zijn mobieltje tevoorschijn en belde Holland. 'Neem het oorspronkelijke dossier nog eens door en zoek voor me op wanneer Donna voor het eerst een afspraak met Monahan had.'

'Wat zeg je nou?'

'De datum,' zei Thorne.

Het kostte Holland slechts een halve minuut. 'Voor de rechtbank zei ze dat ze zich de precieze datum niet kon herinneren, maar dat het de laatste week van juni was.'

'Oké, en eind november hebben ze degene die in die Jaguar zat, vermoord.'

'Ja...'

'Vijf maanden later.'

'Ik volg het even niet,' zei Holland. 'Dat weten we al.'

'Stel dat Langford al in een eerder stadium wist wat Donna van plan was? We weten niet wanneer hij getipt is, maar als het meteen na die ontmoeting tussen Donna en Monahan was, dan kan het zijn dat hij degene die in die Jaguar zat meteen van straat heeft geplukt. Iemand van wie hij af wilde. Ik bedoel, hij kon toen nog niet weten dat Donna voortdurend de zenuwen kreeg en het steeds maar uitstelde, zo is het toch?'

'Nee, dat denk ik niet.'

'Als Langford al die tijd al wist wie zijn plaats in die auto zou innemen, kan het zijn dat hij die arme drommel maandenlang ergens heeft vastgehouden.' Hoe meer hij erover nadacht en het hardop zei, hoe logischer het begon te klinken. Hoe meer het voor de hand leek te liggen. 'We hebben alleen maar gezocht naar mensen die een paar weken daarvoor of daarna vermist werden,' zei hij. 'We zijn niet ver genoeg terug in de tijd gegaan.'

Hij gaf Holland opdracht alle dossiers van vermiste personen daterend van begin juni, tien jaar geleden, op te vragen en die meteen met Kitson door te spitten.

'Voor je ophangt,' zei Holland, 'de hoofdinspecteur wil je nog even spreken.'

Zodra Brigstocke aan de lijn kwam, vertelde Thorne hem wat hij zojuist met Holland had besproken. Hij legde uit dat het tijdsbestek kon kloppen; dat Langford daar slim genoeg voor was en ook hardvochtig genoeg. Brigstocke klonk verheugd maar Thorne pikte een ondertoon op in zijn stem – zijn enthousiasme klonk geforceerd.

'Waar wilde je me over spreken, Russell?'

'Over Adam Chambers,' zei Brigstocke.

Thorne verstrakte en begon de heuvel af te lopen. 'Ik hoop dat je me gaat vertellen dat hij onder een bus is gekomen.'

'Er is een stomme campagne op touw gezet om zijn naam te zuiveren.'

'Wát?'

'De pers heeft het opgepikt en nu heeft een of andere nitwit in het parlement zich ook sterk gemaakt voor hem. Het is voortdurend in het nieuws.'

Holland en Kitson besteedden de rest van de dag aan het plegen van de noodzakelijke telefoontjes en het doorspitten van computergegevens, om de daarvoor in aanmerking komende dossiers van vermiste personen te verzamelen en weer van voren af aan met het eliminatieproces te beginnen. Ze werkten tot diep in de avond door, ploozen het ene na het andere dossier door, zagen hoe de middagploeg plaatsmaakte voor de avondploeg, en aten een telefonisch bestelde pizza die bij de poort werd afgeleverd.

Thorne belde twee keer en kreeg beide keren van Yvonne Kitson te horen dat hij hen alleen maar ophield.

De zoekparameters bleven ruwweg gelijk: ze waren op zoek naar vermiste blanke mannen van ongeveer 1 meter 80 lang. De leeftijd van het slachtoffer lag wat lastiger. Ten tijde van het post mortem onderzoek was er geen reden geweest om te vermoeden dat het lichaam in de auto iemand anders was dan de man die door Donna Langford als haar echtgenoot was geïdentificeerd, en daarom was er ook geen reden geweest om stukken bot en weefselresten nader te onderzoeken om de leeftijd van het slachtoffer te bepalen. Dus had Phil Hendricks het weefsel dat hij tien jaar eerder tijdens de sectie had afgenomen, opnieuw onderzocht. Hij kwam tot de vaststelling dat het slachtoffer niet gedrogeerd was, maar dat het vuur zoveel schade had aangericht dat onmogelijk precies viel vast te stellen hoe oud hij was geweest.

'Tussen de twintig en de vijftig,' had Hendricks tegen Holland gezegd. 'Maar zelfs dat is slechts een benadering, en zorg er vooral voor dat je-weet-wel-wie dat ook te horen krijgt.'

Thorne moest op BBC World eerst twintig minuten zakelijk nieuws uit het Verre Oosten aanhoren voordat het journaal begon.

Het was het tweede onderwerp.

Tot zijn ontsteltenis zag Thorne dat het parlementslid over wie Brigstocke het had gehad een vrouw was – jong en serieus in een fraai, op maat gemaakt mantelpakje. Ze stond voor Scotland Yard, en het bekende bord draaide langzaam achter haar rond terwijl ze het doel van de campagne uiteenzette.

'Ja, Adam Chambers is onschuldig bevonden voor de wet,' zei ze. 'Maar dat volstaat niet. Het was een bijzonder traumatiserende ervaring voor hem om valselijk beschuldigd te worden van zo'n gruwelijke misdaad, en hij heeft de grootste moeite om zijn leven weer op te pakken. Meneer Chambers is net zozeer slachtoffer als ieder ander. Sterker nog, voor zover bewezen is hij zelfs het enige slachtoffer in dit hele chaotische politieonderzoek.'

Thorne zat op de rand van het bed, op een meter van het kleine televisiescherm. 'Gelul,' zei hij.

'Wat wilt u dat er nu gebeurt?' vroeg de interviewer.

De vrouw draaide zich half om naar het gebouw achter haar en wisselde de boosheid in haar stem bedreven af met bezorgdheid. 'Op zijn minst verdient Adam Chambers een officiële verontschuldiging, maar ik ga hard mijn best doen om een onafhankelijk onderzoek in te laten stellen.'

'Hebt u nog een boodschap voor de ouders van Andrea Keane?'

Nu was de bezorgdheid nog duidelijker zichtbaar in het bestudeerde knikje van haar hoofd en ze legde een zachte klank in haar stem. 'Ik kan alleen maar meevoelen met de ouders van het vermiste meisje. En ik kan u verzekeren dat dat ook geldt voor Adam Chambers. Maar... namens hem en namens iedereen die werkelijk gelooft in gerechtigheid, eis ik dat de mensen die hebben ingestemd met zo'n belachelijk en peperduur proces ter verantwoording worden geroepen.'

'Kunt u ons vertellen hoe het nu gaat met meneer Chambers?'

Op de achtergrond zag Thorne een veiligheidsagent van Scotland Yard staan toekijken, met een mitrailleur tegen zijn heup. Hij boog zich voorover om een biertje uit de minibar te pakken, sloeg met een klap het deurtje dicht en hoorde de andere flessen binnenin rinkelen.

Hij stelde zich voor dat de agent aanlegde en zijn eigen boodschap afleverde.

36

Toen hij wakker werd had Thorne een idee.

Hij belde Yvonne Kitson en vroeg haar om Langfords dossier door
te spitten; de lijst van familieleden door te nemen en de geboorteda-
tums en telefoonnummers van degenen die nog leefden aan hem door
te geven. Toen Kitson een kwartier later terugbelde, krabbelde hij de
gegevens op een blocnote van het hotel.

'Ik vind het wel erg voor je, dat gedoe met die Chambers,' zei Kitson.
'Alsof je een klap in je gezicht krijgt.'

'Dat waait wel weer over,' zei Thorne.

Daarna belde hij Samarez.

Hij gaf de Guardia Civil-agent de interessantste datums en telefoonnummers en legde uit wat hij wilde weten. Samarez beloofde dat
hij de telefoongegevens zou checken en hem later op de dag zou terugbellen.

'Ik hoef niet te weten dat Mackenzie eigenlijk Langford heet,' zei
Thorne, 'en ik weet dat er in de rechtszaal niets van overeind blijft.
Maar tot we de vingerafdrukken krijgen, moeten we het daarmee doen.'

Samarez antwoordde dat de vingerafdruk niet lang op zich zou laten wachten. 'Candela is gisteravond met Mackenzie naar een nacht-
club geweest. Ze zei dat ze hoofdpijn had en is eerder naar huis gegaan
met Mackenzies champagneglas in haar handtas. Dus, met een beetje
geluk...'

'Ik hoop dat ze goed heeft opgelet.'

'Ze is niet stom.'

'Maar Langford ook niet,' antwoordde Thorne.

Ze hadden het er even over hoe het onderzoek het best kon worden aangepakt, en gingen allebei voorbij aan het feit dat ze, tenzij er in Spanje of Engeland nieuwe informatie opdook, niets hadden om mee verder te gaan. Samarez zei dat hij de rest van de dag druk was met andere zaken en dat Fraser zich ziek had gemeld. Hij vroeg wat Thorne die dag ging doen en die antwoordde dat hij geen flauw idee had.

'Je zou naar Ronda kunnen gaan,' zei Samarez. 'Dat is een erg mooie stad.'

'Dat heb ik gehoord.'

'Een beetje ontspanning zal je goeddoen.'

Uit Samarez' mond klonk het voorstel minder als een poging om Thorne uit de buurt te houden dan toen Fraser het had voorgesteld. Misschien had Samarez gelijk. Er viel verder niets nuttigs te doen terwijl ze zaten te wachten tot de forensische dienst de vingerafdruk van het glas had genomen, het resultaat gescand had en ter vergelijking naar Londen had gestuurd. Hij kon de tijd doden met een trlpje en dan hoefde hij ook even niet aan Alan Langford te denken.

Of aan Anna Carpenter en Andrea Keane.

'Ik kijk wel,' zei hij.

Hij liep het hotel uit en zocht een café, waar hij twee koppen koffie met veel melk dronk, en roereieren, gebakken aardappelen en chorizo naar binnen werkte. Daarna wandelde hij naar het winkelcentrum van het dorp om zijn huurauto op te halen.

Het enthousiasme in Thornes stem was duidelijk hoorbaar geweest toen hij de middag daarvoor gebeld had. Als hij opgewonden was klonk zijn stem altijd wat hoger en praatte hij ook sneller. Het klonk allemaal heel aannemelijk wat hij had gezegd, en Holland en Kitson waren vol toewijding aan het werk gegaan. Maar toch had Holland het gevoel dat meer hoop uiteindelijk tot nog meer teleurstelling zou leiden.

Dat die strafschop die hij was voorbestemd te missen zojuist nog belangrijker was geworden.

Door verder terug te gaan in de tijd, zoals Thorne had gevraagd, waren er nog acht kandidaten bij gekomen. Nadat ze eerst hadden geverifieerd dat alle slachtoffers nog steeds vermist werden, hadden Holland en Kitson die ochtend een begin gemaakt met het tijdrovende proces om de naaste verwanten op te sporen, afspraken te maken en voor zover mogelijk DNA-monsters af te nemen. Net als met de lijst die ze in februari hadden doorgeploegd, waren de verhalen erachter vaak simpel maar gruwelijk. De redenen waarom deze mensen spoorloos verdwenen waren, de leemten die ze in andermans leven hadden achtergelaten.

Vanwege drugs. Misbruik. Een psychische stoornis.

Of zomaar.

Halverwege de ochtend viel Hollands oog op een geval dat overduidelijk in die laatste categorie viel. Heel even kreeg hij het gevoel dat hij die penalty misschien toch met succes zou kunnen inschieten. Nadat ze het met Brigstocke hadden besproken, besloten Kitson en hij dat ze het Thorne pas zouden vertellen als ze er zeker van waren dat het echt iets was om opgewonden over te raken. Maar iedereen was het erover eens dat het er veelbelovend uitzag; dat ze al hun aandacht op deze zaak moesten richten.

Zoek uit wie er in die Jaguar zat, Dave. Die persoon vormt de sleutel tot alles.

Voor Hollands gevoel was dit geval uit de dossiers opgedoken als een magische kaart in een van de goocheltrucs van Brigstocke.

De auto was bloedheet en rook naar plastic toen Thorne hem kwam ophalen, maar nadat de airco tien minuten had aangestaan verliep de rit in de heuvels heel plezierig, hoewel hij scherp op de weg moest letten waardoor hij nauwelijks oog had voor het landschap. De weg liep hier veel steiler omhoog dan bij Mijas, met links van hem griezelige afgronden en flink wat gevaarlijke bochten. Tot zijn verbazing zag Thorne langs de kant van de weg borden staan waarop voor sneeuwval werd gewaarschuwd, wat hij in dit hete weer niet alleen onvoorstelbaar vond, maar waardoor hij zich afvroeg hoe je de berg op kwam als het glad was – of nog erger, hoe je er weer af kwam. Als je daar ook nog eens vallend gesteente en loslopende geiten bij optelde, was het eigenlijk een wonder dat iemand het er levend afbracht.

Hij deed er bijna een uur over om in Ronda te komen en nadat hij de auto geparkeerd had en verder te voet naar het centrum van de 'witte stad' ging, was hij na een paar minuten al buiten adem. Hij bleef op een van de bruggen staan en keek naar beneden de kloof in, die was uitgesleten door de rivier die de stad in tweeën deelde. Het uitzicht was ontegenzeglijk spectaculair en hij schreef zijn ademnood maar al te graag toe aan het feit dat hij ruim zevenhonderd meter hoog zat, in plaats van aan de extra pondjes die hij eigenlijk zou moeten kwijtraken.

Dat uitgebreide ontbijt was misschien toch een vergissing geweest, bedacht hij.

Hij haalde een plattegrond bij een toeristenbureau en volgde de route langs rijen winkeltjes en curieuze museums naar de beroemde arena waar Fraser het over had gehad. Hier liepen veel minder toeristen rond dan in Mijas, maar Thorne vermoedde dat de feria daar de oorzaak van was. In deze stad hing ook een heel andere, bijna eerbiedige sfeer, en het was hier in ieder geval een stuk rustiger.

Hij betaalde vier euro en liep door een draaihek de lege arena in. De zandvloer liep heel geleidelijk omhoog naar het midden en was veel harder dan hij had verwacht. Aan de andere kant van de arena stond een stelletje foto's te nemen en op de tribune liepen nog meer mensen rond, maar ondanks de aanwezigheid van al die mensen en ondanks de late ochtendzon die boven zijn hoofd brandde, voelde deze plek merkwaardig kil en spookachtig. Hij vroeg zich onwillekeurig af hoeveel dieren hier de dood hadden gevonden... en hoeveel mannen. Hoeveel bloed er de afgelopen tweehonderdvijftig jaar in de grond onder zijn voeten was gevloeid.

Kijkend naar de witte houten gebutste hekken vanaf het midden van de arena kostte het hem geen moeite zich de hitte en het gebrul van een opgezweepte menigte voor te stellen. Thorne kon de adrenaline bijna proeven, de koperachtige smaak ervan in de mond van hen die op de confrontatie met de stieren stonden te wachten. Hij probeerde de afstand van het midden tot de hekken in te schatten en vroeg zich af of hij het zou redden als hij ooit voor een aanstormende stier op de loop moest. Hij vond zichzelf nog steeds behoorlijk snel als het erop aankwam, op de korte afstand in ieder geval.

Hij kwam tot de conclusie dat hij nog niet eens halverwege zou komen.

Hij maakte nog een snel rondje door het museum van de arena en bekeek vluchtig de oude foto's en de opgezette stierenkoppen. Hij wierp een snelle blik op de antieke matadorkostuums in de vitrines en vroeg zich af hoe het toch kwam dat oude kostuums altijd zo klein leken. Daarna liep hij naar een bar aan de rand van het plein.

Hij zwaaide om de aandacht van de ober te trekken en werd genegeerd.

Op tafel spreidde hij een paar brochures uit met informatie over andere bezienswaardigheden. Ronda had bepaald geen gebrek aan museums, maar de ene tentoonstelling leek nog gruwelijker, nog bloeddorstiger dan de andere.

Een geschiedenis van de jacht.

Foltering tijdens de Spaanse Inquisitie.

Vijfhonderd jaar doodstraf.

Starend naar de afbeeldingen van sommige museumstukken was hij er niet meer zo zeker van of Ronda inderdaad zo 'lieflijk' was als iedereen beweerde.

Het was ondertussen warmer geworden en Thorne keek nog eens om zich heen om de aandacht van de ober te trekken. Het was druk in de bar en hij wierp een blik op de andere klanten, half-en-half in de verwachting de man met de krant te zien zitten die hem al twee keer eerder was opgevallen. Maar toen hij een stoel naar achteren hoorde schuiven en zich razendsnel omdraaide, zag hij iemand die hem nog veel bekender voorkwam.

Thorne kon alleen maar toekijken hoe Alan Langford nonchalant plaatsnam op de stoel tegenover hem.

37

'Mag ik erbij komen zitten?' Langford stak zijn hand op en een seconde later stond er een ober naast de tafel. Langford keek Thorne aan. 'Waar heb jij zin in?'

Thorne zweeg.

Ik heb zin om je een glas zo diep in je gezicht te duwen dat het niet meer uit maakt hoe je jezelf noemt, omdat niemand je nog herkent. Ik wil het in je gezicht duwen en ronddraaien en voelen hoe het vlees kapot scheurt, en ik wil je horen krijsen. Ik wil dat je mijn naam zegt, net als zij...

'Ik heb zin in een biertje,' zei Langford. 'En dan niet in zo'n lullig klein glaasje.' Hij bestelde in het Spaans twee bier en leunde toen achterover om Thorne aan te kijken, hoofdschuddend en glimlachend, alsof ze twee oude vrienden waren die ooit ruzie hadden gekregen over zo iets onbenulligs, dat ze zich niet eens meer konden herinneren waar het over ging.

Ik wil dat jouw bloed het hare wegspoelt.

Toen de biertjes eraan kwamen, dronk Langford zijn flesje in één keer voor de helft leeg, leunde toen weer achterover en begon zorgvuldig het etiket van de fles te pulken. 'Je hebt hier niets te zoeken,' zei hij. 'Dat wilde ik je even zeggen.'

Thorne reikte naar zijn eigen fles. Hij had helemaal geen zin om iets met deze man te drinken, maar opeens had hij een droge mond en zijn tong plakte aan zijn verhemelte. Hij hoopte dat het bier het trillen van zijn benen zou tegengaan en hem van datgene zou weerhouden waar hij zojuist aan had zitten denken.

'Jíj bent hier,' zei hij.

'Klopt. Ik ben hier en bemoei me met mijn eigen zaken.'

'En we weten allemaal wat voor zaken dat zijn.'

'Hoor eens, ik weet niet wat jij denkt te weten, maar het enige dat je reisje naar Spanje je oplevert, is een zonnesteek. Dus ik zou zeggen: stap op het vliegtuig en bespaar ons een hoop gezeik.'

Langfords haar was grijzer dan op de foto's en door de overvloedige zon was zijn gezicht gerimpeld en leerachtig geworden. Ondanks zijn gebluf zag Thorne dat hij allesbehalve ontspannen was. Hij glimlachte alleen zijn tanden bloot die te groot waren voor zijn mond, en veel te wit.

'Voor iemand die zich met zijn eigen zaken bemoeit, maak je een behoorlijk bezorgde indruk,' zei Thorne.

'Je irriteert me.'

'Nou, dan doe ik kennelijk iets goed.'

Weer een flits van tanden. 'Maar je doet er wel een hoop moeite voor, hè? Je komt hier helemaal naartoe, wat de belastingbetaler een godsvermogen moet kosten, om te kijken hoe het met een gepensioneerde zakenman gaat.'

'Je bent nou niet wat je noemt met pensioen, hè? En ik doe heel wat meer dan kijken hoe het met je gaat.'

Langford blies zijn wangen op en liet langzaam zijn adem ontsnappen. 'Een man komt erachter dat zijn vrouw hem wil laten vermoorden, dus denkt hij dat het wellicht een goed idee is om ergens anders opnieuw te beginnen. Einde verhaal. Ik kan me niet voorstellen dat de openbare aanklager zich daar tien jaar later nog erg druk om zou maken, jij wel?'

'Ze zijn èrg gespitst op mensen die lijken achterlaten.'

'Dat kan ik me voorstellen, maar daar weet ik niets van.'

'Dus jij weet niet hoe het komt dat een man in jouw auto zwartgeblakerd is?'

'Ik dacht dat jullie degene die dat gedaan heeft al gegrepen hadden,' zei Langford. 'Zit die niet in de gevangenis?'

'Daar zát hij,' zei Thorne. 'Tot hij een paar maanden geleden in zijn cel aan het mes werd geregen.'

'Gevaarlijke plekken, gevangenissen.'

'Vervolgens kwam de gevangenbewaarder die had samengespannen om hem te vermoorden, onder een auto terecht.'

'Onsmakelijk.'

'Heel erg onsmakelijk. Maar daar weet jij natuurlijk ook niets van?'

'Ik volg het van hieruit niet meer zo,' zei Langford. 'Tenzij het op de sportpagina heeft gestaan...'

Hij liet zijn hand naar zijn broeksband glijden en stak hem loom onder het witte linnen hemd om zich te krabben. Thorne ving een glimp op van het litteken waarover Donna het had gehad, dat bleek afstak tegen zijn gebruinde buik.

'Het leven als pensionado zal op den duur toch wel gaan vervelen, lijkt me?' zei Thorne. 'Je kunt toch niet eeuwig blijven golfen of steeds maar baantjes trekken in je zwembad?'

'Je klinkt jaloers, jongen.'

'Het is volkomen begrijpelijk, wil ik maar zeggen. Dat je een vinger in de pap wilt houden, bedoel ik.'

'Het enige dat ik wil is een prettig, rustig leven leiden.'

'Dat geloof ik graag, maar soms moeten er dingen gedaan worden om het prettig en rustig te hóúden.'

Langford zat nog steeds aan het etiket van zijn bierflesje te pulken, rolde de fliebertjes papier tussen zijn vingers tot balletjes en liet die in de asbak vallen. Hij schudde zijn hoofd en staarde wat voor zich uit, alsof hij heel even de draad van het verhaal was kwijtgeraakt.

Een paar uitgemergelde zwerfkatten liepen bij de tafeltjes rond, miauwend om eten en daarna vechtend om de restjes die hun werden toegeworpen. Langford stak zijn hand uit om er een te lokken en maakte kusgeluidjes, maar gaf het toen op. Hij wendde zich weer tot Thorne en zei: 'Die kleine donderstenen zijn nog achterdochtiger dan jij.' Daarna: 'Waar hadden we het over?'

'Over Howard Cook en Paul Monahan.'

Weer een ontkennend hoofdschudden.

'Die namen doen geen lampje bij je branden, Alan?'

'David.'

'Nou?'

'Sorry,' zei Langford. 'Zijn dat voetballers?' Hij leunde achterover en dronk zijn glas leeg, en knipte toen met zijn vingers alsof hij zich opeens weer herinnerde waar ze het over hadden. 'Wacht eens even, maar hoe zit het nou met dat lijk in die auto waar je het over had?' Terwijl hij zijn ogen op Thorne gericht hield, stak hij het lege flesje omhoog om de ober te laten weten dat hij nog een biertje wilde. 'Ik denk dat jullie daar nog steeds geen naam op kunnen plakken.'

'Daar zijn we druk mee bezig.'

'Nou, veel succes ermee.'

'Dank je.'

'Ik meen het.'

'Jij zult de eerste zijn die het te horen krijgt, maak je geen zorgen.'

Een stel aan het tafeltje naast hen stond op om te vertrekken en Langford leunde naar voren om een van hun borden naar zich toe te trekken. Hij pakte er wat stukjes vet en kraakbeen af en gooide die een voor een naar de katten. Die schoten er onmiddellijk op af en zodra ze erin slaagden een stukje te bemachtigen begonnen ze naar elkaar te blazen.

'En Anna Carpenter?' vroeg Thorne.

'Wat is er met haar?'

'O, dus die naam ken je wel?'

Langford kneep zijn ogen tot spleetjes, alsof de naam hem bekend voorkwam maar hij hem toch niet helemaal kon plaatsen. Alsof hij bijna wist wie ze was en het toen toch opgaf. Uiteindelijk schudde hij weer met zijn hoofd, verslagen. 'Geen idee,' zei hij. 'Je bedoelt toch niet die tennisspeelster, hè?'

Ik kan hier nu een eind aan maken, dacht Thorne. Er een punt achter zetten en naar huis gaan. Ik zou dat vieze mes van tafel kunnen pakken en het kunnen gebruiken.

Er een eind aan maken.

Aan dit godvergeten stompzinnige spelletje.

Aan mijn godvergeten stompzinnige carrière.

'Weet je, iedereen heeft het er maar over dat jij zo goed bent in plannen,' zei Thorne. 'Dat je de risico's tegen elkaar afweegt. Donna zei –'

'Je moet niet alles geloven wat die stomme trut je vertelt.'

'Dat bedoel ik juist, want ik denk namelijk dat ze zich vergist. Ik denk dat ze je allemaal veel te veel eer geven want jij maakt zat fouten. En je hebt zeker een fout gemaakt toen je Ellie meenam.'

'Jij weet echt niet waar je het over hebt, hè?'

'Ik heb foto's van haar gezien.'

'O ja?'

'En je hebt ook een heel grote fout gemaakt met dat meisje. Met Anna Carpenter.'

Als Thornes woorden – de toon waarop hij het zei – al enig effect sorteerden, dan wist Langford dat uitstekend te verbergen. Hij knipperde niet eens met zijn ogen. Thorne ontspande langzaam zijn vuist onder tafel, maar kon het niet verdragen Langford hier weg te laten lopen in de gedachte dat hij het spel gewonnen had.

Dat hij punten had gescoord.

'O, en trouwens, je moet ook eens wat scherper opletten als je personeel inhuurt,' zei Thorne.

Langford snoof. 'Echt waar?'

'Echt waar,' zei Thorne. 'Degene die mij in de gaten moest houden heeft broddelwerk afgeleverd door verschrikkelijk op te vallen.'

'Nou, bedankt voor de goede raad, maar op het gevaar af dat ik mezelf herhaal: je weet niet waar je het over hebt.'

'Dat zal wel.'

'Nee, echt.' Langford schudde zijn hoofd. 'Ik hoef jou niet in de gaten te laten houden.'

Thorne probeerde niet verbaasd te kijken, want voor de eerste keer sinds Langford aan zijn tafeltje was komen zitten, geloofde hij werkelijk dat hij de waarheid sprak. Hij stond snel op en zette een paar stappen van de tafel vandaan. Hij zag hoe de katten alle kanten op schoten en draaide zich weer om naar Langford. 'Je vergist je trouwens,' zei hij. 'Ik ben meer dan achterdochtig. Ik weet namelijk precies hoe gevaarlijk jij bent.'

Langford keek hem een paar seconden aan. Hij glimlachte en stak zijn handen omhoog alsof hij zich zogenaamd overgaf, en maakte vervolgens een wegwuivend gebaar. 'Hé, maak je geen zorgen over de rekening. Die regel ik wel.'

Thorne liep terug naar het tafeltje, pakte de toeristische foldertjes en liet ze op Langfords schoot vallen. 'Je moet eens een paar van die tentoonstellingen bezoeken, als je toch wat vrije tijd hebt,' zei hij. 'Hoewel ik vermoed dat ze voor jou wat aan de tamme kant zijn.'

Thorne was nog niet eens terug bij de auto toen Samarez belde. 'Ik heb de informatie waar je me om vroeg,' zei hij.

'Mooi.' Heel even kon Thorne zich niet meer herinneren wat hij Samarez had gevraagd te doen.

'Ik heb de telefoongesprekken van Langford gecheckt en voor een van de datums en namen heb ik een match gevonden.' Hij noemde de naam. 'De afgelopen jaren telkens op dezelfde datum. Slim van je, Tom.'

Thorne mompelde een bedankje voor de informatie en het compliment, maar had moeite om zijn gedachten te ordenen, nog steeds opgefokt door zijn gesprek met Langford.

Daarna, alsof hij wilde laten zien dat hij zelf ook slim was, vroeg Samarez: 'En, hebben jullie gezellig zitten kletsen?'

'Wát?'

Samarez begon te lachen. 'Hij wordt nog steeds in de gaten gehouden, dus we hebben hem ook met jou zien praten.'

Dat klonk logisch. Maar toch vroeg Thorne zich af waarom Samarez hem dan niet had gewaarschuwd als de Guardia Civil al wist dat Langford in Ronda was, of op weg was daar naartoe. 'Oké...'

'Dus dat was niet echt een ontspannen dagje voor je.'

'Enfin, jouw mensen weten zich in ieder geval beter onzichtbaar te maken dan die van hem,' zei Thorne. Maar terwijl hij dat zei, dacht hij aan Langfords reactie op Thornes insinuatie dat hij hem liet schaduwen.

Als Langford de man met de krant niet had ingehuurd, wie dan wel?

'En, waar hebben jullie het over gehad?'

'Over zijn pensioen,' zei Thorne. 'Over de mensen die hij heeft laten vermoorden, dat soort dingen. Het was een heel vriendelijk gesprek.'

'Dus hij heeft niet even een snelle bekentenis afgelegd?'

'Het meeste is hem ontschoten.'

'Dat spreekt vanzelf.'

'Hij ontkent in ieder geval niet wie hij is, dus we zitten al op de helft.'

'Maar dat wist je al,' zei Samarez.

Maar het weten was niet hetzelfde als het kunnen bewijzen, en een niet te verifiëren gesprek vormde een magere bewijsgrond. Maar een vingerafdruk, als die voorhanden kwam, zou wel volstaan, en tot die tijd hadden ze de telefoongesprekken. De telefoontjes naar dat ene nummer op die belangrijke datum. Ze hadden iets concreets.

'Die truc met de datums en de telefoonnummers moet ik onthouden,' zei Samarez. 'Had je dat al eens eerder geprobeerd?'

'Nee, maar dat ga ik in de toekomst zeker doen.'

Thorne was blij dat er in een onzekere en meestal oneerlijke wereld nog een paar dingen waren waar je op vertrouwen kon. Politici verkochten leugens, Britse treinen kregen panne en Duitsland won wedstrijden in de strafschoppenserie.

En een ouderwetse Londense crimineel zou zijn moeder altijd op haar verjaardag bellen.

Op de terugweg naar beneden moest hij heel langzaam rijden. Terwijl hij de scherpe bochten voorzichtig nam en langs de gevaarlijke afgronden manoeuvreerde die nu rechts van hem lagen, was hij er met zijn gedachten niet helemaal bij. Zijn knokkels zagen wit terwijl hij het stuur stevig omklemde op de steilere stukken en zich probeerde te concentreren, en Langfords zogenaamd onschuldige grijnslach probeerde te vergeten toen Thorne Anna's naam genoemd had.

Een idioot in een Mercedes bleef een paar kilometer hinderlijk dicht achter hem rijden. Thorne tikte bij iedere bocht de rem even aan, negeerde het getoeter en wierp de chauffeur een kille, woedende blik toe toen de man eindelijk zijn kans schoon zag en hem inhaalde.

Je bedoelt toch niet die tennisspeelster, hè?

Hij zat nog een paar kilometer van de kust toen zijn mobieltje overging op de passagiersstoel naast hem. Op iedere andere weg, en op ieder ander moment zou hij hebben opgenomen. Nu liet hij het toestel rinkelen, luisterde naar de piep ten teken dat er een bericht was ingesproken en wachtte vijf minuten voordat hij ergens een plek vond waar hij kon stoppen.

Hij zag dat Dave Holland had gebeld en belde hem onmiddellijk terug zonder eerst het bericht af te luisteren. Terwijl hij wachtte tot er werd opgenomen wierp hij een blik in de vallei, en zag de sappig groene fairways van een golfbaan afsteken tegen de omringende bruine en beige tinten; groene vlekken in een verder gortdroog landschap.

Kitson nam Hollands telefoon op. 'Dave is net even naar buiten gelopen, Tom.'

'Ik hoop dat je goed nieuws hebt, Yvonne. Het is tot dusver geen geweldige dag geweest.'

'O jee, is de temperatuur onder de twintig graden gedaald?'

'Laat ik het zo zeggen, ik sta op het punt om de eerste de beste wiens blik me niet aanstaat, een knal voor z'n harses te geven.'

'Moet je beslist doen, als je je daardoor beter voelt.'

'Dus, wat heb je te vertellen?'

'Chris Talbot,' zei Kitson. 'Vijfendertig jaar, werd vier maanden voordat het lichaam in Epping Forest werd gevonden, als vermist opgegeven. Heeft de juiste lengte en ongeveer dezelfde bouw. Zijn vrouw – nou ja, ex-vrouw dan – woont in Nottingham, dus Dave en ik rijden er morgenochtend meteen naartoe. Het ziet er goed uit, Tom.'

Vanwaar Thorne stond, zag het er zelfs beter dan goed uit. 'Kunnen jullie daar vanavond niet heen gaan?'

'Dat hebben we geprobeerd, maar ze is er morgen pas.'

'Goed, bel me maar zodra je met haar gesproken hebt.'

'Luister, ik heb je nog niet het beste gedeelte van het verhaal verteld. We hadden het er toch over dat het slachtoffer misschien iemand was van wie Langford af wilde? De twee-vliegen-in-één-klap-theorie?'

'Ik luister...'

'Chris Talbot was een rechercheur,' zei Kitson. 'Bij de vroegere criminele inlichtingendienst.'

38

Tegen de tijd dat het begon te schemeren was de vlaag van optimisme die Thorne na het gesprek met Kitson had gevoeld, alweer vervlogen. In zijn hotelkamer, met het ondertussen vertrouwd klinkende geluid van trompetten en applaus dat vanaf het plein omhoog zweefde, voelde hij zich rusteloos en op een vreemde manier overal buiten staan. Hij kon niet besluiten of hij nou behoefte had aan geruststelling of aan gezelschap.

Hij zapte langs de kanalen op de televisie, maar het was nog veel te vroeg voor de comfortabele afleiding van porno. Hij pakte de thriller die op zijn nachtkastje lag, las een paar bladzijden en legde het boek weer neer.

Het verhaal was ontzettend slecht.

Hij belde Samarez en vroeg of die zin had om met hem uit eten te gaan. Samarez woonde op een uur rijden aan de andere kant van Malaga en zei dat het lastig zou worden om Thornes kant op te komen. Bovendien zou zijn vrouw vanavond koken en Thorne antwoordde dat dat veel aantrekkelijker klonk.

Daarna belde hij Phil Hendricks.

'Heb je die sombrero al voor me gekocht?' vroeg Hendricks. 'Ik wil zo'n achterlijk grote, weet je wel? En ik wil ook zo'n stierenvechtersposter met mijn naam erop.'

'Komt voor mekaar. Want ik heb het helemaal niet druk of zo.'

'Laat er maar *El Magnifico* op zetten.'

'Ik zat zelf eerder aan *El Flikkero* te denken.'

'Ja, dat werkt ook wel.'

Het gesprek vrolijkte Thorne op, maar niet echt. 'Ik ben ten einde raad, Phil.'

'Het zijn maar Spanjaarden, godsamme, man.'

'Ik heb het niet over Spanje, eikel. Ik heb het over de zaak. Over Langford...'

Thorne vertelde hem over zijn ontmoeting met Langford in Ronda. Hij was eraan gewend dat criminelen de confrontatie met hem zochten. Soms was dat de enige optie die hun nog overbleef. Maar Langford had echt een heel zelfverzekerde en relaxte indruk gemaakt, zelfs toen Thorne hem in niet mis te verstane bewoordingen duidelijk maakte hoe hij over de moord op Anna Carpenter dacht.

Thorne was degene geweest die ontdaan was weggelopen.

'Arrogant is goed,' zei Hendricks. 'Juist die arrogante types gaan de mist in.'

'Zolang ik maar niet als eerste de mist inga.'

'Het is helemaal niet erg als je wat.... gespannen bent, toch?'

'Zelfs als ons geheimzinnige lijk inderdaad die vermiste politieman blijkt te zijn, weet ik nog niet of we daar ver mee komen.'

'Maak je nou maar geen zorgen, het komt wel goed, jongen.'

'Dat hoop ik maar.'

'En dat mag ook wel eens.'

'Na Adam Chambers, bedoel je?'

'Hoor eens, Tom. Langford is degene die ten einde raad is omdat hij jou niet kent. Als hij jou wel kende, dan zou hij het niet in zijn hoofd halen om jou zo op de kast te jagen en weg te wandelen.'

Thorne mompelde iets vaags en bad dat zijn vriend gelijk had.

'Luister je nou wel?'

'Ja...'

'Het is niet alleen deze zaak die je dwarszit, hè?'

De muziek klonk nu luider en om de paar minuten hoorde je het zwaarmoedige, harde geluid van een kerkklok.

'Het is idioot,' zei Thorne. 'Ik zit op drie uur vliegen van huis, maar het voelt alsof ik aan de andere kant van de wereld zit. Alsof ik duizenden kilometers ver weg zit.'

'Het moet hartverscheurend zijn om zo ver van mij vandaan te zitten,' zei Hendricks. 'Dat begrijp ik.'

'Ja, ik weet gewoon niet hoe ik de dag door moet komen.'

'Vervelend trouwens wat er met Elvis is gebeurd.'

'Heb je Lou gesproken?'

'Niet dat dat harige monster veel van me moest hebben.'

Thorne slikte moeizaam en moest even glimlachen bij de gedachte aan de kat die altijd met een grote boog om Hendricks heen liep. 'Ze had kijk op mensen.'

'Lou was van streek, dus ik ben even langs geweest.'

'Bedankt, Phil.'

'Graag gedaan.'

'Ging het goed met haar?'

'Ik geloof niet dat ze alleen maar verdrietig was vanwege de kat. Snap je?'

Thorne mompelde weer iets onverstaanbaars en deze keer ging Hendricks er niet verder op in. 'Hoe hebben de Spurs het gisteravond gedaan?'

'Met een-twee van Villa verloren in een thuiswedstrijd,' deelde Hendricks opgewekt mee. 'Kijk, díé zijn pas ten einde raad.' Er klonk trompetgeschal, als om de grap te honoreren die Thorne verkoos te negeren. 'Wat is dat voor lawaai?'

Thorne vertelde hem over de *feria*, over het grote feest dat vanavond in het dorp gevierd ging worden.

'Nou, wat zit je dan te jeremiëren?'

Toen hij en Hendricks waren uitgepraat, probeerde Thorne Louise te bellen. Zowel in Kentish Town als in Pimlico werd niet opgenomen en haar mobiel werd meteen doorgeschakeld naar de voicemail. Thorne liet een bericht achter, zei dat hij haar miste.

Toen pakte hij zijn jasje, verliet het hotel en liep op het lawaai af.

39

Ze had niet veel tijd nodig om te pakken.

Het stemde Candela Bernal een beetje triest dat ze zo weinig hoefde mee te nemen, dat ze zo weinig bezittingen had die ze niet kon achterlaten, maar ze wist dat ze moest opschieten en dat het nu niet het moment was om daar sentimenteel over te doen. Ze nam voornamelijk kleren mee – die ze in een paar Louis Vuitton-koffers propte – een paar snuisterijen die ze sinds haar kinderjaren had bewaard en een stuk of wat familiefoto's. Ze nam natuurlijk ook de juwelen mee die ze van David Mackenzie had gekregen. Je kon veel van haar zeggen, maar ze was niet dom. Per slot van rekening had ze ze verdiend. En daar kwam nog eens bij dat er misschien ooit een tijd zou komen dat ze ze zou moeten verkopen. Als het erop aankwam waren armbanden en chique polshorloges slechts objecten die je mooi vond maar waar je niets om gaf. Het was nu even veel belangrijker dat ze zichzelf in veiligheid bracht; veilig en gezond bleef, ervan uitgaande dat ze nu eindelijk eens van haar cocaïneverslaving afkwam.

Ook iets wat ze van David had gekregen. Nog een goede reden dat ze hier zo ver mogelijk vandaan moest zien te komen.

Ze hadden het erover gehad dat ze haar bescherming konden verlenen – dat beest Samarez en die Engelse agent – maar Candela wist dat het slechts holle frasen waren. Ze hadden gezegd dat er voor haar gezorgd zou worden in ruil voor haar medewerking, maar ze wist heel goed hoe ze over haar dachten, dat ze wel belangrijker zaken aan hun hoofd hadden dan zich om het liefje van een crimineel te bekommeren. Een aan cocaïne verslaafd sletje. Zij waren geen haar beter dan de meeste andere mannen die ze kende, en daar hoorde David Mackenzie ook bij. Ze beloofden je van alles, zeiden alles wat je graag wilde horen tot ze kregen wat ze wilden.

Toen ze klaar was met pakken, ging ze bij het raam staan wachten met een sigaret in de hand en haar derde glas wijn. Ze blies rook tegen het glas en staarde naar buiten naar de lichtjes van de jachthaven onder haar. Ze zou deze plek niet echt gaan missen, en zeker niet het ik-ben-nog-rijker-dan-jij-gebral, maar ze vond het wel jammer dat ze de zee niet meer iedere dag zou zien, en de meiden op kantoor. Ze had gezegd dat ze vandaag niet mee zou gaan om een borrel te drinken, wat ze altijd na het werk deden. Ze had hen allemaal extra lang omhelsd toen ze wegging en beweerd dat haar ogen traanden van de hooikoorts.

Ze keek op haar horloge; de taxi was een paar minuten te laat.

Ze had het zo gepland, rekening houdend met het drukke verkeer, dat ze nog een kwartier had om de trein van Malaga naar Córdoba te halen, waar ze zou overnachten bij een oude schoolvriendin die ze gisteravond gebeld had. Voor één nachtje maar, voor de veiligheid, en vandaar naar het noorden – naar Toledo of Madrid. Dat zou ze later beslissen, als ze eenmaal op weg was, hoewel het misschien beter was om een kleinere plaats uit te kiezen. In de grote steden waar David Mackenzie zoveel zaken deed, waar zoveel mensen graag een wit voetje bij hem wilden halen, was er altijd wel iemand die weer iemand anders kende.

En ze wist dat hij naar haar uit zou kijken.

Toen de bel ging draaide Candela zich om en liep naar de intercom. Ze sprak even met de taxichauffeur en drukte toen op de knop om hem binnen te laten en de koffers op te halen. Ze wierp nog een laatste blik om zich heen. Bedacht dat, als ze eenmaal wat minder bang was geworden, het misschien wel heel leuk zou worden om weer opnieuw te beginnen.

Ze had al veel te lang gedaan alsof ze iemand was die ze eigenlijk niet was.

Thorne had er een kwartier voor nodig om zich langs de rand van het plein te wurmen tot hij een plekje vond op een stenen trap die naar een bar liep. Maar hij kon nog steeds niet veel zien en had het sowieso nooit erg fijn gevonden om tegen andere mensen aan geperst te worden. Hij legde zijn handen op zijn zakken, bedacht op zakkenrollers.

De menigte had een doorgang opengelaten die net breed genoeg was om de fanfares erlangs te laten. Ze kwamen een voor een aanmarcheren, met slechts een minuut of twee ertussen, zodat de muziek van de ene fanfare langzaam wegstierf wanneer die plaatsmaakte voor de volgende terwijl ze naar een ander deel van het dorp marcheerden. De uniformen die ze nu droegen waren nog oogverblindender dan die Thorne de avond daarvoor had gezien, maar vanavond klonk de muziek veel minder feestelijk. De trommelaars sloegen een ritme dat bijna aan een treurmars deed denken en Thorne begon steeds meer het gevoel te krijgen dat hij hier niet thuishoorde. Dat hij een indringer was. Hoewel iedereen opgewekt keek en de toeschouwers hun nek uitstrekten om een glimp van de Maagd op te vangen, begon Thorne dit hele gebeuren ronduit spookachtig te vinden. Datzelfde gevoel had hij bij vrijwel iedere religieuze ceremonie, bij de eer die werd bewezen aan iets wat buiten de gewone menselijke ervaring lag. Zo was hij een keer compleet van zijn stuk gebracht door een groepje Morrisdansers in een dorpje in de Cotswolds, dat een uitzinnige en agressieve dans opvoerde terwijl hun aanvoerder met zijn zwartgemaakte, bezwete gezicht en zijn hoed in de vorm van een plak schimmelkaas, de toeschouwers woeste blikken toewierp.

Toen de menigte plotseling begon te applaudisseren keek Thorne naar links en zag het beeld licht heen en weer zwaaiend in zicht komen en aan zijn langzame afdaling naar het plein beginnen. Dit maakte een veel diepere indruk op hem dan wat geklepper van stokken en gezwaai met zakdoekjes.

In de grot had Thorne het beeld niet echt goed kunnen zien, maar vanaf de plek waar hij nu stond leek het alsof ze de hele tombe uit de grot hadden gehaald. Het was een gigantisch gevaarte – op zijn minst zes meter hoog en drie meter breed – en behoorlijk zwaar, te oordelen naar het vijftigtal mannen dat ervoor nodig was om het op hun schouders te torsen.

Thorne kreeg een meter of wat van hem vandaan een wuivende hand in het oog en zag hoe de man uit Liverpool die hij de middag daarvoor had ontmoet, zich door de menigte heen worstelde. Hij leek opgetogen Thorne weer tegen te komen en begon druk te babbelen over hoeveel geluk ze hadden dat ze hier getuige van mochten zijn.

'Dit moet je gezien hebben om het te kunnen geloven... Eén keer in je leven... Bijzonder voorrecht.' Van die dingen.

Hij toonde zich nog net zo gretig om te laten zien hoeveel hij wist en vertelde Thorne dat de mannen die het beeld droegen – gekleed in een spierwitte broek met bijpassend overhemd – allemaal bij het plaatselijke politiekorps werkten. Hij bleef maar doorpraten terwijl Thorne de enorme stoet de heuvel af zag komen en bedacht dat de misdaden die hier de komende dagen gepleegd zouden worden, door opvallend scheeflopende agenten zouden worden onderzocht.

'Wil je een biertje?' De man stond nu dicht tegen Thorne aan en schreeuwde in zijn oor. Daarna, alsof de uitnodiging nog niet duidelijk genoeg was geweest, maakte hij het universele drinkgebaar.

Thorne had ontzettend veel zin in een biertje maar had geen trek om zich de oren van het hoofd te laten kletsen of er spuug in te krijgen. Hij zei: 'Nee, maar evengoed bedankt,' en baande zich voorzichtig een weg door de menigte tot hij de hoek van het plein had bereikt, onder aan de heuvel.

Na een minuut of twintig, toen het beeld en het honderdtal dorpelingen dat erachteraan liep, voorbij waren, stapte Thorne de straat op en volgde de processie.

Candela drukte haar sigaret uit en dronk haar glas leeg. Ze droeg haar koffers naar de deur en deed die open.

'Alleen deze twee koffers,' zei ze.

Toen keek ze op en deed snel een stap naar achteren, waarbij ze over een van de koffers struikelde.

'Ga je ergens heen, schat?'

Vlak achter het platform waarop het beeld was geplaatst, liep een groepje al wat oudere mannen die ieder een staf met daarop een schitterend kruis droegen. Ze werden gevolgd door boetelingen, sommige op blote voeten of geblinddoekt, die een kaars droegen in een zelfgemaakte houder van aluminiumfolie om te voorkomen dat de hete was op hun handen drupte. Thorne liep langzaam mee in de stoet, en het gevoel dat hij hier niet bij hoorde nam alleen maar toe toen hij zachtjes maar kordaat opzij werd geduwd door iemand die duidelijk meer recht meende te hebben op een plek in de processie. Toch bleef hij met de stoet meelopen, alleen al om te zien wat er ging gebeuren.

Hij voelde zich daar nog steeds niet op zijn plaats, maar het spektakel had iets hypnotiserends, de devotie iets merkwaardig ontroerends. De man uit Liverpool knikte hem toe vanaf de treden voor de bar en Thorne knikte terug.

Het enorme platform zwaaide onder het lopen heen en weer en de dragers bewogen allemaal in hetzelfde schommelende ritme dat, naar Thorne veronderstelde, het lopen vergemakkelijkte. Om de paar minuten draaide een man zich om en luidde een klok die vooraan op het platform stond, waarna het werd neergezet. Het was niet duidelijk of dit deel uitmaakte van het ritueel of dat ze het deden om de mannen even rust te gunnen, maar het bood Thorne de kans om zich een weg door de menigte te banen en dichter bij het beeld zelf te komen.

Hij haalde zijn mobieltje tevoorschijn en probeerde een goeie hoek te zoeken om een paar foto's te nemen. Hij dacht dat Louise dat misschien mooi zou vinden.

Het platform lag vol bloemen: bloemenslingers van roze rozen waren rond de schitterend bewerkte, gedraaide zilveren kandelaars gedrapeerd, die in een sierlijke boog omhoogkronkelden naar het beeld. De Maagd zelf stond onder een zilveren baldakijn, met nog meer bloemenslingers die om de zuilen waren gedraaid en boven op het dak waren gelegd.

De Maagd glimlachte.

Ze was ongeveer anderhalve meter groot en had een poppengezichtje. Haar lippen waren helderrood alsof ze net geschilderd waren, maar de bleke huid van haar wangen begon hier en daar te bladderen en er zaten barstjes op haar handen die een scepter vasthielden en een nog popperiger uitziende zuigeling wiegden. Maar haar lange bruine haar dat krullend over haar schouders viel, was te modern, en Thorne vond dat de pruik een beetje buitenissig oogde onder de zonnestralen van haar enorme gouden kroon.

Wel was haar gezicht volstrekt naturel en verbluffend mooi.

Thorne borg zijn mobieltje op en bleef toekijken hoe de klok weer werd geluid en de politieagenten het platform weer op de schouders namen.

Het gezicht van een jong meisje, vriendelijk en vol vertrouwen. Maar met ogen die begripvol waren neergeslagen, die misschien weet hadden van de lijdensweg die zoveel mensen in dit leven beschoren was, en van de wreedheid die zo verweven was met het leven van vele anderen.

Toen het platform schommelend in beweging kwam en vanaf het plein een aanvang maakte met zijn tocht door het dorp, begon het beeld te deinen, maar Thorne hield zijn ogen strak op het gezicht gevestigd.

Het gezicht van Andrea Kane en Anna Carpenter.

Hoewel Thorne geen muzikanten zag, begon er ergens een orkestje te spelen en de mensen die nog geen aanstalten hadden gemaakt zich bij de stoet aan te sluiten, zongen het lied mee. Opeens kreeg Thorne het koud. Het was geen langzame melodie maar de stemmen klonken droevig, alsof de verwachtingen van de Maagd waren waargemaakt.

In die paar gruwelijke seconden voordat hij bij haar was en zijn handen om haar hals klemde, begreep Candela wat er gebeurde. Begreep ze hoe stom ze was geweest om de politieagenten te geven waar ze om gevraagd hadden. Hoe naïef ze was geweest door te denken dat ze weg kon komen.

Op zijn gezicht stond geen enkele uitdrukking te lezen. Hij zei niets terwijl hij haar met kracht achteruit duwde, tegen het raam. Hij haalde heel kalmpjes zijn ene hand van haar keel en reikte naar de hendel op de schuifdeur, en ze begreep dat het weinig zin had om zich te verzetten.

Maar haar instinct dwong haar toch terug te vechten.

Ze schopte tegen zijn benen en haalde zijn armen open met haar nagels. Ze deed een verwoede poging haar hoofd opzij te bewegen zodat ze hem kon bijten, maar toen hoorde ze de schuifdeur sissend opengaan en voelde de wind de kamer in waaien.

Op het moment dat ze achteruit wankelde, het balkon op, voelde ze dat haar blaas leegliep.

Een wirwar van gedachten en beelden in die laatste seconden. Het was koud en ze was pas tweeëntwintig jaar, en ze proefde bloed in haar mond omdat ze op haar tong had gebeten. Ze dacht aan haar moeder en zei in gedachten: *Perdóname, Mama*, of misschien zei ze het hardop toen ze de metalen reling hard tegen haar lendenen voelde drukken.

Het volgende moment was ze eroverheen – tuimelde naar beneden en was weg. De lichtjes van de jachthaven schoten snel op haar af en de wind voelde ijzig koud aan.

Ze schreeuwde de hele weg naar beneden.

40

'We jagen die gasten helemaal op tot in Texas...'

Het was laat en Langford lag in zijn bioscoopkamer languit in een van de leren ligstoelen, met het volume bijna op z'n hardst. Hij had de beste speakers laten installeren en hij hield ervan als het geluid eruit knalde, vond het prettig om iedere vuistslag en ieder geweerschot door zich heen te voelen gaan. Hij beschouwde *Unforgiven* als de laatste grote western. Hij had niet bijgehouden hoe vaak hij die film al gezien had en nu was hij bij de grote schietpartij aan het eind gekomen, veruit zijn favoriete scène. Die waarin de regen met bakken uit de hemel komt en Clint de bar binnenloopt om met iedereen af te rekenen die Morgan Freeman heeft vermoord.

Hij deed een greep in de koelbox en haalde er een fles Mahou uit. Hij zweette nog steeds, voelde zich nog steeds opgefokt door de bewogen dag.

Na zijn praatje met Thorne had hij in Ronda nog een paar biertjes gedronken en een plezierige middag doorgebracht, en daarna was hij lichtelijk aangeschoten naar huis gereden. Hij maakte zich daar nooit zo'n zorgen over. In het verleden was hij twee keer aangehouden en beide keren hadden ze hem laten doorrijden nadat hij de naam van een hoge plaatselijke politiefunctionaris had genoemd.

Een prettig, rustig leventje, zo had hij het tegen Thorne gezegd, en Thorne had gelijk gehad toen die hem meteen van repliek diende.

Soms moest je doen wat nodig was om het prettig en rustig te hóúden.

Sommige dingen stegen boven het zakelijke uit, deden je op alle mogelijke plaatsen pijn.

In de bar spant Clint de haan van zijn geweer en iedereen draait zich om en kijkt naar hem. Hij zegt dat hij hier is om Little Bill te vermoorden, dat hij in de loop der tijd zo ongeveer alles wat loopt of kruipt heeft vermoord. Daarmee heeft hij hun aandacht te pakken.

Wat had Thorne gedacht dat hij zou zeggen toen hij die namen afraffelde? Monahan, de corrupte cipier en het meisje, voor wie Thorne duidelijk een zwak had gehad. 'Oké, jongen, we drinken ons biertje op en dan mag je me op een vliegtuig naar huis zetten om geschoren te worden.'

Waarschijnlijk wilde hij een reactie uitlokken, een zwakke plek vinden of zo.

Nou, dan kon hij lang blijven zoeken, net als alle anderen.

Clint schiet de eigenaar van de bar neer, maar Gene Hackman weet dat hij nog maar één kogel overheeft, dus die maakt zich niet echt zorgen. Dan volgt het klassieke ketsschot en breekt de hel los, en nadat hij Gene heeft neergeschoten schenkt Clint zichzelf ijskoud een drankje in. Zegt dat-ie altijd al geluk heeft gehad als het erop aankomt mensen om te leggen. En Clint had er niet eens bij betrokken willen worden, ook dat nog. Hij leidde gewoon een prettig, rustig leventje, niet dan?

Híj was er niet mee begonnen...

Die klotefoto's, daar was het allemaal door gekomen, en door die achterbakse kuttenkop die ze op de post had gedaan.

Per slot van rekening had hij niets anders gedaan dan reageren op de situatie waarin hij verzeild was geraakt. Hij had er niet om gevraagd, had niets gedaan dat al dat gezeik rechtvaardigde. En nu was de pleuris uitgebroken en moesten er allerlei mensen in het gareel gebracht worden.

Alleen Gene Hackman is niet echt afgestraft, nog niet. Hij zegt dat hij het niet verdient om te sterven en Clint antwoordt dat het geen kwestie van 'verdienen' is voordat hij hem afmaakt, van lekker dichtbij. Daarna loopt hij langzaam naar buiten de regen in, langs het lichaam van zijn kameraad, en dan komen alle hoeren ook een voor een naar buiten, de hoeren als Candela die dit allemaal aan het rollen hebben gebracht. Ze staan daar te kijken hoe hij wegrijdt, zelfs die met dat opengesneden gezicht.

Onbetaalbaar.

Langford liet de aftiteling langskomen omdat hij het onbeschoft vond om die over te slaan. Daarna pakte hij een nieuw biertje uit de koelbox en richtte de afstandsbediening zodat hij de scène nog een keer kon zien.

41

Alison Hobbs die vroeger Alison Talbot heette, was drie jaar geleden hertrouwd. Zes maanden nadat haar eerste echtgenoot Chris eindelijk voor de wet dood was verklaard. Toen ze de deur opendeed, tuurde er een peuter achter haar benen langs naar buiten, en haar nieuwe echtgenoot zat in de woonkamer waar Holland en Kitson naartoe werden gebracht.

Stuart Hobbs gaf een stevige hand en knikte hen gepast ernstig toe.

Alison ging thee zetten en Holland en Kitson moesten een paar ongemakkelijke minuten lang met haar echtgenoot over ditjes en datjes praten, terwijl hij zijn zoontje op zijn schoot stil probeerde te houden. De rit vanuit Londen was goed gegaan, ondanks de trajectcontrole op de M1. Het jochie heette Gabriel en binnenkort werd hij twee en brak de 'peuterpuberteit' aan. Ze zaten te wachten op een offerte om de keuken uit te laten bouwen.

Iedereen was blij dat de thee eraan kwam.

'Het is eigenlijk een opluchting,' zei Stuart Hobbs, 'als jullie Chris inderdaad gevonden hebben. Het is niet makkelijk voor ons geweest.'

Holland zei dat hij dat kon begrijpen. 'Zoals ik al aan de telefoon zei, op dit moment kunnen we nog niet tot een positieve identificatie komen. Daarom hopen we dat u een aantal vragen kunt beantwoorden die ons daarbij zouden kunnen helpen.'

Alison ging naast haar man zitten en hij pakte haar hand vast. 'Brand maar los,' zei ze.

'Wist u waar Chris mee bezig was?' vroeg Kitson.

Ze schudde haar hoofd. 'Daar praatte hij eigenlijk nooit over en ik wilde het ook niet weten. Tenminste, niet meer nadat hij rechercheur was geworden. Ik wist wel dat het allemaal nogal geheim was en dat ze achter een paar heel gevaarlijke types aan zaten, maar hij nam het niet mee naar huis, als u begrijpt wat ik bedoel.'

'Verstandig,' zei Kitson.

Hobbs zette zijn zoontje voorzichtig op zijn ene knie en boog zich naar voren. 'Ik dacht dat het alleen om een... identificatie ging.'

'Dat is ook zo,' zei Holland. Hij had al met Chris Talbots voormalige baas bij de criminele inlichtingendienst gebeld, maar wachtte nog steeds op antwoord. Tot nu toe had Alison nog niets gezegd dat erop duidde dat het werk dat haar vroegere echtgenoot deed hem tien jaar geleden niét in contact had gebracht met Alan Langford.

'Denkt u dat het feit dat Chris bij de politie werkte, van belang is?' vroeg Alison.

'Ja, dat zou kunnen.'

'U bedoelt dat het iets te maken zou kunnen hebben met wat er is gebeurd?'

'Nou ja, zoals ik al zei...'

Opeens ging de deur van de woonkamer open en kwam er een jongen binnenlopen – van een jaar of dertien, met haar tot op zijn schouders en in een shirt van My Chemical Romance. Hij bleef staan toen hij zag dat er bezoek was, stond wat verlegen met zijn voeten te schuifelen. 'Mijn *World of Warcraft*-account moet worden aangevuld,' zei hij, met zijn ogen op het tapijt gericht.

'Dat doe ik straks wel,' zei Hobbs.

De jongen mompelde een bedankje en liep weer snel de kamer uit.

'Dat was Jack,' zei Alison.

Holland en Kitson knikten; de rekensom was simpel: Chris Talbots zoon.

'Een stom computerspelletje,' zei Hobbs.

Er viel een wat ongemakkelijke stilte tot Alison opstond en 'O ja' zei, alsof ze zich iets herinnerde, en ze ging een kartonnen doos halen die Holland op weg naar binnen onder aan de trap had zien staan.

'Ik heb deze van zolder gehaald,' zei ze. 'Er zitten een paar spullen van Chris in. Misschien hebben jullie daar iets aan.' Ze zette de doos op het vloerkleed voor Holland neer en hij boog zich naar voren om te kijken. 'Er zitten een paar foto's bij en nog wat dingen. Eigenlijk niet veel, goed beschouwd.'

'Geweldig,' zei Kitson. 'Dank u wel.'

Holland vouwde de flappen van de doos opzij en probeerde zijn vraag zo terloops mogelijk te stellen. 'Weet u toevallig of Chris zijn blindedarm heeft laten weghalen?'

Alison keek verrast op en knikte toen langzaam. 'Ik geloof van wel. Ik bedoel, hij had daar wel een litteken zitten, maar u kunt dat beter aan Chris zijn moeder vragen. Ik kan u wel met haar in contact brengen, maar wij spreken elkaar niet meer zo vaak.' Ze haalde haar schouders op en wist een zwak glimlachje tevoorschijn te toveren. 'Ze was niet bepaald blij toen Stuart en ik gingen trouwen.'

Kitson zei: 'Dat is altijd moeilijk.'

Alison kneep in de hand van haar man.

'Heeft hij ooit een operatie ondergaan waarbij hij pennen in zijn been kreeg?' vroeg Holland.

'Ja, Chris had zijn been op verschillende plaatsen gebroken tijdens een rugbywedstrijd, die stomme idioot.' Er verscheen nu een glimlach op Alisons gezicht. 'Hij was behoorlijk goed. Heeft een paar keer voor de Mets in de basis gespeeld.'

'Ik voetbal,' zei Hobbs.

Holland keek omhoog naar Alison en zag dat ze besefte dat ze Chris Talbots lichaam hadden gevonden. Hij had geen idee wat ze nog voelde voor de man met wie ze getrouwd was geweest en van wie ze nu wist dat hij dood was, maar de golf van sympathie die hij voor haar voelde had niet alleen te maken met het verlies van haar man. Hij zag dat de vrouw gewoon niet wist hoe ze moest reageren. Zoals ze daar zat als echtgenote en weduwe, tien jaar later, met haar nieuwe man en zijn stevige handdruk.

Alison lachte zacht bij de herinnering. 'Hij had altijd problemen met de röntgenapparaten op vliegvelden…'

'Tegenwoordig is het nog erger,' zei Hobbs.

Holland haalde een ingelijste foto van een rugbyteam uit de doos. Hij zocht naar Chris Talbots naam onder aan de foto en vond hem ergens halverwege de tweede rij. Met zijn armen over elkaar gevouwen en zijn flaporen. Holland zag niet veel gelijkenis met de jongen die hij daarnet had gezien.

Kitson zei iets over Jack en DNA afnemen, maar Holland luisterde niet meer.

Hij staarde naar de foto.

Op twee plaatsen van Chris Talbot zag Holland een gezicht dat hij herkende.

Tien minuten later liepen Kitson en hij terug naar de auto.

'Dit moeten we Thorne vertellen,' zei Kitson.

Holland stak zijn hand omhoog. Hij had zijn mobieltje al tevoorschijn getrokken en luisterde een bericht af. 'Sonia Murray,' zei hij. 'Met het dringende verzoek haar terug te bellen.' Hij schudde zijn hoofd en kon de naam niet meer plaatsen.

'Ik heb haar naam ergens zien staan,' zei Kitson.

Toen herinnerde Holland zich weer de aantrekkelijke zwarte vrouw en de stortvloed van obscene opmerkingen die ze te verduren had gekregen toen ze over de gang liep.

Sonia Murray was de contactpersoon voor de politie in Wakefield Prison.

42

Toen hij Frasers telefoontje kreeg verkeerde Thorne sowieso al in een bijzonder slecht humeur...

Hij had zijn weerzin tegen de *Daily Mail* opzijgezet en een exemplaar van de vorige dag weten te bemachtigen. Hoewel hij alleen maar geïnteresseerd was in een verslag van de wedstrijd van de Spurs tegen Villa, had hij de krant toch meegenomen naar het café om hem bij het ontbijt te lezen. Het verslag van de wedstrijd was kort en nietszeggend geweest, waarschijnlijk omdat het geen ruimte bood om commentaar te leveren op illegale immigranten of bijstandstrekkers, maar toen hij de krant verder doorbladerde was hij op een artikel van twee pagina's gestuit dat door Adam Chambers' vriendin was geschreven.

Natalie Bennett was beschuldigd van het verstoren van de rechtsgang. Hoewel er nauwelijks aan getwijfeld werd dat ze had gelogen, was de aanklacht ingetrokken nadat haar vriend was vrijgesproken. In het artikel beschreef ze onder het kopje 'De draad weer oppakken', op ontroerende wijze haar pogingen om haar leven weer op de rails te krijgen na het trauma dat Adam en zij achter de rug hadden. Er stond ook een foto bij waarop ze dapper glimlachte.

Als Thorne op dat moment zijn ontbijt geserveerd had gekregen, had hij het over tafel uitgekotst.

Nog verontrustender was Bennetts mededeling dat Chambers en zij momenteel bezig waren aan een boek waarin 'onthullingen zouden worden gedaan' over de grove fouten die de politie bij het onderzoek had gemaakt, en waarin ze uitgebreid over hun lijdensweg zouden vertellen. Thorne las verder, in de veronderstelling dat het allemaal niet nog erger kon worden, tot hij las dat het boek in samenwerking met een broodschrijver en misdaadjournalist geschreven zou worden – een zekere Nick Maier. Thorne had in het verleden te maken gehad met Maier en de gedachte dat hij op een of andere manier van Andrea Keanes dood zou profiteren, maakte dat zijn maag zich nog verder omdraaide.

Tegen de tijd dat hij de krant had weggesmeten, had hij eigenlijk geen trek meer en na het telefoontje van Fraser kon hij helemaal niets meer door zijn keel krijgen.

Nu bewoog hij zich voorzichtig door de plaats delict, in het appartement waar Candela Bernal de avond daarvoor een dodelijke val had gemaakt.

'Heb jij veel springers meegemaakt?' vroeg Fraser.

'Ze is niet gesprongen, Péter.'

'Zo noem ik het maar. Ze zetten hun bril af, wist je dat? Dat heb ik een keer gezien in een oude aflevering van *Inspector Morse*.'

'Ze droeg geen bril,' zei Thorne, 'en ze is verdomme niet gesprongen.'

'Dat weet ik ook wel, oké? Ik probeer het gesprek gewoon een beetje op gang te houden. Jezus, man...'

De schuifdeur naar het balkon stond open en buiten waren nog meer agenten aan het werk. Een stuk blauw zeildoek dat aan de reling was vastgemaakt, flapperde en klapperde in de wind.

'Waarom hield niemand haar appartement in de gaten?' vroeg Thorne. 'We hadden tegen haar gezegd dat ze bescherming zou krijgen.'

Fraser stak zijn handen omhoog. 'Daar weet ik niets van, jongen.'

'Nou, iémand heeft hier in ieder geval geblunderd,' zei Thorne. Hij dacht aan wat Silcox en Mullenger hem in Londen hadden verteld. 'Of de andere kant op gekeken.'

'Kom op zeg, we konden toch niet weten dat het zo snel zou gaan?'

'O nee?' Thorne was net zo kwaad op zichzelf als op Fraser en zijn collega's. 'Langford had het waarschijnlijk al in de peiling toen ze tegen hem zei dat ze vroeg naar huis ging. Misschien heeft hij haar zelfs het champagneglas in haar tas zien stoppen.'

'Hoor eens, ik heb dit allemaal niet bedacht.'

Thorne liep weg, maar Fraser liep achter hem aan met zijn handen bezig in de zakken van zijn beschermende plastic pak gestoken. Thorne stapte over een technisch rechercheur heen die op zijn handen en knieën zat en iets van het tapijt schraapte. De rechercheur mompelde iets in het Spaans wat vrijwel zeker niet 'Goedemorgen, hoe gaat het met u?' betekende, terwijl Thorne op de twee koffers bij de deur afliep.

'Ze wilde ervandoor,' zei Thorne.

'Daar lijkt het wel op.' Fraser kwam naast hem staan en knikte naar de deur. 'Geen sporen van braak, dus misschien kende ze hem.'

'Je zou bij alle plaatselijke taxicentrales moeten informeren.'

'Zou ze haar eigen auto niet hebben genomen?'

'Die is te makkelijk te traceren,' zei Thorne. 'Ze wist dat Langford vrienden in hoge kringen heeft. Onder wie ook politiefunctionarissen.'

'Ik weet niet wat je probeert te suggereren, jongen,' zei Fraser.

'Ik suggereer niks.'

'Oké, een paar van die Spaanse gasten zijn misschien niet helemaal zuiver op de graat, maar...'

Thorne luisterde al niet meer naar hem. Hij staarde naar een bijzettafeltje met een glazen bovenblad dat naast de bank stond, met daarop een leeg wijnglas en een bierflesje waar het etiket vanaf was. In de asbak lagen donkere propjes opgerold papier tussen de sigarettenpeuken met lippenstift erop.

'Langford heeft dit zelf gedaan,' zei Thorne.

'Wát zeg je?'

'Hij heeft haar vermoord.'

'Onmogelijk,' zei Fraser. 'Je hebt het zelf gezegd: hij mengt zich niet persoonlijk in smerige zaakjes.'

'Smerig' was inderdaad het juiste woord om het tafereel zeventien verdiepingen lager te omschrijven. Toen Thorne daar aankwam was de straat afgesloten en afgeschermd voor het publiek, maar er moest nog een hoop worden schoongemaakt. Ze mochten zich gelukkig prijzen als er nog genoeg van Candela Bernal restte om een post mortem op te kunnen verrichten.

'Hij heeft de zenuwen,' zei Thorne. 'Zijn vriendin heeft hem belazerd en dat trekt hij zich persoonlijk aan. Die aanslag op mij is ook al mislukt en hij is nu zo kwaad dat hij dit zelf heeft gedaan.'

'Nou, dat geloof ik niet.'

Thorne trok Fraser mee naar het tafeltje en wees. 'Hij heeft hier iets met haar gedronken, zie je dat? Of hij heeft zelf een biertje gepakt nadat hij haar had vermoord.'

'Jezus...'

Thorne herinnerde zich de angst op het gezicht van het meisje toen ze haar voor het blok zetten, en wat ze had gezegd over politieagenten en criminelen. Uiteindelijk had ze niet veel te kiezen gehad, maar ze had toch de verkeerde keus gemaakt. 'Zorg ervoor dat je vingerafdrukken van die fles neemt,' zei hij. 'En vergelijk die met de afdrukken op het glas dat Candela ons heeft gebracht.'

'Het doet er niet toe of we hier vingerafdrukken van hem aantreffen,' zei Fraser. 'Dit is het appartement van zijn vriendin.'

'Maar hij was hier nog nooit geweest, weet je nog?'

'Ja, maar de enige die dat kan bevestigen is het meisje zelf en haar moeten we van de stoep af schrapen, dus daar hebben we weinig aan.'

Vanaf het balkon klonk opeens een lachsalvo.

'De Spanjaarden zijn bikkelhard in dit soort dingen, nog erger dan wij,' zei Fraser. 'De grappen die ze soms maken...'

'Zorg nou maar voor die vingerafdrukken.' Thorne draaide zich om en begon het plastic pak al los te ritsen terwijl hij op de deur af liep.

'Waar ga je naartoe?' vroeg Fraser, die weer twee passen achter hem liep.

'Nog wat sightseeing doen,' antwoordde Thorne.

De villa lag aan de rand van een van de talloze golfresorts die aan de voet van de Sierra Blanca waren aangelegd, en zag er nog exclusiever uit dan de meeste andere. Op het hoogste punt van een omhoogkronkelende weg zag Thorne geen aangrenzende villa's liggen en hoewel hij de omheining niet had gevolgd, vermoedde hij dat er een flinke lap grond bij hoorde. Genoeg ruimte om als eigenaar in rond te wandelen en daarbij een bijzonder tevreden gevoel te krijgen.

Hoe moeilijk hij het verder ook had.

Aan het eind van de oprijlaan zag hij een massief ijzeren hek en voor zover Thorne zich kon herinneren van de luchtfoto's die hij te zien had gekregen, was het van hieraf nog ongeveer vierhonderd meter naar het huis zelf. Thorne zag geen beveiligingscamera's, maar het kon hem niet schelen of hij gezien werd.

Hij drukte op de bel en wachtte. Drukte nog een keer, deed een paar passen achteruit en liep een paar meter langs de omheining. De dicht op elkaar geplante sparren belemmerden het zicht, dus liep hij terug naar het hek terwijl hij met de rug van zijn hand het zweet uit zijn ogen veegde. Hij drukte nog eens op de bel, boog zich toen voorover naar de intercom die in een betonnen paal was gebouwd. Hij had geen idee of er iemand luisterde.

'Je hebt weer een fout gemaakt, Alan,' zei hij. Hij hoorde alleen het zachte gezoem van elektrische leidingen boven zijn hoofd en het getjirp van cicades. 'Je laatste...'

Hij draaide zich om toen hij een auto hoorde aankomen en zag een witte VW Golf de steil omhooglopende bocht om komen die naar de villa liep. De auto minderde vaart toen de chauffeur hem in het oog kreeg en stopte. Thorne deed een paar stappen naar de auto toe en herkende de man die hem de eerste twee avonden in Mijas had geschaduwd. De man die al dan niet voor Alan Langford werkte.

Thorne en de chauffeur keken elkaar secondelang in de ogen voordat Thorne snel op de auto af beende. Er spatten steentjes onder de wielen vandaan toen de chauffeur de Golf onmiddellijk in zijn achteruit zette en keerde. Thorne begon te rennen maar het lukte hem niet de auto in te halen. Hij prentte het kenteken in zijn hoofd en herhaalde het voor zichzelf terwijl de Golf om de bocht verdween en op hetzelfde moment zijn mobieltje overging.

Het was Holland.

'Hoe ging het in Nottingham, Dave?'

'Het is absoluut Chris Talbot,' zei Holland. 'Nou ja, wás, om het even. Maar moet je horen, ik heb hier een foto die je moet zien.' Hij vertelde Thorne over de foto van de rugbyspelers, over de man wiens gezicht hij had herkend.

Thorne voelde een druppel zweet in zijn nek lopen, of misschien was het wel een insect. Hij was het kenteken van de VW al vergeten. 'Zó vreemd is het anders niet. Ze speelden allebei in het team van de politie.' Hij liep terug naar zijn auto.

'Nee, als dat het enige was geweest, maar ik kreeg een telefoontje van Sonia Murray van Wakefield. Verleden week hebben ze Jeremy Grovers cel doorzocht en daar een mobieltje aangetroffen.'

'Verleden week? Waarom horen we dat nu pas?'

Holland vertelde dat Murray hem had uitgelegd volgens welk protocol de gevangenis in dat soort situaties te werk ging. Ze hadden de telefoon meteen doorgestuurd naar de beveiligingsafdeling van de gevangenis voor het geval er foto's van bewakers of sleutels op stonden, en vandaar was hij naar een externe technische ondersteuningseenheid verzonden. Daar hadden de techneuten de gegevens van de simkaart gehaald, met alle nummers van de inkomende en uitgaande gesprekken, en die informatie hadden ze weer doorgespeeld aan Murray.

'Als zij niet zo alert was geweest, hadden we er misschien nooit iets over gehoord,' zei Holland. 'Maar ze dacht dat we wellicht belangstelling hadden voor de inkomende en uitgaande telefoontjes in de dagen vóór Monahan vermoord werd. En op de dag zelf...'

'Heb je ze gecheckt?'

'Met één nummer is herhaaldelijk gebeld.'

'Van wie is dat nummer?'

Holland noemde de naam. Dezelfde man die hij bij Alison Hobbs thuis op de foto had zien staan. Een mobieltje dat op naam van zijn vrouw stond.

'Grover stuurde een sms'je op de dag dat hij Monahan vermoordde,' zei Holland. 'En een paar uur later is hij teruggebeld. En hetzelfde gebeurde de dag nadat Cook was vermoord.'

Thorne was ondertussen bij de auto aangekomen en leunde er even tegenaan.

'Dus daar heb je je tamtam,' zei Holland.

Thorne deed het portier open en stapte in, startte de auto en wachtte tot de airco zijn werk begon te doen. In gedachten liet hij de gesprekken van twee maanden geleden de revue passeren. Liet de puzzelstukjes op hun plaats vallen.

'Sir? Tom?'

'We gebruiken hem om Langford te grijpen,' zei Thorne. Hij dacht hardop, maar hij wist dat dat hun enige mogelijke kans was. 'We kunnen hem gebruiken, maar dan moeten we hem wel híér zien te krijgen.'

'Hoe krijgen we dat voor elkaar?'

'Dat is makkelijk zat,' zei Thorne.

Opeens wist hij precies wat er gedaan moest worden. En hij wist ook wie dat ging doen.

43

'Jezus, man. Drink je biertje op,' zei Langford. 'En ontspan een beetje.'

Een getinkel van glazen of misschien van flessen, en op de achtergrond het geluid van iets wat snel tikt.

'Ik snap niet dat je er zo kalm onder kunt blijven. We zitten diep in de stront.'

'Daar ben ik het niet mee eens.'

'Hoe kun je dat nou –'

'Niemand is erbij gebaat dat je je zo te sappel maakt.'

'Grover wordt op dit moment flink onder druk gezet.'

'Het komt allemaal goed. Zolang jij maar voorzichtig bent geweest.'

'Natuurlijk ben ik voorzichtig geweest.'

'Nou, dan is er niks aan de hand.'

'Thorne gaat deze zaak niet loslaten, dat weet ik zeker.'

'Uiteindelijk zal hij niet anders kunnen. Bij de politie balen ze altijd als ze geen poot hebben om op te staan. Nou ja, dat zou jíj moeten weten.'

'Je had die meid niet moeten mollen.'

Alleen dat getik tien seconden lang, en daarna een stoel die over de tegels krast.

'Je zweet als een otter, man,' zei Langford lachend. 'Trek dat overhemd uit en neem een duik.'

'Ik zit hier goed.'

Een keel die luid wordt geschraapt...

'Als hij nu zijn overhemd uittrekt, hebben we een groot probleem,' zei Samarez.

Thorne haalde zijn schouders op. 'Dan heeft híj een groter probleem.'

Ze zaten achter in een bestelauto met verduisterde ramen en de naam van een loodgietersbedrijf op de zijkant geschreven. De auto stond honderd meter verder in een bocht geparkeerd, maar van daaruit hadden ze een goed zicht op de hekken. Het gesprek in de villa kwam luid en duidelijk door, en de stem van de man die het zendertje droeg, klonk maar iets helderder dan die van Langford. Ze hadden hem opgedragen zo dicht mogelijk bij hem te gaan zitten.

'Het is een prima microfoon,' had Thorne gezegd toen de zender werd aangebracht. 'Dus je hoeft niet op zijn schoot te gaan zitten...'

En op dit moment zei Langford tegen zijn gast dat het water heerlijk warm was. 'Net als in bad,' zei hij.

De ander zei dat hij geen zin had om te zwemmen.

'We hebben het er niet over gehad wat we moeten doen als dit... verkeerd gaat,' zei Samarez.

'Shit, ik wíst dat we iets vergeten waren,' zei Thorne. Hij deed net of hij er even over nadacht, of het hem iets kon schelen. 'Ik stel voor dat we dan maar gaan zitten luisteren hoe hij wordt afgetuigd.'

'Nou, misschien eventjes dan.' Samarez droeg de koptelefoon en Thorne zat vlak bij een speaker op het tafeltje naast de afluisterapparatuur.

Naast hem schoof Andy Boyle zijn klapstoel wat dichter naar de speaker toe. 'Volgens mij zit hij te veel te pushen.'

'Misschien,' zei Thorne.

Ze luisterden nog even.

'Hoe weten we dat die eikel op dit moment geen briefjes schrijft?' vroeg Boyle. '"Niks zeggen" of weet ik veel.'

Thorne schudde zijn hoofd. 'Hij zit tot zijn nek in de stront en hij zal flink moeten watertrappen om niet kopje-onder te gaan.'

'Ik hoop dat je gelijk hebt,' zei Boyle.

Twee dagen eerder had Thorne de rechercheur uit Yorkshire van het vliegveld afgehaald. Boyle had hem de hand geschud en opgemerkt dat het een stuk warmer was dan in Wakefield.

'Bedankt dat je dit wilt doen, Andy,' had Thorne gezegd.

Boyle had een blik geworpen op de man die hij had meegebracht. 'Je had me geen groter plezier kunnen doen, jongen.' Hij had zich naar Thorne toe gebogen terwijl hij nog steeds diens hand vasthield en gezegd: 'Ik vind het echt heel erg van dat meisje.'

'Weet ik...'

Daarna, alsof hij zich ervoor schaamde zich van zijn zachte kant te laten zien zonder ook maar een druppel gedronken te hebben, deed Boyle een stap achteruit en priemde beschuldigend met zijn vinger naar Thorne. 'Hé, je hebt mijn onderbroek trouwens nog niet teruggestuurd.'

Thorne had Boyles medepassagier – de man met de plastic handboeien om – geen blik waardig gekeurd tot een paar uur later, toen hij er helemaal klaar voor was. Pas nadat Boyle, Samarez en hij de zaak hadden besproken en nadat ze Gary Brand een uurtje in een beveiligd pand van de Guardia Civil hadden laten stoven.

'Lang niet zo slim als je baas,' had Thorne gezegd. 'Heel slordig, al die telefoons, maar waarschijnlijk ben je er door iemand anders in geluisd.'

Brand zat te zweten in zijn grijze pak. Ze hadden hem expres niet de kans gegeven zich om te kleden. Ze wilden dat hij het bloedheet had en zich heel ongemakkelijk voelde. Hij zweeg een paar seconden, leunde toen achterover en sloeg zijn armen over elkaar. 'Cook was een klootzak,' zei hij. 'Een hebberige klootzak. Alsof hij nog niet genoeg betaald kreeg...'

'Hij heeft die telefoon naar binnen gesmokkeld.'

Brand knikte. 'Hij werd geacht Grover elke week een nieuw mobieltje te geven en het oude weg te gooien, maar hij dacht wat bij te verdienen door ze aan andere gevangenen door te verkopen. Dus...'

'Het personeel is tegenwoordig ook niet meer wat het geweest is,' zei Thorne.

De afgelopen week, terwijl ze bezig waren om Brand naar Spanje over te laten brengen, had Thorne de puzzelstukjes in elkaar gepast. Hoe Brand iedereen om de tuin had weten te leiden. En hoe makkelijk Thorne zich had laten beetnemen.

'En Langford was waarschijnlijk niet de makkelijkste werkgever, lijkt me.'

'Hij was mijn werkgever niet,' zei Brand.

Thorne glimlachte wrang. 'Tja, misschien niet in de zin dat je ook nog eens vakantiegeld ontving of dat het dienstverband kon worden beëindigd, maar hij had je wel in zijn zak zitten.'

Het was hun nu duidelijk geworden dat Brand al tijdens het eerste onderzoek, tien jaar geleden, voor Langford werkte en daarvoor waarschijnlijk ook al, en toen ze de zaak opnieuw begonnen te onderzoeken had hij heel slim Thornes vertrouwen weten te winnen. Op de avond dat er uitspraak was gedaan in de zaak-Chambers was Brand hem 'stomtoevallig' in de Oak tegen het lijf gelopen en had hij sindsdien Thornes vertrouwen weten te wekken met een reeks gesprekken – vaak door Thorne zelf geïnitieerd – en door Thorne namen te noemen waar die niets aan had. Hij had zichzelf heel overtuigend neergezet als een politieagent – een vriend – die Alan Langford net zo graag achter de tralies wilde hebben als Thorne zelf, terwijl hij druk doende was om Monahan en Cook te laten vermoorden.

En Anna Carpenter.

'Zullen we het eens over rechercheur Chris Talbot hebben?'

'Dit is geen officieel verhoor.'

'We willen alleen maar even babbelen.'

'Dus niets hiervan is toelaatbaar voor de rechtbank.'

'Daar hebben we nog tijd genoeg voor,' zei Thorne. 'Vertel, was het jouw idee om Talbot te gebruiken?' Hij zag Brand nadenken.

Brand wist al dat hij niet kon ontkomen aan de ernstige beschuldigingen van corruptie, maar hij was voorzichtig, aarzelde om ook maar iets te zeggen waardoor hij eveneens beschuldigd zou kunnen worden van medeplichtigheid aan moord.

'We weten dat je hem kende.'

'Ja, ik kende hem. En wat dan nog...?'

'En ik denk dat hij te dicht in de buurt kwam van je vriend Langford. Of misschien kwam hij erachter dat jíj nogal dicht bij hem in de buurt zat.'

'Er zijn nog meer mensen met wie ik rugby speel.'

'Hoe dan ook, hij was de perfecte figuur om Langfords plaats in te nemen. Je had een lijk nodig én je wilde Talbot uit de weg hebben. Misschien was je er zelfs bij toen hij in die auto werd geduwd en levend verbrandde.'

'Gelul.'

'Voor hetzelfde geld ben je er wél bij geweest.'

'Ik was er niet...'

'En voor hetzelfde geld heb jíj Monahan neergestoken of heb jíj dat schot afgevuurd waarmee Anna Carpenter is vermoord.'

Brand verstijfde zichtbaar bij het noemen van Anna's naam, alsof hij zich er terdege van bewust was dat ze nu gevaarlijk terrein betraden. 'Daar wist ik niets van.'

'Echt niet?'

'Ik zweer –'

'Vuile leugenaar.' Thorne boog zich snel naar voren. 'Als je me nou heel snel de naam van de schutter geeft, dan trek ik je kop er misschien niet af.'

Brand bleef Thorne aanstaren, maar hield het niet lang vol. 'We moeten het erover hebben wat voor deal we maken,' zei hij.

'Je gaat de bak in,' zei Thorne. 'Dat wordt de deal. Zelfs als je Alan Langford zover weet te krijgen dat hij met zijn handen omhoog die villa uit loopt en tien moorden bekent en ons smeekt hem te arresteren, dan nog draai je de bak in. Maar waar het om gaat is, welke gevangenis. Als je dit goed afhandelt kom je misschien niet in dezelfde vleugel terecht als sommige mensen die jij daar hebt laten opbergen. Mannen die nog een rekening met je te vereffenen hebben en die tijd zat hebben om een tandenborstel vlijmscherp te slijpen.'

'Hoe lang?'

'Daar kan ik niet over beslissen, jongen, maar als je op de verkeerde plek terechtkomt, dan maakt het toch niks meer uit, of wel soms?' Thorne leunde weer achterover en gaf Brand de tijd om daar even over na te denken. 'Je mag jezelf nog gelukkig prijzen dat er überhaupt iets is wat je kunt doen om je leven wat aangenamer te maken, en ik kan je verzekeren dat dat alleen maar is omdat ik Langford nog liever zie hangen dan jou.'

'Je moet vooral niet van me verwachten dat ik je dankbaar ben.'

'Jij moet vooral voorzichtig zijn,' zei Thorne. 'Want als je dit niet goed speelt, dan gooi ik je met alle plezier voor de wolven.' Voor het eerst bespeurde Thorne tot zijn genoegen een zweem van paniek in Brands ogen. 'Maak je geen zorgen, Gary. Zoals je zelf al zei: dit is geen officieel verhoor.'

We willen alleen maar even babbelen...

Langford was Brand nu het een en ander aan het vertellen over de bouwprojecten waar hij mee bezig was, en Brand zei heel weinig terug. Thorne stelde zich voor dat hij daar zogenaamd ontspannen zat te knikken, zich afvragend hoe hij Langford een bekentenis kon ontlokken, wachtend op een opening in het gesprek. Ze hadden Brand geïnstrueerd dat hij de zaak onder geen beding mocht forceren, om elke schijn te vermijden dat hij Langford een bekentenis probeerde af te dwingen, maar het was duidelijk dat hij geen inspiratie meer had.

'Dus, hoe moet het nou met Grover?' vroeg Brand.

In de auto keken Thorne, Boyle en Samarez elkaar aan.

'Wat is er met hem?'

'Wil je dat ik iets organiseer?'

'Ik ga in ieder geval nog een paar biertjes organiseren...'

Samarez kreunde van frustratie en Thorne schopte tegen de zijkant van de bestelauto.

'Langford is erg voorzichtig,' zei Boyle. 'Denk je dat hij het doorheeft?'

Thorne wist dat dat goed mogelijk was. Brand had Langford nog nooit eerder in Spanje opgezocht, dus wie weet had hij Langford alleen maar wantrouwig gemaakt door per se te willen komen. In de tijd die er nog over was, hadden ze Brand zo goed mogelijk gebrieft. Hij moest het over Candela Bernal hebben en onthullen dat de bewijzen zich tegen Grover opstapelden, dat die onder de druk van Andy Boyle begon te bezwijken, maar zelfs dat was misschien nog niet genoeg om Langford uit zijn tent te lokken. Thorne dacht terug aan de man die in Ronda aan zijn tafeltje was komen zitten. Die blaakte beslist van het zelfvertrouwen en Thorne vroeg zich af of dat kwam doordat hij zoveel macht had of omdat hij rotsvast geloofde in zijn eigen vermogen om gevaar te ruiken.

'Ja, dat zou best weleens kunnen,' zei Thorne.

De bewijzen die Brand al had geleverd waren voldoende om Langford te arresteren en uit te leveren om in Engeland terecht te staan, maar zonder een bekentenis op tape was het geen uitgemaakte zaak dat hij zou worden veroordeeld. Thorne wist beter dan wie dan ook dat zelfs de best onderbouwde rechtszaken niet altijd standhielden, dat de eerste de beste advocaat een jury ervan zou kunnen overtuigen dat Brand slechts een corrupte smeris was die zijn eigen huid probeerde te redden. Alle kans dat Langford weer terug in Spanje zat voordat zijn kleurtje begon te verbleken.

Dat kon Thorne niet laten gebeuren. Dat was hij verplicht aan zichzelf en aan te veel anderen.

'Kijk es aan, jongen,' zei Langford. 'Een ijskoud biertje.'

'Proost.'

'Zeker weten dat je geen duik wilt nemen?'

Gary Brand was de enige kans die Thorne had.

44

Langford nam een slok van zijn bier en vroeg zich af wat Brand hier eigenlijk kwam doen. Hij had het altijd meteen aangevoeld als er iets niet helemaal in de haak was, en daar was hij ook trots op, en hoewel hij er nog niet precies de vinger op kon leggen voelde hij dat er iets niet klopte.

Evengoed moest hij voorzichtig te werk gaan.

'Wat is er met die vrouw gebeurd met wie je omging?' vroeg Brand.

'Ik ga met een heleboel vrouwen om.'

'Ja, oké. Maar deze was wel speciaal, toch?'

'Ik heb haar gedumpt,' zei Langford.

In het ergste geval had die klootzak hem verraden om zijn eigen huid te redden en droeg hij een microfoontje. Vandaar die kutsmoes dat hij geen zin had om te zwemmen. Maar hij moest dit heel subtiel aanpakken. Hij wist nog niet welke kant dit op ging, maar hij moest hoe dan ook rekening houden met de gevolgen die dit zou kunnen hebben, en tot die tijd moest hij zijn kalmte bewaren, alert blijven. Voorlopig kon hij niet veel meer doen dan zorgvuldig op zijn woorden letten.

Wat zou hij anders kunnen doen? Die gluiperige klootzak z'n hemd van zijn lijf rukken?

Als hij het bij het verkeerde eind had, liep hij het risico iemand kwijt te raken die de afgelopen tien jaar een waardevolle bron van informatie was geweest. Hij had heel veel aan Brand, absoluut, en Langford wilde hem niet tegen zich in het harnas jagen door zich als een paranoide mafkees op te stellen. Maar als hij het wel bij het goede eind had, dan werd het allemaal nog ingewikkelder. Hij had zichzelf voor de gek gehouden door te denken dat hij dit spel als een soort koele Clint Eastwood kon spelen. Dat had hij al kunnen weten toen hij laatst die eikel die hem bij zijn echte naam noemde, een hijs verkocht. Hij kon nog steeds volledig door het lint gaan, net als andere mensen... net als laatst toen hij bij Candela was... en als bleek dat Brand hem belazerde, dan zou het zomaar kunnen dat hij die fucker een fles in zijn smoel douwde of keek hoe lang hij onder water kon blijven.

Dat zou hem een goed gevoel geven, zeker weten. Het zou voelen alsof hij er recht op had. Maar als het gesprek inderdaad werd afgeluisterd, als zijn nieuwe vriend uit Ronda inderdaad meeluisterde, dan was dat misschien toch niet zo'n slimme zet.

Hij moest alert blijven, zo simpel was het.

Hij was dol op die oneliner uit *The Godfather*, dat je je vrienden dicht bij je moest houden en je vijanden nóg dichterbij. Dat had die Pacino van zijn ouwe pa geleerd. Er zaten natuurlijk ontzettend veel goeie scènes in die film, maar die ene sloeg de spijker op de kop.

Als Brand niet langer een vriend was, moest Langford hem zo dicht mogelijk bij zich in de buurt houden.

'Hoe lang ben je van plan te blijven, Gary?'

'Ik vlieg morgen weer terug,' zei Brand. 'Even snel op en neer.'

'Da's mooi. Je kunt waarschijnlijk niet zomaar een tripje naar Spanje maken zonder dat je bazen achterdochtig worden, of wel?'

'Ik had nog wat vakantiedagen staan, dus...'

'Daar had je dan geluk mee.'

Brand nam een flinke teug van zijn bier. En toen nog een laatste om de fles leeg te maken.

'Zit je in een beetje aardig hotel?'

Brand slikte snel. 'Iets in Malaga. In het oude centrum.'

'Hoe heet het?'

'Het hotel?'

'Ja, ik heb een aantal keren in Malaga gelogeerd, dus misschien kan ik je een paar goeie restaurants aanbevelen.'

'Het is zo'n boutique-achtig hotel,' zei Brand. 'Ze hebben een hele keten. Room Mate, heet het, geloof ik. Zoiets in ieder geval. Best aardig.'

Geen zichtbare aarzeling. Goed gebrieft of gewoon eerlijk, dat viel moeilijk uit te maken...

Een jong meisje kwam naar buiten en stapte het terras op. Ze droeg een dunne, lichtblauwe sarong over een witte bikini en had een norse uitdrukking op haar gezicht.

'Herinner je je Ellie nog?' vroeg Langford.

'Jazeker.'

'De laatste keer dat je haar hebt gezien, was ze, wat zal het zijn geweest, een jaar of acht?'

Brand zei haar gedag. Het meisje mompelde iets terug.

'Ga eens een paar biertjes voor ons halen,' zei Langford. 'Dan ben je een lieve meid. Weet je wat, doe er maar vier. Ik denk dat we hier nog wel even zitten.' Hij gebaarde naar Brand. 'Heb je honger? We kunnen wel even een sandwich voor je regelen...'

'Ik heb in het vliegtuig gegeten,' zei Brand.

Het meisje draaide zich om en liep zonder iets te zeggen terug naar binnen. Langford keek haar na en grinnikte toen tegen Brand.

'Ze is groot geworden,' zei Brand.

'Ze lijkt zo ontzettend veel op haar moeder toen die zo oud was, echt niet te geloven.'

Brand knikte. Langford dronk zijn flesje leeg. Ze zwegen allebei even en staarden over het zwembad.

'Hoor eens... we moeten het erover hebben wat we nu gaan doen,' zei Brand. 'Die contactpersoon – Murray – en Andy Boyle zijn dikke maatjes en het ziet ernaar uit dat ze behoorlijk wat munitie hebben om Grover in het nauw te brengen, snap je? Het gaat nu natuurlijk heel wat lastiger worden om iets in Wakefield op touw te zetten, nu die Howard Cook er niet meer is, maar...'

Langford kapte hem af. 'Ik zou je hier natuurlijk graag laten logeren, maar ik geloof niet dat dat verstandig is.'

Brand zweeg een paar seconden en Langford las de frustratie op zijn gezicht, die net zo duidelijk zichtbaar was als de zweetplekken onder zijn oksels. Op dat moment twijfelde hij niet meer; net zomin als hij eraan twijfelde dat Brand zelfs nog makkelijker uit de weg te ruimen zou zijn dan Candela.

Alweer iemand die hij graag zelf onder handen nam.

'Het hotel is prima, echt.'

Langford lachte en knikte in de richting van het huis. 'Sommige mensen hier vragen zich al af of ik samenhok met een meisje dat jong genoeg is om mijn dochter te kunnen zijn. Dus het laatste waar ik behoefte aan heb is dat ze denken dat ik nu van de verkeerde kant ben geworden!' Hij lachte nog eens, harder. 'Dus misschien moeten we maar niet te veel tijd samen doorbrengen.'

'Nee.'

'En al helemaal niet nu we de beste speurneus van de Londense politie hier hebben rondlopen.'

45

En al helemaal niet nu we de beste speurneus van de Londense politie hier hebben rondlopen.

In de bestelbus verstijfde Thorne. Heel even dacht hij dat Langford het allemaal doorhad en hem in de zeik nam. Dat de laatste opmerking specifiek aan hem was gericht. Hij keek even naar Samarez en Boyle, en zag dat zij hetzelfde dachten.

'Wat ga je nou doen?' vroeg Thorne.

'We kunnen niet veel doen,' antwoordde Samarez.

'Dus we blijven hier gewoon zitten.'

'Precies.' Boyle wapperde met de onderkant van zijn T-shirt om zich wat koelte toe te wuiven, waarbij hij een dikke, bleke bierbuik onthulde. 'Eerst maar eens zien of Langford ons geeft wat we willen voordat we het hier afpikken van de hitte.'

Brand was in een taxi gekomen met een agent van de Guardia Civil achter het stuur, maar Thorne en de anderen hadden hun posities al veel eerder ingenomen. Ze zaten daar ondertussen al bijna twee uur en in de bestelauto was het bloedheet en benauwd. Boyle, die slechts een observerende functie had, had het niet nodig gevonden zich ook maar enigszins formeel te kleden, maar Thorne had het niet op kunnen brengen zich voor deze operatie in vrijetijdskleding te steken. Hij zweette in zijn kakibroek en overhemd met korte mouwen, ademde warme lucht in die naar zweet smaakte, en Samarez die een soortgelijke outfit droeg, keek niet veel blijer.

'Misschien moeten we hem gewoon arresteren,' opperde Samarez.

'Hem confronteren met wat Brand ons verteld heeft.'

'Arresteren op grond waarvan?'

'We verzinnen wel iets.'

'Hij weet dat Brand geen betrouwbare getuige is,' zei Thorne. 'En wat Brand ook zegt, hij weet dat we niets concreets hebben om hem met de echt belangrijke zaken in verband te brengen.'

Ze bleven nog een paar minuten luisteren. Opnieuw zei Brand dat hij zich zorgen maakte over wat er in Engeland aan de gang was, dat hij van Langford wilde weten wat hij moest doen. Langford negeerde de vraag en begon iets te vertellen over een film die hij had gezien. Zei tegen Brand dat hij vooral de dvd moest kopen als hij weer thuis was.

'Volgens mij zit hij ons te belazeren,' zei Boyle. 'Hij heeft nog niet eens toegegeven dat hij weet wie Grover is en we kunnen hem absoluut niet in verband brengen met de moord op Anna Carpenter.'

'Hij hoeft zich maar één keer te verspreken,' zei Samarez.

Thorne nam een lange teug uit een fles water die al warm was geworden. Zijn hemd zat tegen zijn rug geplakt en hij begon zijn eigen zweet te ruiken.

Eén verspreking…

Zo'n geweldige rechercheur ben je niet, hè?

De eerste woorden die Anna tegen hem gezegd had.

Er kraakte een radio en Samarez reikte naar de telefoonhoorn naast de speaker. Hij praatte een paar seconden in het Spaans en zei toen tegen de anderen: 'Er komt een auto aan.'

Ze wachtten en hielden de hekken in de gaten, in de wetenschap dat ieder voertuig dat de auto van de Guardia Civil passeerde die onder aan de heuvel stond geparkeerd, alleen maar op weg kon zijn naar de villa van Langford. Een minuut later stopte er een witte VW Golf voor de hekken.

'Ik ken die auto,' zei Thorne.

Hij herkende de chauffeur ook, maar kon de vrouw die naast hem zat niet goed zien. Toen ging het portier aan de passagierskant open. De vrouw stapte uit en liep naar het hek.

'Donna…'

Samarez keek hem verbijsterd aan. 'Zijn vrouw?'

'Wat doet die hier?' vroeg Boyle.

Ze hoorden een zacht gezoem door de speaker komen: Brands microfoon die het geluid oppikte van Donna die op de bel drukte. Langford zei: 'Ik ben zo terug', en daarna hoorden ze alleen Brands ademhaling nog.

Het drong nu pas tot Thorne door dat de man die hem al die tijd gevolgd had, voor Donna werkte. Ze had blijkbaar een andere privédetective in de arm genomen. Waarschijnlijk had hij Samarez en Fraser ook in de gaten gehouden. En zodra hij erachter was gekomen waar Langford woonde, had hij die informatie doorgespeeld aan zijn cliënte.

'Ach, jezus,' zei Thorne. 'Die komt voor haar dochter.'

Er volgde een gedempte conversatie, daarna stilte tot Langford weer terugliep naar het zwembad en Donna weer in de auto stapte.

'Dat was mijn ex-vrouw,' zei Langford tegen Brand. 'Hoe komt het dat ik opeens zo populair ben?'

'Wát?'

Thorne zag hoe de hekken langzaam openzwaaiden.

'Misschien moet je maar eens gaan wiebeeren, Gary,' zei Langford. 'Het kan zijn dat ze je herkent. En dat zou je toch niet willen, hè?'

'Wat komt ze hier in godsnaam doen?'

'Nou, ik denk niet dat ze gezellig langs komt wippen voor een kopje thee met een koekje erbij, wat denk jij?'

In de bestelauto hoorden ze Brands schurende ademhaling en het harde schrapende geluid van zijn stoel over de tegels. Terwijl hij wegliep van het zwembad en het huis in ging, fluisterde Brand in het microfoontje: 'Dit loopt helemaal uit de klauwen.'

'Vertel mij wat,' zei Boyle.

De Golf verdween uit het zicht in de richting van de oprijlaan, terwijl Langford ergens in huis Ellies naam schreeuwde. Thorne was in twee stappen bij de achterkant van het bestelbusje.

'Wat ga je doen?' vroeg Samarez.

Thorne had de achterportieren al opengegooid. 'Dit zou weleens heel snel heel onaangenaam kunnen worden,' zei hij.

'En Brand dan?'

'Brand kan verrekken.' Thorne sprong uit de auto en begon snel te praten. 'Langford is op dit moment niet wat je noemt voorspelbaar en als Donna voor Ellie is gekomen, dan zie ik het niet gebeuren dat hij haar zonder meer meegeeft, jij wel?'

'We hebben niet genoeg om hem op te pakken,' zei Samarez.

'Blijf luisteren,' zei Thorne, en sloeg een van de portieren met een klap dicht. 'Misschien wordt hij onvoorzichtig, nu hij iets anders heeft om zich zorgen over te maken.'

Hij sloeg het andere portier dicht voordat Boyle of Samarez konden tegensputteren en trok een sprintje naar de hekken. Daar aangekomen, bleef hij even staan wachten tot de Golf helemaal uit het zicht was, en toen glipte hij snel door de hekken naar binnen voordat ze met een metalige galm weer dichtvielen.

Hij wachtte nog tien, vijftien seconden, voorover leunend met de handen op de knieën, hijgend. Hij had een droge mond en het speeksel dat hij doorslikte smaakte naar koper.

Alsof hij wachtte op de confrontatie met de stier.

Daarna, nog steeds buiten adem, begon Thorne tegen de heuvel op te rennen, in de richting van de villa.

46

Thorne had er drie, vier minuten voor nodig om het huis te bereiken, maar het voelde veel langer. De Golf stond voor het huis geparkeerd en hoewel Thorne de man achter het stuur graag had willen vertellen wat hij van hem vond, was daar geen tijd voor. Hij beperkte zich tot een strakke blik en genoot van de paniek in de ogen van de man toen hij langs hem heen liep.

De voordeur stond open en van binnen hoorde Thorne geschreeuw komen. Hij stapte een ruime hal met een booggewelf binnen, met een meters brede witte marmeren vloer en potpalmen waarvan de bladeren bijna tot aan het glazen dak reikten, en rechts van hem een wenteltrap. Hij liep erlangs, hij haalde nu iets rustiger adem en zijn hartslag begon weer normaler te worden, en volgde een betegelde gang naar de andere kant van de villa, in de richting van de kreten van woede en frustratie die weerkaatst werden door de in smaakvolle kleuren geschilderde muren.

'Nou, je hebt je tijd dus verkloot...'

'Jezus, wat heeft hij gedaan?'

'Wat heeft híj gedaan?'

'Alsjeblieft...'

'Je bent echt een stomme trut, hè?'

Vlak voor het eind van de gang passeerde Thorne een deur die op een kier stond. Hij duwde hem open en zag daar Gary Brand zitten die een krant doorbladerde alsof hij in de wachtkamer bij de dokter zat. Brand keek geschrokken op en deed zijn mond open om iets te zeggen.

Thorne hield een vinger tegen zijn lippen terwijl er ergens vlak bij hen een glas aan diggelen ging.

'Je spoort niet, schat...'

'Zeg dat ze opdondert...'

Brand wilde overeind komen, maar Thorne duwde hem terug in zijn stoel. Zei rustig maar beslist dat hij zijn kop moest houden en blijven zitten waar hij zat. Toen liep hij weer de gang in, deed nog een paar passen en keek toen voorzichtig om de hoek.

'Je hebt gehoord wat ze zei.'

'Ik ga nergens heen.'

'Misschien moet ik de politie dan maar bellen...'

Thorne stond nu in een deuropening die naar een grote open zitruimte leidde. Hij zag een biljarttafel staan en een witte piano achter een L-vormige bank. Aan de andere kant van het vertrek stond een zo te zien goed voorziene bar, met rijen flessen met glimmende etiketten en aan de muur daarboven hingen ingelijste oude filmposters.

The Dirty Dozen. Where Eagles Dare. The Italian Job.

Vanuit de kamer kon je via een paar schuifdeuren meteen doorlopen naar het zwembad, en van waar hij stond had Thorne een goed zicht op de gebeurtenissen.

Langford zat op de rand van een ligstoel en Ellie stond achter hem. Een meter verder, aan de andere kant van een glazen tafeltje, stond Donna met gebalde vuisten en haar ogen strak gericht op de rechterhand van haar dochter die op Langfords schouder rustte.

'Ik had moeite om niet in lachen uit te barsten,' zei Langford, 'toen die smeris me ervan betichtte dat ik haar "had meegenomen".' Hij keek even omhoog naar Ellie. 'Ze wist niet hoe snel ze hierheen moest komen, hè, schatje?'

'Ik droomde er altijd van.' Ellie kneep zachtjes in de schouder van haar vader, maar beet haar moeder de woorden toe. 'Ik hoefde alleen te wachten tot ik achttien was, zodat ze minder moeite zouden doen om me te vinden.'

'Tien jaar lang heb ik alleen maar aan jou gedacht,' zei Donna.

'O, maar ik heb ook aan jou gedacht, hoor. Alleen niet op dezelfde manier.'

'Die laatste keer dat ik je zag, voordat de rechtszaak begon, moest je zo ontzettend huilen en smeekte je hun mij niet mee te nemen.' Donna's stem klonk zacht en gebroken. 'Je wilde mijn arm niet loslaten.'

'Ik was nog een kind,' zei Ellie. 'Ik wist niet beter.'

'Nee...'

'Ik wist niet wat je gedaan had. Wat je had proberen te doen. Ik kon toen niet weten wat voor smerig rotwijf je was, of wel soms?'

'Maar ik heb het voor jou gedaan.'

'Je hebt mijn vader willen vermoorden!'

'Voor óns.'

'Je dacht niet aan mij, aan hoe ik me zou voelen.'

'Dat was het enige waar ik aan dacht, ik zweer het je. Al die jaren...'

'Grappig,' zei Langford. 'Ik dacht dat je het al die jaren te druk had met tapijthappen om je daar druk over te maken.'

Zelfs vanaf de plek waar hij stond, zes meter verder, kon Thorne de haat op Donna's gezicht geëtst zien.

'Wanneer heb je contact met haar gezocht?' vroeg ze.

Langford dacht even na. 'Ongeveer anderhalf jaar nadat ik hier was komen wonen en me gesetteld had. Ik heb haar een brief geschreven, had een paar vriendjes die een oogje in het zeil hielden, en ik stuurde soms wat geld als ze het nodig had. We zijn eigenlijk al vrij snel begonnen met het maken van plannetjes om je hierheen te halen. Zo is het toch, schatje?'

Ellie knikte.

Donna schudde haar hoofd alsof ze er geen touw aan vast kon knopen. 'Ik snap het niet,' zei ze. Toen ze Ellie aankeek, leek het alsof Donna zelf het kind was geworden. 'Ik snap het niet...'

Thorne had nu genoeg gezien en gehoord. Hij stapte de kamer in en zag hoe Langford de beweging opving, zijn blik op hem richtte... en toen glimlachte.

'Ik had al zo'n idee dat je hier ergens rondhing,' zei hij.

Donna en Ellie staarden Thorne allebei aan – de dochter keek dwars door hem heen, de moeder zag asgrauw.

Langford stak zijn armen uit. 'Schuif gezellig aan bij onze familiereünie.'

Thorne stapte het terras op en liep naar Donna toe.

'Voorzichtig met dat gebroken glas,' zei Langford. Hij knikte naar de groene scherven aan de rand van het zwembad, de overblijfselen van een bierflesje. 'Mijn ex kreeg het even op haar heupen.'

'Ik snap het niet,' zei Donna weer. 'Hoe zit het dan met die foto's? Iemand heeft me die foto's gestuurd...'

'Je bent nog stommer dan ik dacht,' beet Ellie haar toe.

Thorne had het al door, maar Donna had er een paar seconden voor nodig.

'Jij?'

Langford keek omhoog naar zijn dochter. 'Wát?'

'Ik was van plan geweest om het te zeggen...'

'Heb jíj die foto's gestuurd?'

Ellie knikte en deed haar mond weer open om iets te zeggen.

'Heb jij ook maar enig idee wat je hebt aangericht?' Hij duwde haar hand van zijn schouder. 'Wat een godvergeten problemen je me hebt bezorgd. Hoeveel je me hebt gekóst?'

'Wat voor problemen zouden dat kunnen zijn, Alan?' vroeg Thorne.

Langford draaide zich langzaam om en wierp hem een vuile blik toe. Hij zei niets maar het bloed dat plotseling naar zijn gezicht was gestroomd, was duidelijk zichtbaar, door de bruine huid heen.

Donna keek haar dochter nog steeds aan. 'Waarom?'

Ellie snoof en sprak op een toon alsof ze iemand zei hoe laat het was. 'Omdat ik je duidelijk wilde maken dat je in de gevangenis had gezeten voor het vermoorden van iemand die helemaal niet dood was. Ik wilde dat je zag wat voor geweldig leven hij leidde terwijl jij daar zat weg te rotten. Ik wilde je laten boeten.'

Het was duidelijk dat Ellie Langfords wens in vervulling was gegaan. Donna deed een wankelende stap naar voren, maar moest toen steun zoeken aan de tafel om niet te vallen.

Thorne liep op haar af en legde een hand op haar arm. 'Ik denk dat je nu maar moet gaan,' zei hij.

'Ja, zorg maar goed voor jezelf, mam,' zei Ellie.

Thorne wierp haar een strakke blik toe, zag dat de sarcastische trek om haar mond weer had plaatsgemaakt voor dezelfde norse pruilende blik die hij had gezien op foto's van Ellie als jong meisje.

Ze hield haar hoofd scheef. 'Is er wat?' vroeg ze uitdagend.

Donna duwde zachtjes Thornes hand van haar arm. Ze keek nog steeds verbijsterd, alsof ze het niet kon bevatten. 'Maar die foto's zijn in Londen op de post gedaan.'

'Jezus, ik heb nog steeds vrienden in Londen, hoor.' Ellie knikte minachtend naar Thorne. 'Ik zou denken dat meneer de rechercheur dat ondertussen wel had uitgevogeld.'

'Maar het leek alsof je... meegenomen was. Je bent gewoon verdwenen.'

'Frisse, nieuwe start,' zei Langford. Hij probeerde kalm te klinken maar het was duidelijk dat hij nog steeds diep geschokt was door Ellies bekentenis. 'Dat is de beste manier. Heb ik ook gedaan.'

'Daar komt nog eens bij dat híj er geen trek in had dat ze hier kwamen rondsnuffelen,' zei Thorne. 'Daarom heeft ze haar paspoort daar achtergelaten, daarom heeft hij haar stiekem het land uit gesmokkeld.'

Langford keek hem grijnzend aan. 'Wat? Ga je me nou arresteren wegens mensensmokkel?'

'Als het niet anders kan.'

'Moet je vooral doen,' zei Langford opeens op agressieve toon. 'Kunnen we nog lol beleven.'

'Waarom heb je niet op zijn minst je pleegouders laten weten dat alles goed was met je?' vroeg Thorne.

Het meisje leek zich drukker te maken om een paar plukken haar die door de wind los waren geraakt dan om de verwoesting die ze hier terloops aanrichtte.

Thorne probeerde de walging niet in zijn stem te laten doorklinken, gunde haar dat genoegen niet. 'Heb je enig idee wat zij hebben doorgemaakt?'

Ellie haalde haar schouders op. 'Het gaat je wel geen bal aan, maar ik zou het uiteindelijk heus wel verteld hebben aan Maggie en Julian.' Ze sprak hun namen op een honende toon uit, als een slechte komiek die mensen in de zeik neemt. 'Ze komen er wel overheen, maak je geen zorgen. En ze hebben hun dierbare Sammy toch nog? Ik kwam trouwens toch altijd op de tweede plaats toen hij er eenmaal was.'

Pas nu realiseerde Thorne zich dat dit knappe, donkerharige tienermeisje vanbinnen volkomen gevoelloos was. Koud en bikkelhard. Het opsturen van de foto's was slechts een onderdeel van haar plan. Het feit dat ze haar pleegouders niet had laten weten dat ze nog leefde had alleen maar gediend om haar moeder nog meer te kwellen, en ze had Donna graag in de waan gelaten dat ze dood was. Thorne zag hoe ze haar haar achter haar oren stopte en bedacht dat Ellie Langford uiterlijk weliswaar op haar moeder leek, maar haar karakter van haar vader had geërfd.

Donna staarde naar de grond en mompelde iets.

'Je moet iets harder praten, schat,' zei Langford.

'Je moest eens weten,' zei Donna. Ze hief haar hoofd op en keek haar dochter aan, 'hoe het was om met hem te leven. De dingen die hij deed, de dingen die hij me dwong te doen, wat voor gevoel hij me gaf. Wat had ik anders moeten doen?'

'O god, daar gaan we weer,' zei Langford.

Donna deed plotseling een stap in Ellies richting en heel even maakte de verveelde blik in de ogen van het meisje plaats voor paniek. 'Hij heeft dít bij me gedaan,' gilde Donna. Ze stak haar hand uit en liet de roze, rimpelige huid op de rug van haar hand zien. 'Kijk wat hij me heeft aangedaan...'

Ellie had zich alweer hersteld en haalde haar schouders op. 'Die truc werkte al niet in de rechtszaal, dus je hoeft het bij mij ook niet te proberen.'

Donna liet haar hand langs haar zij vallen, draaide zich om en staarde over het zwembad. Ze had een verslagen, wanhopige blik in haar ogen.

Thorne deed een stap naar haar toe. 'Kom nou maar, Donna.'

Ze verroerde zich niet.

'Godsamme, die heeft aan een half woord ook niet genoeg, hè?' De stem van het meisje schoot plotseling omhoog, klonk schril en verachtelijk. 'Alsof ik het nog niet duidelijk genoeg had gemaakt aan haar "vriendin".' De walging in haar stem was onmiskenbaar. 'Ik heb tegen haar gezegd dat ik dat kutwijf nooit meer wilde zien, dat ze wat mij betreft mocht wegrotten in de gevangenis. Ik heb tegen haar gezegd dat ik geen moeder meer hád.'

Er volgden een paar seconden stilte, op het geluid van de zwembadstofzuiger na die over de bodem van het zwembad gleed en zacht slurpende en tikkende geluiden maakte aan het uiteinde van de lange slang. Uiteindelijk wendde Donna zich van haar dochter af en liep langzaam naar de schuifdeuren toe, een beetje zwabberend alsof ze te veel gedronken had.

'Ik moet iets drinken,' zei ze. 'Water of zo...'

Thorne zag haar naar binnen verdwijnen, en medeleven en schuldgevoel streden bij hem om voorrang, nu hij eindelijk begreep wat Kate voor haar verborgen had gehouden... en waarom. Het was een leugentje geweest – iets wat ze uit liefde niet had willen vertellen – om datgene te beschermen wat Donna het dierbaarst was.

Hij wist als geen ander dat liefde net zoveel dood en verderf kon aanrichten als haat.

'Goed, en nu?' vroeg Langford. 'Hebt u misschien zin in een frisse duik, meneer Thorne?'

Thorne gaf geen antwoord. Hij liet zich niet door Langford provoceren en bovendien vroeg hij zich koortsachtig af of die aanklacht wegens mensensmokkel misschien toch een begin van iets zou kunnen zijn. En of er iets was waarop hij de dochter kon pakken.

'Ik vraag me af waar je vriend Gary uithangt,' zei Langford. 'Die houdt zich binnen ergens schuil voor het geval Donna hem ziet, denk ik. Niet dat het er veel toe doet.' Hij keek even naar Ellie die zich kalmpjes op een ligstoel naast hem liet zakken, en wees toen naar zijn oren. 'Hebben jullie trouwens nog iets interessants gehoord?'

'Alleen maar een hoop onzin en gesnoef,' zei Thorne. 'Typisch het gebluf van iemand die in het nauw zit.'

Langford ging achterover liggen op zijn ligstoel. 'Ja, de druk is bijna ondraaglijk.' Hij reikte naar een pocket op een tafeltje naast hem en zei toen, alsof hij eigenlijk al vergeten was dat Thorne er nog was: 'Je komt er zelf wel uit, hè?'

Thorne keek hem aan en voelde de haat omhoog borrelen en het bloed in zijn slapen kloppen. Op dat moment gleden Langfords ogen naar de schuifdeuren en ging hij plotseling rechtop zitten. Thorne hoorde Ellie: 'Papa...?' zeggen.

Donna kwam kalmpjes het terras op lopen en hield een pistool op hem gericht. Haar ogen stonden wijd open en ze keek star voor zich uit, en toen ze begon te praten klonk haar stem toonloos en laag, als van een robot. 'Sommige gewoonten leer je niet af, hè, Alan? Je sliep altijd al met zo'n ding naast je bed. Je moet altijd vooruitdenken.'

Langford kwam behoedzaam overeind van de ligstoel en deed een stap achteruit met zijn armen naar haar uitgestrekt. Ellie stond ook op en ging bij haar vader staan. Thorne bleef waar hij was.

'Dit is niet slim, Donna,' zei hij. 'Geef me dat pistool.'

Hij was er niet zeker van of ze hem hoorde, of dat de stem die haar op dit moment leidde alles overstemde. Ze stak het pistool verder naar voren en haar beide handen trilden rond de kolf terwijl ze het op Langford gericht hield.

'Hij heeft gelijk, dit is niet slim,' zei Langford. Hij deed een stap naar Ellie toe en heel even dacht Thorne dat hij zijn dochter als schild zou gebruiken. Terwijl de tijd even leek stil te staan, vroeg hij zich onwillekeurig af wie van de twee een groter verlies voor de genenpool zou betekenen. 'Wat voor zin heeft dit nou, Donna?'

'Ik geef Ellie wat ze wil,' zei Donna. 'Zij wilde dat ik voor de rest van mijn leven in de gevangenis zou zitten en dit lijkt me een goeie manier. Sterker nog, dit lijkt me de beste manier.'

'Dat meende ik niet!' schreeuwde Ellie.

'Ze meende er helemaal niks van.' Langford zette aarzelend een stap in de richting van zijn ex-vrouw. 'Die foto's waren voor de lol, meer was het niet, schat. Gewoon een geintje, kom op, zeg.'

Donna knikte langzaam en zei: 'Niet lollig,' en schoot Langford in zijn borst.

De tijd had zichzelf ingehaald en snelde toen vooruit, lang voordat de nagalm in Thornes oren was weggestorven. Ellie gilde en bleef gillen terwijl Donna het pistool liet zakken. Langford deed twee stappen achteruit en zakte toen in elkaar, leunde eerst op zijn ene knie, en viel toen achterover naast het zwembad. Thorne hoorde Samarez schreeuwen: 'Politie! Wij zijn gewapend!' en 'Laat dat pistool vallen!' en zag Donna gehoorzamen, met een gezicht dat net zo kalm was als het water in het zwembad, terwijl het wapen uit haar hand gleed en op het terras kletterde.

Gewoon een droge knal...

Samarez, Boyle en Thorne renden alle drie op Donna af, terwijl Ellie snel naar Langford liep en zich naast zijn hoofd op haar knieën liet vallen. Hij bewoog nog, probeerde zich zijdelings op te richten en viel toen weer achterover. Nadat ze Donna hadden geboeid, liep Samarez terug naar de zitkamer en haalde zijn mobieltje tevoorschijn.

'Gaat iemand hier nog iets dóén?' schreeuwde Ellie.

Thorne hoorde Samarez op gejaagde toon praten – een ambulance bellen of, nog veel belangrijker, zijn vrouw bellen om haar te laten weten dat hij vanavond niet op tijd thuis was voor het eten. Gary Brand stond naast de piano en zei: 'Wat is hier in godsnaam gebeurd?' terwijl Boyle Donna naar binnen bracht. Ze mompelde een bedankje en toen ze langs Thorne liep, gleed er een zweem van een glimlach over haar gezicht, hoewel ze geen moment naar hem opkeek.

Ellie Langford tilde haar vaders hoofd van de grond en legde het in haar schoot. Ze trok een groene glasscherf uit zijn hals en drukte haar vingers op de wond waaruit bloed omhoog borrelde en in golfjes naar buiten stroomde, maar lang niet zoveel als het bloed dat nu uit zijn borst gutste, donkerrood en glanzend op de crèmekleurige tegels, en naar de rand van het zwembad kroop.

Thorne kwam langzaam op haar af lopen, en terwijl het meisje hem stijf schold en omhoogkwam en aan zijn hemd trok, boog hij zich voorover en zag hoe de eerste druppels van Alan Langfords bloed over de rand gleden, geluidloos in het water vielen en naar beneden zonken.

Elke druppel waaierde een beetje uit terwijl hij in het water wegzonk.

En te midden van het gesnik en het gekreun en het geschreeuw van iemand binnen in het huis, was alleen het geluid van de zwembadstofzuiger te horen, die nog steeds zacht tikkend en slurpend zijn werk deed.

IV

VERTEL HET MAAR

47

De schommels waren nog net zo verroest en tussen de doelpalen hing nog steeds geen net, maar het parkje in Seven Sisters voelde nu iets meer als een plek waar je een wandelingetje zou willen maken of even op een bankje zou willen zitten. Het weer werkte natuurlijk ook mee. Met een sprankje zonneschijn en hier en daar groepjes narcissen zag de wereld er in ieder geval wat mooier uit, hoeveel pijn een mens ook leed.

'Ik ga op haar wachten, weet je,' zei Kate.

Thorne en zij zaten op hetzelfde bankje als waarop hij nu bijna drie maanden geleden met Donna en Anna had gezeten. De dag dat Anna de man met de hond had aangesproken. Thorne durfde met geen mogelijkheid te voorspellen wanneer Donna weer op dit bankje zou kunnen zitten. Ze zat in voorlopige hechtenis in de Holloway-gevangenis, tot ze terecht moest staan wegens doodslag op Alan Langford.

'Dan zou je weleens lang kunnen wachten,' zei hij.

'Dat is niet erg,' zei Kate. 'Dat is het minste wat ik kan doen.'

'Je hoeft je niet schuldig te voelen.'

'O nee?'

'Hier kon jij niets aan doen.'

'Als ik het haar had gezegd, dan zou het nooit zo ver uit de hand zijn gelopen.' Ze leunde achterover. De tatoeage was deels zichtbaar boven de hals van haar zwarte T-shirt – de eerste letters van Donna's naam.

'Als ik haar had verteld wat voor kreng haar dochter was.'

'Ze zou er kapot van zijn geweest,' zei Thorne. 'En ze zou je erom gehaat hebben.'

'Als ik heel eerlijk ben, was ik daar vooral bang voor. Ik blijf mezelf maar voorhouden dat ik niks heb gezegd om haar te beschermen, maar eigenlijk ging het me om ons allebei.'

'Daar is niks mis mee,' zei Thorne.

Drie jongens kwamen van de andere kant van het park over het gras aanrennen. Een van hen schopte een bal hoog de lucht in en er werd flink gevloekt terwijl ze aan het ruziën waren over wie er in het doel moest staan.

'Dan zou je vriendin ook nog leven,' zei Kate.

Thorne gaf geen antwoord. De enige die in zijn ogen schuld had, was hijzelf. Hij zou de dood van Anna zijn hele leven met zich meedragen.

'Donna was helemaal van slag toen ze het hoorde. Ze vond haar echt aardig.'

'Dat was ze ook.'

Kate keek hem aan. 'Jullie waren wel close, hè?'

'We waren bevriend, dat is alles.'

'En dat was ook alles wat je wilde?'

'Ja, ik geloof van wel. Ik weet het niet.' Thorne keek naar de voetballende jongens, twee van hen droegen een Arsenalshirt en de derde had een ontbloot bovenlijf. 'Ik heb haar niet lang genoeg gekend om erachter te komen of het iets tussen ons kon worden. Ach, het waren gewoon dwaze gedachten.'

'Je had iets moeten zeggen.'

Thorne schudde zijn hoofd.

'Je kunt het beste eerlijk zijn, geloof me.'

'Misschien,' zei Thorne. Wat voor gevoelens hij ook voor Anna had gekoesterd – en op een paar korte fantasieën na waren die nooit overduidelijk seksueel geweest – ze vormden wel het symptoom van iets heel anders. Het werd tijd om eerlijk te zijn tegen zichzelf... en tegen Louise. 'Zo, en wat ga jij nu doen?' vroeg hij. 'Terwijl je aan het wachten bent?'

Kate haalde haar schouders op. Ze leek nu veel ouder dan de laatste keer dat Thorne haar gezien had, en ze zou er een flink stuk ouder uitzien tegen de tijd dat Donna en zij weer bij elkaar waren. 'Haar opzoeken. Ervoor zorgen dat ze weet dat ik nergens anders heen ga.'

'Dat weet ze wel,' zei Thorne. Dat geloofde hij werkelijk, maar hij dacht ook dat de gevangenis op dit moment precies de plek was waar Donna wilde zijn. Het was de enige plaats waar ze zich werkelijk thuis voelde.

'Heb je zin om iets te gaan drinken?'

'Wanneer?'

'Nu? In de pub of ik heb thuis ook een fles liggen.'

Thorne wierp een snelle blik op zijn horloge en zei dat hij weer eens terug moest. Kate antwoordde dat dat prima was en dat ze zelf ook van alles te doen had. Het was duidelijk dat ze precies wist waar hij nu heen ging. De rechtszaak tegen Donna was nog in voorbereiding en er moesten getuigenissen worden afgenomen van degenen die de moord hadden zien gebeuren, waarbij Thorne zelf als de belangrijkste getuige van de openbare aanklager zou optreden.

Hij ging natuurlijk niet liegen over de schietpartij maar hij zou ook niet aarzelen om een beschrijving te geven van de verregaande provocatie die Donna Langford van haar ex-man en dochter te verduren had gehad; de psychische kwelling die haar ertoe bracht de trekker over te halen.

Je kunt het beste eerlijk zijn...

'En vanavond?' vroeg Kate.

'Sorry, maar dan kan ik niet,' zei Thorne. Andy Boyle was in Londen en Thorne had beloofd iets met hem te gaan drinken. Dat werd waarschijnlijk een zware sessie. 'Ik bel je wel en dan spreken we iets af voor volgende week.'

'Dat is goed,' zei Kate. 'Ik weet dat je het druk hebt.'

Ze bleven nog een paar minuten zitten, stonden toen op en namen met een handdruk afscheid van elkaar.

'Ik had nog mijn excuus willen maken,' zei Thorne. 'Die dag toen ik maar zat door te zagen over wat je twintig jaar geleden hebt gedaan.'

Kate knikte en keek ongemakkelijk.

'Je zei toen dat ik daarmee over de schreef ging en daar had je gelijk in.'

'Je deed gewoon je werk.'

'Ik had dat niet allemaal op moeten rakelen.'

'Ik was het heus niet vergeten, hoor,' zei Kate. 'Het is het eerste waar ik aan denk als ik 's morgens mijn ogen opendoe.' Ze zette een stap van hem vandaan en bleef toen weer staan. 'En nu misschien het tweede...'

Thorne was halverwege op weg naar Colindale toen zijn mobiel ging. Brigstocke zei dat hij in Jesmonds kantoor zat en stelde voor dat als Thorne niet handsfree belde, hij misschien beter even aan de kant kon gaan staan. Thorne antwoordde lachend dat het wel erg serieus klonk. Op dat moment kwam Jesmond ertussen. Zijn stem klonk metalig door het speakertje maar de ernstige toon waarop hij sprak kwam luid en duidelijk over toen hij Thorne kalmpjes meedeelde dat Andrea Keane de avond daarvoor om halfelf het politiebureau van Brighton was binnengewandeld.

48

'Waar heb je al die tijd gezeten, Andrea? Ik bedoel... je bent bijna een jaar weggeweest.'

Ze zaten in een van de verhoorruimten in Becke House. Het was geen officieel verhoor, hoewel Jesmond serieus overwoog haar aan te klagen wegens 'verspilling van politietijd'.

'Dan hebben we onszelf tenminste niet helemaal belachelijk gemaakt,' had hij gezegd.

De commissaris had sinds Andrea Keane was opgedoken een aantal uitspraken gedaan die Thorne voorlopig niet zou vergeten. Zijn favoriete uitspraak luidde: 'Nou, het goede nieuws is dat ze nog leeft. Hiephiep-hoera, verdomme. Het slechte nieuws is dat we genaaid zijn. Allemaal, maar jij vooral...'

'Andrea...?'

Ze zat tegenover Thorne aan tafel, hand in hand met haar vader. Ze zag er heel anders uit dan het meisje op de foto's die overal verspreid waren toen ze tien maanden geleden verdwenen was. Ze was minstens zes kilo lichter en ze had haar haar kortgeknipt en zwart geverfd.

Ze keek doodsbenauwd.

'Heb je enig idee hoeveel moeite we hebben gedaan om je te vinden?' vroeg Thorne. 'En dan heb ik het niet over de kosten...'

'Het spijt me.' Ze keek haar vader aan. Hij kneep zachtjes in haar hand. 'Ik weet niet wat ik nog moet zeggen.'

'Vertel ons gewoon de waarheid.'

Jesmond schraapte zijn keel. Hij zat naast Thorne, maar niet zo dicht naast hem dat ze elkaars hand konden vasthouden. 'Neem de tijd, mevrouw Keane. Ik begrijp dat het moeilijk is voor u.'

Thorne kon het niet nalaten een blik opzij te werpen. Hij had veel zin om over de tafel te leunen en Andrea en haar vader te vertellen wat de zorgzame, meelevende commissaris in werkelijkheid dacht. Misschien kon hij de meer gematigde uitspraken van zijn baas aan hen doorbrieven:

'Goed, die rechtszaak hadden we al verloren, maar nu ze nog blijkt te leven hebben we ook niet meer het morele gelijk aan onze zijde.'

'Wat is hier toch aan de hand? Waarom kunnen de doden verdomme niet gewoon dood blijven?'

Maar Thorne zweeg, vooral omdat hij diep in zijn hart Jesmonds frustratie deelde. Hij was natuurlijk blij dat ze nog leefde, dat zeker: de blik op Stephen Keanes gezicht zou iedereen die ook maar een greintje menselijkheid bezat vrolijk stemmen. Maar toch werd Thorne al misselijk bij de gedachte aan Adam Chambers en zijn hooggeplaatste vrienden die zich op dit moment zaten te verkneukelen. Aan de zelfvoldane prietpraat die de kranten de komende dagen zouden verkondigen. Aan het stuitende laatste hoofdstuk in Nick Maiers misselijkmakende exposé.

'Ik heb een tijdje in Brighton gezeten,' zei Andrea. 'Bij Sarah. En daarna heb ik her en der gewoond.'

'Zat je bij Sarah Jackson in huis?'

Andrea knikte.

Thorne zuchtte en keek Jesmond aan. 'We hebben met haar gesproken. Twee keer.'

'Ze is mijn vriendin, dus heeft ze gelogen.'

'Ze verdient een Oscar voor haar acteerprestatie.'

'Gaat ze nu problemen krijgen?'

'Mogelijk,' zei Thorne. Hij zag Andrea langzaam knikken en haar tranen weg knipperen. 'Wat heb je al die tijd gedaan? Waar heb je van geleefd?'

'De eerste maanden heb ik bij Sarah gewoond tot het niet meer zo in het nieuws was. En toen heeft ze me aan een schoonmaakbaantje geholpen, contant betaald, en kon ik haar wat geld geven omdat ik daar mocht logeren. Nou ja, omdat ze me verborgen hield.'

'U hebt geen idee,' zei Stephen Keane.

'Nee, inderdaad.'

'Wat zij allemaal heeft meegemaakt.'

Thorne knikte en zei: 'Je zult ons moeten vertellen waarom je dit hebt gedaan, Andrea.'

'Ja, ik weet het.' Haar stem klonk opeens heel zacht en hoog. Als van een kind.

'Het is goed, schatje,' fluisterde Stephen Keane en hij boog zich voorover om weer zachtjes in haar hand te knijpen. 'Vertel het maar.'

Ze begon snel te praten alsof dat de enige manier was om het eruit te krijgen, met haar ogen strak gericht op de rand van de tafel en de hand die niet in die van haar vader gevouwen zat, stevig rond de armleuning van haar plastic stoel geklemd. 'Die avond ging ik naar hem toe... naar Adams flat, na afloop van de les. We hebben daar wat gedronken en het over de andere mensen in de les gehad, gewoon wat zitten kletsen, weet je wel?' Ze haalde diep adem en praatte moeizaam verder. 'Ik vond hem leuk, als ik heel eerlijk ben. Hij zag er goed uit en leek ontzettend aardig. Ik wist wel dat hij een vriendin had maar hij zei dat het niet zo geweldig ging tussen hen, dus ik voelde me niet echt schuldig... Zoals ik al zei, we dronken wat en luisterden naar muziek. Hij deed net of hij alles van wijn wist, rook aan de kurk toen hij de fles openmaakte en zo, en ik wist best dat hij alleen maar een beetje interessant zat te doen, maar dat kon me niet schelen. Hij sloeg zijn arm om me heen en dat liet ik toe. Ik wílde het ook.'

Ze wierp een snelle blik op Thorne en keek toen haar vader aan. Hij glimlachte en knikte. 'Het is goed,' zei hij.

'We zaten een tijdje te zoenen en zo, en toen waren zijn handen opeens overal op mijn lijf.' Haar eigen hand gleed van de armleuning van de stoel terwijl ze aan het vertellen was, en ze maakte een snelle beweging over haar borst en schoot. 'Ze waren overal... zijn vingers. Ik zei dat ik naar huis moest omdat ik de volgende ochtend vroeg moest beginnen, en ik begon echt het gevoel te krijgen dat dit één grote vergissing was, dat ik helemaal verkeerd bezig was, terwijl hij maar zat te fluisteren dat het fantastisch zou zijn. Dat hij het heel lang... kon volhouden. Ik zei dat hij moest stoppen.' Ze keek weer op en deze keer klonk haar stem veel krachtiger. 'Ik heb hem gezégd dat hij moest stoppen en ik was níét dronken. Ik had maar een paar glazen gedronken en ik was... níét dronken.

Maar hij was enorm sterk. In de les sloofde hij zich altijd uit, met bankdrukken en zo, en dan gebruikte hij een paar meisjes als gewicht, dus toen hij ruw begon te doen, kon ik helemaal niets uitrichten. Hij bleef de hele tijd tegen me praten... terwijl hij bezig was, zei dat hij best wist dat ik het graag wilde, dat zijn vriendin altijd deed alsof ze het niet lekker vond als hij haar ruw nam, maar dat zíj net zo'n leugenachtig kreng was als ik. Ik deed mijn ogen dicht tot het voorbij was, en probeerde geen geluid te maken, maar... hij heeft me pijn gedaan.

Hij heeft me pijn gedaan...

Daarna heb ik me aangekleed en zat hij me aan te staren, hij zei dat het geen zin had om het aan iemand te vertellen omdat ik zelf was meegegaan naar zijn flat en gedronken had, en dat niemand zou geloven dat ik het zelf niet ontzettend graag wilde.'

Ze zweeg even en Jesmond begon te zeggen dat er tegenwoordig veel behoedzamer werd omgegaan met dit soort zaken. Maar Thorne luisterde niet echt en Andrea Keane evenmin.

'Toen ik wegging,' zei ze en keek Thorne nu aan, 'zat hij daar aan zijn vingers te ruiken, net als hij met die kurk had gedaan. Waarderend te snuiven. Alsof ik een... fles wijn was die hij had opengemaakt.'

Haar vader naast haar maakte een zacht kermend geluid.

'Ik kon niet naar huis, ik durfde niemand onder ogen te komen, dus belde ik Sarah en zij is me komen halen. Ik was niet van plan om zo lang weg te blijven. Ik bedoel, ik had geen plan in m'n hoofd of zo, maar toen ik wist dat iedereen naar me op zoek was, werd het steeds moeilijker voor me om terug te gaan. Toen zag ik dat hij gearresteerd was, dus...'

Ze keek op en het was duidelijk dat ze klaar was met haar verhaal. De tranen stroomden over haar vaders gezicht. Jesmond haalde een zakdoek uit zijn zak maar werd genegeerd.

'En waarom nu wel?' vroeg Thorne. 'Waarom ben je nu wel teruggekomen?'

'Omdat hij ermee weg is gekomen. Omdat hij die rechtszaal uit kwam lopen als de onschuld zelve, omdat ik hem op tv zag en in de kranten zag staan, en het gevoel kreeg dat hij het weer met me deed. Dat hij het met iedereen deed.'

'En als hij nou niet was vrijgesproken? Zou je dan niets hebben gedaan en hem voor moord hebben laten zitten?'

'Absoluut,' zei ze. 'Zelfs als dat had betekend dat ik voor altijd weg moest blijven. De wetenschap dat hij dan in ieder geval ergens voor gestráft werd, maakte dat meer dan de moeite waard.'

'En je ouders dan? Waarom heb je hun niet laten weten dat alles goed was met je?' Thorne knipperde even met zijn ogen toen hij zich herinnerde dat hij Ellie Langford een paar weken eerder vrijwel dezelfde vraag had gesteld.

'Ik zou het ze wel hebben gezegd,' zei Andrea. 'En ze zouden het begrepen hebben.' Ze keek haar vader aan. 'Ze zouden het voor zich hebben gehouden.'

Stephen Keane knikte, leunde achterover en haalde zijn hand over zijn gezicht. 'Dus... zo is het gegaan.'

'Goed,' zei Jesmond. 'Bedankt...'

Toen de commissaris over het afleggen van verklaringen begon, leken medeleven en vastberadenheid op zijn pafferige gezicht met elkaar om voorrang te strijden. Maar Thorne wist hoe bedreven hij erin was om mensen datgene te laten zien wat ze wilden zien. In werkelijkheid ervoer Jesmond niets anders dan pure, onvervalste opluchting.

Thorne ervoer iets wat veel duisterder was.

49

Thorne en Kitson zaten in een neutrale auto voor een huis in Crickle-wood. De straat was verlaten en werd omzoomd door bloeiende eiken-bomen. Adam Chambers was daar een paar weken geleden komen wonen en Thorne vroeg zich af hoeveel uitgevers van boeken en sensa-tiekranten aan de hypotheek hadden bijgedragen.

'Waar zit je nou op te wachten?' vroeg Kitson. Ze kreeg geen ant-woord. 'Kom op, we weten dat hij er is.'

'We hebben geen haast.'

'O nee? Je hebt op weg hiernaartoe gemiddeld tegen de honderd ge-reden...'

Thorne staarde naar het huis. Hij probeerde zijn gedachten te orde-nen, alles in vakjes onder te brengen, maar dat bleek onmogelijk. Een paar maanden geleden was Andrea Keane Ellie Langford geworden, daarna Candela Bernal, en nu, al deed hij nog zo hard zijn best om pro-fessioneel te blijven en te doen alsof het niet zo was, vervaagden alle slachtoffers tot één persoon: een jonge vrouw die niet geschikt was om in een bank te werken. Die te veel praatte en stomme grappen maakte, en die het absoluut bij het goede eind had gehad toen ze hem een prut-ser noemde.

Hij moest zichzelf niet voor de gek houden.

Hij deed dit net zozeer voor Anna als voor Andrea.

Hij stapte de auto uit en sloeg het portier dicht. Een paar seconden later deed Kitson hetzelfde, en de zon wierp een stroperig geel licht door een gat in de wolken toen ze op de voordeur van Adam Chambers afliepen.

'Hij zal wensen dat hij haar vermoord had,' zei Thorne.

Dankwoord

Ik wil mijn dankbaarheid betuigen aan al die mensen die mij hebben geholpen om dit boek zoveel beter te maken dan het anders was geworden...

Zoals altijd heb ik veel waardevolle feedback en steun mogen ontvangen van de mensen bij Little, Brown, met name van David Shelley, die werkelijk geweldig werk heeft verricht, en het 'meubilair' waarmee mijn agente Sarah Lutyens komt aanzetten wordt in ieder boek steeds fraaier.

Er is in ieder geval één boekhandel die mijn boeken altijd in voorraad blijft houden!

Vergeleken bij overdadige cadeaus of keiharde cash steekt een bedankje slechts armzalig af, maar niettemin gaat mijn dank uit naar Wendy Lee, Peter Cocks en Victoria Jones. En naar twee mensen wier naam ik nooit te weten ben gekomen: de goochemerd in een bar in Mijas die mijn hoed wilde kopen en zomaar Alan Langford had kunnen heten, en het meisje op het strand in Puerto Banus, die Candela Bernal zou worden.

En naar Claire, natuurlijk. Dat spreekt vanzelf.

Hoewel alle bovengenoemde mensen een geweldige bijdrage hebben geleverd aan dit boek, blijf ik zelf natuurlijk geheel verantwoordelijk voor eventuele fouten. Wat dat betreft wil ik er graag op wijzen dat ik heel goed weet dat de *feria Virgen de la Peña* ieder jaar in september

plaatsvindt en niet in april. Aangezien ik dat feest zelf heb meegemaakt in al zijn fascinerende en spookachtige pracht en praal, wilde ik
het Tom Thorne niet onthouden. Dus ik hoop dat degenen die nu – op
dit moment – naar hun rode pen grijpen om mij een boze brief te
schrijven, me zullen vergeven dat ik me omwille van het verhaal enige
vrijheden met de datums heb veroorloofd.